Comunicación oral y escrita

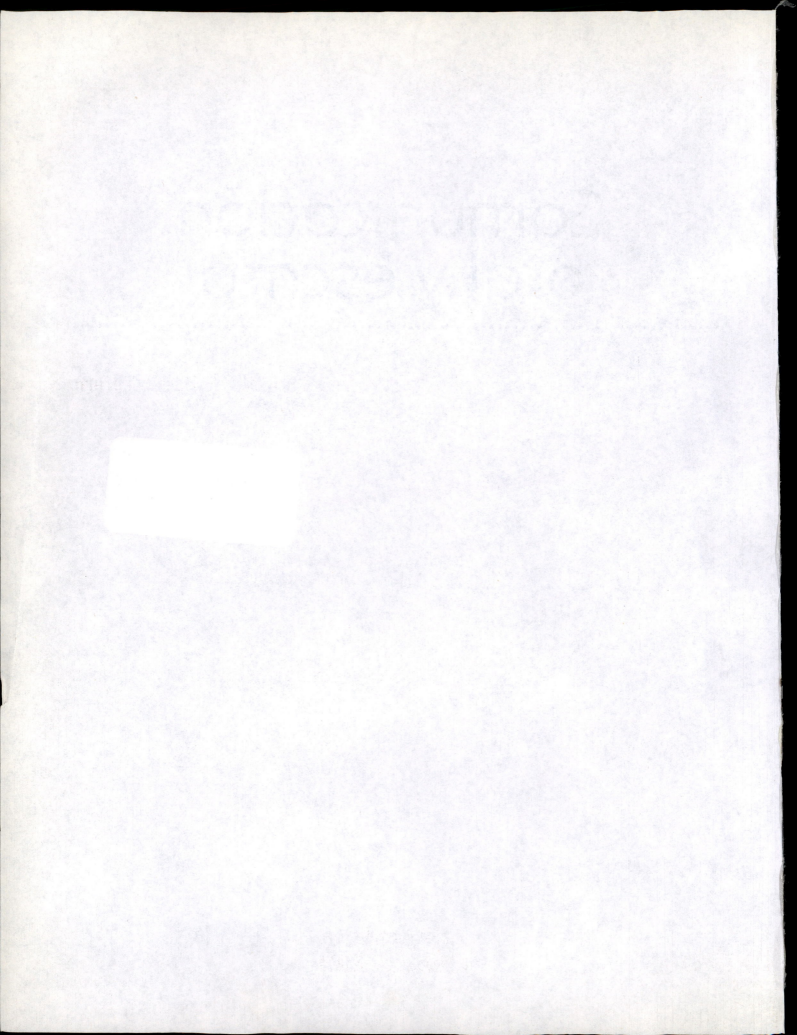

Comunicación oral y escrita

Segunda edición

María del Socorro Fonseca Yerena
Instituto Tecnológico y de Estudios Superiores de Monterrey
Campus Monterrey

Alicia Correa Pérez
Facultad de Filosofía y Letras
Universidad Nacional Autónoma de México

María Ignacia Pineda Ramírez
Benemérita Universidad Autónoma de Puebla
Puebla, México

Francisco Javier Lemus Hernández
Universidad CEI
Puebla, México

REVISIÓN TÉCNICA
Maruma Godoy Rangel
Departamento de Español, Literatura y Letras
Tecnológico de Monterrey, Esmeralda

PEARSON

Datos de catalogación bibliográfica

Fonseca Yerena, María del Socorro; Correa Pérez, Alicia; Pineda Ramírez, María Ignacia y Lemus Hernández, Francisco Javier

Comunicación oral y escrita

Segunda edición

PEARSON EDUCACIÓN, México, 2016

ISBN: 978-607-32-3689-8

Área: Ciencias Sociales

Formato: 21 × 27 cm Páginas: 352

Dirección General: Sergio Fonseca Garza
Director de Contenidos y Servicios Digitales: Alan David Palau
Gerente de Contenidos y Servicios Editoriales: Jorge Luis Íñiguez Caso
Coordinador de Contenidos Educación Superior: Guillermo Domínguez Chávez
Editora Sponsor, Especialista en Contenidos de Aprendizaje: Yanith Betsabé Torres Ruiz e-mail: yanith.torres@pearson.com
Especialista en Desarrollo de Contenidos: Bernardino Gutiérrez Hernández
Supervisor de Arte y Diseño: Gustavo Rivas Romero

SEGUNDA EDICIÓN, 2016

Cámara Nacional de la Industria Editorial Mexicana. Reg. Núm. 1031.

ISBN LIBRO IMPRESO: 978-607-32-3689-8

ISBN E-BOOK: 978-607-32-3688-1

Impreso en México. *Printed in Mexico*

Esta obra se terminó de imprimir el mes de diciembre de 2015
en los talleres de Editorial Progreso, S. A. de C. V.
Naranjo Núm. 248, Colonia Santa María la Ribera
Delegación Cuauhtémoc. C. P. 06400. México, D. F.

www.pearsonenespañol.com

Contenido

Capítulo 3
Habilidades para la comunicación oral 43

Capítulo 4
La comunicación interpersonal 65

Capítulo 5
La comunicación oral estratégica 89

Capítulo 6
Organización y elaboración de mensajes 107

Capítulo 7
Comunicación en público. Estrategia para informar 135

Capítulo 8
Comunicación en público. Estrategia para persuadir 157

Capítulo 9
La palabra 185

Capítulo 10
La oración 205

Capítulo 11
Adjetivos y pronombres 219

Capítulo 12
La puntuación y la escritura 229

Contenido web

(Disponible en: www.pearsonenespanol.com/fonseca)

Introducción

Aprender a expresarnos de manera pertinente y adecuada, tanto de manera oral como escrita, ha sido siempre un gran desafío, dada la complejidad que representan los procesos comunicativos de los seres humanos. Saber qué decir, cómo decirlo y en qué momento, pareciera una tarea sencilla; sin embargo, múltiples ejemplos de la vida cotidiana, tanto pública como personal, nos demuestran lo contrario.

Comunicación oral y escrita es una gran herramienta que fomenta el desarrollo, el fortalecimiento y la práctica de habilidades comunicativas para un desenvolvimiento efectivo en contextos tanto personales como profesionales. En esta segunda edición se conserva la esencia de la anterior, dado que los fundamentos indispensables de la comunicación humana siguen siendo los mismos, pero ahora con un enfoque actual, orientado hacia el uso de las Tecnologías de la Información y la Comunicación (TIC).

La estructura de la obra consta de 15 capítulos impresos, 8 que abordan la dimensión oral de los procesos comunicativos y 7 que desarrollan la dimensión escrita. En cada capítulo se han propuesto nuevas actividades que promueven las habilidades de síntesis, comprensión lectora, uso de las TIC (códigos QR con sugerencias de sitios con contenido relacionado al capítulo), así como una autoevaluación y rúbricas que permiten, tanto al estudiante como al docente, reforzar y regular los aprendizajes.

Pensando en las necesidades actuales de los estudiantes, y para complementar el material impreso, se han incluido 7 capítulos en formato digital, los cuales se pueden descargar desde el sitio web del libro. De esta forma, alumnos y maestros pueden consultar parte del contenido directamente desde sus dispositivos móviles, agregando practicidad y funcionalidad a su experiencia como usuarios.

En conjunto, esta obra representa un valioso recurso que promueve un aprendizaje equilibrado, de conocimiento con práctica, que facilita a estudiantes y docentes generar sus propias estrategias para desempeñarse de modo eficaz y competitivo en esta sociedad cuya única constante es su continua transformación.

CAPÍTULO 1

La comunicación oral

Una sociedad en la que todos pudieran hablar y nadie lo hiciera no duraría ni un día.

E. H. Gombrich

Comunicación, expresión y lenguaje

El hombre es una criatura que se comunica, así lo afirma H. Dalziel Duncan (citado en Ferrer, 1994:21) cuando señala que, por su naturaleza y para satisfacer sus necesidades, el hombre ha debido comunicarse con sus semejantes utilizando señales, movimientos o signos, pues nadie puede existir en un grupo o una sociedad sin alguna forma de comunicación.

Comunicación

Comunicar es llegar a compartir algo de nosotros mismos. Es decir, es una cualidad racional y emocional específica del hombre que surge de la necesidad de ponerse en contacto con los demás cuando intercambia ideas que adquieren sentido o significación de acuerdo con experiencias previas comunes. Varios autores[1] definen este fenómeno llamado comunicación; según Ferrer (1994:25), consiste en

> *la creación de significados compartidos a través de procesos simbólicos.*

Lo anterior significa que (como afirma Wilbur Schramm,[2] 1972:17), aunque las personas tengan marcos de referencia distintos –porque piensen, vivan y hablen en forma diferente–, en el momento de establecer comunicación tienen un propósito de entendimiento, es decir, pretenden lograr algo en común por medio del mensaje que intentan compartir.

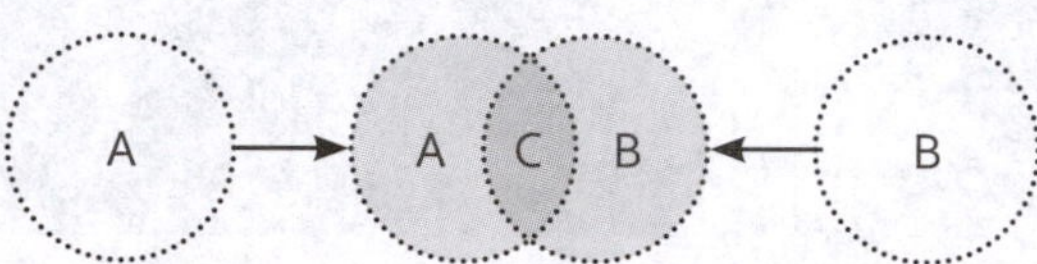

Los diversos modos en que los seres humanos intercambiamos ideas, desde la señal, el gesto o la imagen, hasta la palabra hablada o escrita *–todos los signos, símbolos y medios por los cuales transmitimos significados y valores a otros seres humanos–*, constituyen lo que llamamos *formas de expresión* (Paoli, 1985:67).

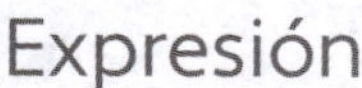

Expresión

La palabra *expresión* proviene del término latino *expressus* que significa "exprimido", "salido".

Para transmitir una expresión basta con manifestarla, se dé o no la recepción por parte de otra persona. En cambio, el concepto de comunicación proviene del prefijo latino *cum* = con y *munus* = común, de donde se deriva *communis*, que quiere decir "comunidad" o "estado en común" (Fernández Collado y L. Dahnke [1986:3]).

Al revisar los conceptos de *expresión* y *comunicación*, la diferencia básica que observamos es la siguiente: para *expresar* basta con manifestar algo de nosotros mismos; en cambio, para *comunicar* necesitamos tener la intención de compartir ese algo con otros; entonces, la comunicación no supone sólo expresar ideas o sentimientos y transmitirlos a

---

1 Cooley, Bryson, Mann, Oliver, Langer, Johnson, Monteigne, R. Wriglat, Simons, Berenstein e I. A. Richards, entre otros.

2 Para Wilbur Schramm, uno de los principios básicos de la teoría general de la comunicación es que los signos pueden tener solamente el significado que la experiencia del individuo permita leer en ellos, ya que sólo es posible interpretar un mensaje dependiendo de los signos que conocemos y de los significados que hemos aprendido a atribuirles; esto es lo que constituye el "marco de referencia", y es en función de él como los individuos pueden llegar a compartir algún significado.

otros, el verdadero sentido de la comunicación está en nuestra intención de enviar mensajes para provocar una respuesta en los demás, pues dicha respuesta es la que nos permitirá saber que fuimos comprendidos por los demás.

Con base en las definiciones citadas, hay comunicación cuando en una *expresión* que corresponde a la realidad de un sujeto hay *intercambio* de ideas con otro u otros; cuando existe la intención psicológica de unión; cuando dos o más individuos logran pensar y sentir en tal forma que las ideas de unos se vuelven bienes compartidos de los otros, es decir, se hacen comunes.

"Expresar" es simplemente "sacar"; es "manifestar los pensamientos y las impresiones de nuestra realidad por medio de la palabra, gestos o actitudes"; "es la representación, a través de símbolos e imágenes, de una manifestación de nuestra propia individualidad, y puede estar dirigida o no a otro sujeto".

(E. Ander-Egg y J. Aguilar, 1985:17).

Lenguaje

El medio por el que nos comunicamos los seres humanos se llama lenguaje, el cual se puede definir como "un conjunto de signos estructurados que dan a entender una cosa" (Morris, 1985:37). En sus orígenes, el hombre se comunicaba con lenguajes no verbales, mediante su cuerpo y sus órganos sensoriales: la voz, el gesto, los movimientos, los ojos. Cada forma, sonido o identificación humana constituía una señal que identificaba a un hombre con otro, relacionaba una cosa con otra, iba de un territorio a otro; por eso el lenguaje es la "facultad propia del hombre para la expresión de sus ideas" (Blake y Haroldsen, 1980:7) y se considera "el vehículo primario para la comunicación" (Ferrer, 1994:25).

El *lenguaje* nace como el más trascendental de los inventos que ha desarrollado el hombre para comprender su mundo, y desempeña una función central en las sociedades civilizadas, pues influye tanto en su nivel de desarrollo y progreso como en el del conocimiento. Al igual que la comunicación, el lenguaje tiene una *naturaleza social*, pues los humanos tenemos facultad de hacernos entender por otros medios (sonidos, mímica, dibujos, etcétera), aunque ningún lenguaje funcionaría si no existiera la interacción humana, como dice Rafael Seco (citado en Fernández de la Torrente, 1990:7):

> *El lenguaje es el gran instrumento de comunicación de que dispone la humanidad, íntimamente ligado a la civilización, hasta tal punto que se ha llegado a discutir si fue el lenguaje el que nació de la sociedad, o fue la sociedad la que nació del lenguaje.*

Funciones del lenguaje

Bühler (citado en *El lenguaje* de J. Roca Ponds, 1973:13) distingue tres funciones trascendentales del lenguaje, que acompañan a las intenciones básicas del hombre cuando quiere comunicarse con otros:[3]

1. ***La función representativa:*** es aquella por la cual el lenguaje llega a transmitir un contenido. Requiere un sistema de signos representativos de sucesos o cosas. Es propia solamente del hombre, que es capaz de simbolizar con ideas su realidad.
2. ***La función expresiva:*** es la que manifiesta el estado psíquico del hablante. A diferencia de la anterior, esta función también puede encontrarse en las expresiones de ciertos animales; por ejemplo, las aves cuyo canto no es un llamado a las aves vecinas, sino una expresión de su estado afectivo. En la comunicación del hombre dicha función se manifiesta con singular claridad y es notoria, sobre todo, en el lenguaje de los niños.

[3] Bühler (citado en *El lenguaje* de J. Roca Ponds, p. 13) habla sobre estas funciones con un sentido biológico o genético del lenguaje, que son trasladadas a la actividad psíquica del hombre y en especial a su facultad de hablar.

3. *La función apelativa o de llamada:* por medio de ésta se actúa sobre el oyente para dirigir o atraer su atención. Puede compararse con las señales de tránsito de las grandes ciudades o, por ejemplo, con el ladrido del perro que ahuyenta. *El lenguaje es, en primer término, una llamada al oyente.*

El lenguaje verbal

"Es el atributo que distingue notablemente al hombre" (Blake y Haroldsen, 1980:7) y pertenece a la gente, a los grupos, a los países. Con el lenguaje verbal las ideas se traducen en palabras. Las palabras tienen que ver con los cambios de pensamiento y con la evolución de nuestros pueblos en todas sus actividades; tales cambios influyen en los distintos *modos de decir* o *nombrar las cosas*; surge así otro término ligado a la expresión, al lenguaje y a la comunicación humana: la *lengua* (Ferrer, 1994:23-25).

La lengua es el habla de las mayorías; es el reflejo del acontecer cotidiano y del decir coloquial de la gente.
(Ferrer, 1994:23-25).

Lengua

Es la manera en que un grupo o una sociedad utiliza el lenguaje verbal acorde a su región, forma de vivir y comportarse.

Como explica Ferdinand de Saussure, el habla es el uso, el instrumento individual, y la lengua la estructura, el tejido gramatical, el pensamiento organizado de un pueblo o una sociedad; la lengua es la que une a las personas y, en gran medida, hace a una nación (Ferrer, 1994:29).

Es así como expresión, lenguaje, lengua y habla se funden en el concepto de comunicación; el lenguaje es "el sistema de signos articulados que denota un significado y sirve como vehículo para la interacción". La lengua es "la red compleja, cambiante, de adaptaciones diversas, según el modo de vivir de cada pueblo" (Edward Sapir, citado por Ferrer, 1994: 20-30). El habla y la expresión son de *uso individual*. De aquí la frase popular: *Quien no habla con los demás y como los demás, corre el riesgo de no ser entendido.*

Naturaleza social de la comunicación

La comunicación es un fenómeno social en constante dinamismo y alteración, porque está sujeta a los cambios de pensamiento del hombre, a las modificaciones del lenguaje a través del tiempo y a los efectos que la misma dinámica del proceso va provocando en los individuos o grupos que interactúan.

En un valioso estudio sobre el tema, Ray L. Birdwhistell escribió: "La comunicación, para mí, tanto ayer como hoy, es la estructura dinámica que sostiene el orden y la creatividad en el seno de la interacción social" (citado en Ferrer, 1994:29).

Fernández Sotelo (1990:14) hace referencia a la naturaleza social de la comunicación describiendo cuatro características que la definen: 1. Se integra con personas; 2. es transaccional; 3. es dinámica; 4. influye recíprocamente.

1. ***Se integra con miembros o personas*** que tienen la posibilidad de relacionarse y conocerse. Esto implica que necesita existir la posibilidad de reunión, para que la comunicación se vuelva realidad, manifestándose en sentido plural. Es *el otro* quien nos dará un sentido, y solamente compartiendo se puede buscar ese momento de unión para lograr el fin común y ponerle significado a las expectativas y respuestas de ambos.
2. ***Es transaccional*** por la interacción de personas que pueden comunicarse entre sí y logran entenderse, pues sin el intercambio de ideas no lograríamos compartir experiencias personales, ni habría conceptos como humanidad, fraternidad, cooperación, etcétera; tampoco existiría la ciencia y viviríamos en un mundo en donde la vida no tendría sentido. El enfoque transaccional condiciona, en gran medida, la forma de sentir del hombre en relación con el mundo que le rodea y con el ambiente en el que se tiene que comunicar.
3. ***Es dinámica*** porque la comunicación fluye en forma continua, en un dinamismo de fuerzas en cambio constante que no pueden considerarse elementos inmutables o fijos en el tiempo y el espacio. La comunicación permite vislumbrar una cantidad de particularidades que interactúan de manera siempre dinámica, variable e irrepetible, afectando en diversas formas a los participantes del proceso.

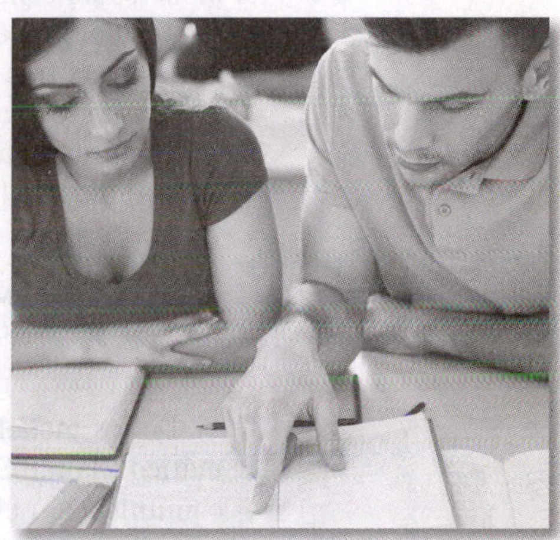

4. ***Afecta recíprocamente***; si ya quedó claro el carácter personal, transaccional y dinámico de la comunicación, no será difícil entender que el hombre no está solo, que hay otros seres conviviendo con él y, como por instinto tiene conciencia de sí mismo, de igual modo debe tener algún propósito respecto de los demás para ser. El sentido de la existencia humana tiene su base primordial en el encuentro con los demás y su efecto. Los hombres, por el hecho de necesitarse, encontrarse y comunicarse, estarán conscientes de que toda relación humana implica una influencia recíproca y efectos mutuos.

De acuerdo con tales características de su naturaleza social y los conceptos relacionados que hemos tratado, la comunicación humana implica:

- *Compartir con otras personas.*
- *Lograr significados comunes.*
- *Ejercer una influencia recíproca.*
- *Vivir en comunión.*
- *Tener una interacción continua.*

El proceso de la comunicación

No hay una fórmula que determine que la comunicación ocurre siempre igual entre las personas. Las situaciones sociales que vivimos a diario y los acontecimientos o hechos van cambiando, al igual que el pensamiento y la vida de la gente. La interacción humana va transcurriendo día con día, con resultados que afectan los pensamientos y las conductas personales a la vez que provocan nuevas interacciones, por lo que es posible pensar en la comunicación como en un ***proceso*** de fases sucesivas en el tiempo, debido a que está siempre en continuo cambio.

La dinámica de la comunicación, al igual que un proceso, se define como "conjunto de las fases sucesivas de un fenómeno en el tiempo" (*Diccionario enciclopédico*, 1996:1311).

Para comprender mejor y estudiar cómo ocurre esta dinámica, cuáles elementos la componen y cómo es la relación entre ellos, es necesario "detener" el proceso de comunicación y observarlo cuidadosamente; identificar sus componentes, analizar sus relaciones, pero manteniéndolo detenido o *estático* en el tiempo, como si tomáramos una fotografía en donde todos y cada uno de los elementos registrados han quedado fijos por un instante; no hay que olvidar que lo captado es sólo un instante o momento de la dinámica completa de todo el proceso de comunicación (*cfr*. Berlo, 1980:20-27).

Para analizar cada uno de los componentes, sus interrelaciones y la influencia entre ellos, los estudiosos de la comunicación han representado la dinámica de este proceso en algunos *modelos*.

Modelos de comunicación

El término ***modelo*** proviene del latín *modulus*, que significa *molde*; "es aquello que se imita, es la reproducción de un objeto o una realidad" (*Diccionario Santillana*, 1995:961). Los modelos de comunicación sirven para representar la relación y dinámica entre los componentes del proceso comunicativo. Algunos muestran más que otros; sin embargo, en todos se destacan tres elementos indispensables para que se produzca la comunicación: 1. *emisor*, 2. *mensaje* y 3. *receptor*.

Estos elementos se representan en un modelo unidireccional que se considera básico en los estudios de la comunicación (Paoli, 1985:28).

De los modelos básicos, uno de los más utilizados ha sido el desarrollado por el matemático Claude Shannon (1947) y difundido por Warren Weaver (1948) para demostrar la comunicación electrónica (citados en Berlo, 1980:23-24). Este modelo, denominado Shannon-Weaver, incluye los siguientes componentes:

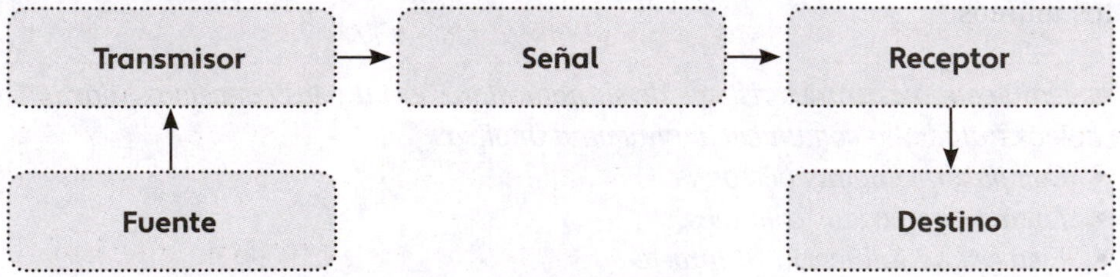

Shannon y Weaver[4] descubrieron la utilidad del modelo para describir la comunicación humana de la siguiente manera:

[4] Shannon y Weaver. *The mathematical theory of communication,* University of Illinois, Urbana, 1949 (citado por Schramm, 1971:23).

A partir de este modelo, otros estudiosos comienzan a representar el proceso de comunicación de una forma más compleja, entre ellos Schramm, Westley y McLean, Fearing y Johnson (citados en Berlo, 1980:24), quienes introducen la noción de *circularidad* con base en la respuesta o *retroalimentación*[5] que implicaba el modelo. También se añaden tres elementos: la *codificación*, o construcción de ideas del emisor para expresar un mensaje; la *decodificación* o interpretación del mensaje por parte del que escucha, y el *ruido*, que se refiere a los obstáculos que pueden presentarse en el proceso y que impiden su efectividad. Con el modelo circular se pone énfasis en que toda acción comunicativa y el modo de efectuarla producen un efecto en el receptor, quien llegará a reaccionar de alguna forma provocando, a la vez, una nueva interacción comunicativa.

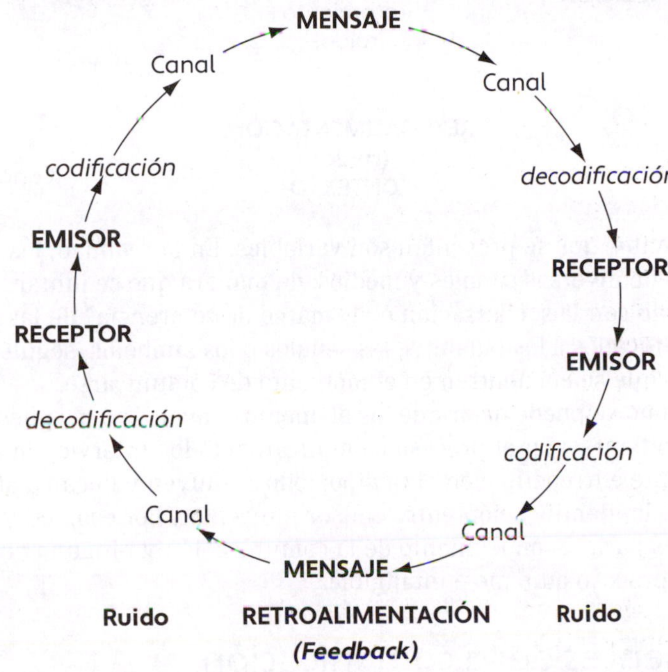

Los modelos circulares más actuales han completado el enfoque de intercambio y de influencia recíproca entre los participantes del proceso –por lo que se han dado en llamar ***transaccionales***– y destacan los siguientes elementos:

- La interdependencia entre fuente y receptor para compartir sus *marcos de referencia*:[6] cultura, socialización, conocimientos, habilidades, actitudes, creencias y valores.
- La influencia de los diferentes *medios* o *canales* por los cuales se envían los mensajes constantemente.
- La *retroalimentación*, que favorece la interacción y tiene como propósito lograr la fidelidad del mensaje, a través de la comprensión del mensaje verbal y no verbal.
- Los posibles *ruidos* que pudieran presentarse en cualquiera de los elementos para obstaculizar o bloquear la comunicación.
- La utilización de un *código* (el lenguaje o idioma utilizado), un *contenido* (las ideas que se van a transmitir) y un *tratamiento* (las diversas formas aprendidas para comunicar) que determinan si el mensaje puede ser comprendido o no por el receptor.

---

5 Traducción del término en inglés *feedback*, acuñado para expresar el sentido de respuesta en la transacción del proceso de comunicación. El *feedback*, o mensaje de retorno, puede partir no sólo del que lo recibe. El mensaje mismo puede ser fuente de retroalimentación; por ejemplo, un escritor, al corregir su obra, encuentra elementos para, según su criterio, decir mejor las cosas (Paoli, 1985:30-31).

6 Wilbur Schramm menciona que “uno de los principios básicos de la teoría general de la comunicación [es] que los signos pueden tener solamente el significado que la experiencia del individuo le permita leer en ellos”, ya que sólo podremos interpretar un mensaje dependiendo de los signos que conocemos y de los significados que hemos aprendido a atribuirles. Para Schramm esto constituye un “marco de referencia” (citado en Paoli, 1985:28).

- La influencia del contexto social o el ambiente físico y psicológico en donde se realiza la comunicación.

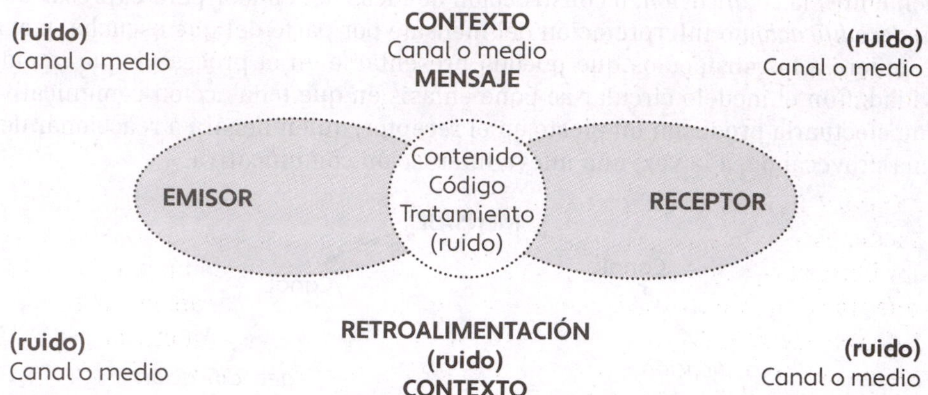

Todos los elementos que se presentan son variables. En la realidad, los mensajes siempre viajan a través de diversos canales y medios, de manera que se juntan, se relacionan y cambian, de acuerdo con la socialización o el "marco de referencia" de las personas, quienes atribuyen significados a las palabras, las señales o los símbolos, según el contexto o la situación social en que se encuentren en el momento de comunicarse.

En tal dinámica no se puede decir que los elementos vayan uno después de otro, ni que éstos sean independientes. En el proceso comunicativo todos intervienen a la vez en una interacción constante e irrepetible en el tiempo; todos influyen y llegan a afectar el significado del mensaje o la identificación entre emisor y receptor. Por eso, todos los componentes son importantes para el conocimiento de la comunicación y ninguno debe excluirse en el análisis de este proceso humano e intangible.

Los componentes de la comunicación

Para examinar cada elemento del modelo transaccional, tomemos como referencia a David K. Berlo, quien en su libro *El proceso de la comunicación* (1980:24-25) hace referencia a todos y cada uno de ellos:

1. ***La fuente (codificador).*** Es el origen del mensaje; puede ser cualquier persona, grupo o institución, que genere un mensaje para transmitirlo.
2. ***El emisor*** también **codifica**.[7] Es la persona que emite o envía el mensaje. Fuente y emisor se consideran un solo elemento cuando la persona que idea y crea el mensaje es la misma que lo transmite.
3. ***El receptor (decodificador).*** Es la persona o el grupo de personas a quien o a quienes se dirige el mensaje. Es el destinatario o la audiencia objetivo de la comunicación y todo aquel que capte el mensaje. Al igual que el emisor, el receptor cuenta con capacidades para ***decodificar***[8] el mensaje y responder a la comunicación; entre ellas están:
   a) *Habilidades comunicativas:* implican oír, procesar información, leer, escribir, hablar, etcétera.
   b) *Conocimientos:* sobre el tema, la gente, la situación o sobre sí mismo.
   c) *Actitudes:* para juzgar a la fuente y al emisor, el tema, la situación.
   d) *Sistema social:* grupo al que se pertenece; región o país en donde han vivido emisor y receptor.

[7] Codificar: Formular un mensaje siguiendo las reglas de un código.

[8] Decodificar: Interpretar o traducir la información que se recibe a través de un lenguaje. (Definiciones del *Diccionario enciclopédico Océano*, 1996).

4. ***El mensaje.*** Es el contenido expresado y transmitido por el emisor al receptor, el cual está integrado por tres elementos:
   a) *El código:* es el sistema estructurado de signos, como son los lenguajes español, inglés, chino, alemán, francés, etcétera, o bien, otros tipos de lenguajes como el de la música.
   b) *El contenido:* son las ideas que constituyen el mensaje; es lo que se comunica.
   c) *El tratamiento:* es la elección de un "estilo" o modo de decir las cosas, con el objetivo de facilitar la comprensión del mensaje, debido a la probabilidad de que, si el lenguaje es inapropiado, el contenido de ideas puede no tener significado para el receptor.
5. ***El canal.*** Es el *medio* o *vehículo* por el cual se envía y viaja el mensaje. Una carta es un medio escrito que viaja a través de un sistema de correo, de fax o de una persona; un libro, el cine, la televisión, el periódico, una revista, la computadora son medios que transmiten mensajes. Los mismos sentidos físicos son canales que transportan información al cerebro. La voz es un medio que usamos para enviar mensajes que viajan por el aire hasta llegar a los oídos del receptor, etcétera. Podemos usar un gran número de canales o tipos de medios, aunque no hay que olvidar que cuanto más directo sea el canal utilizado, y más sentidos se estimulen, mayor impacto producirá el mensaje en el destinatario.
6. ***La retroalimentación.*** Es el elemento clave que propicia la interacción o transacción entre el emisor yel receptor, ya que ambas partes se aseguran de que el mensaje fue recibido y compartido. Se da gran cantidad de retroalimentación no verbal cuando las personas se hablan cara a cara, en forma *directa* e *inmediata*; llega a haber retroalimentación posterior al acto comunicativo, es decir, en forma *mediata y a través de diversos medios*, como puede ser algún mensaje por carta, teléfono, fax, correo electrónico, etcétera. También el mensaje mismo es fuente de retroalimentación, fenómeno que ocurre cuando una persona está escribiendo y, después de leer su texto, corrige errores para mejorar el lenguaje o su comunicación. 
7. ***El ruido.*** Son barreras u obstáculos que se presentan en cualquier momento del proceso y provocan malos entendidos, confusiones, desinterés; incluso, impiden que el mensaje llegue a su destino. Los ruidos más comunes que alteran la situación comunicativa se clasifican de acuerdo con el elemento del proceso de comunicación al que afecten en forma directa; tenemos varios tipos:
   a) *Ruido psicológico:* se presenta en el emisor y el receptor. Es un estado anímico mental o emocional producido por la situación que se vive; por ejemplo, tensión, tristeza, angustia, enojo, apatía, etcétera.
   b) *Ruido fisiológico:* consiste en molestias o incapacidades del organismo humano del emisor y el receptor; por ejemplo, pérdida de la vista, del oído, ronquera, malestares o dolores corporales, hambre, cansancio, falta de respiración o cualquier otra.
   c) *Ruido semántico:* se presenta en el mensaje, en su contenido; las palabras empleadas pueden tener un significado confuso, equivocado o desconocido por el receptor.
   d) *Ruido técnico:* se presenta en el medio o canal que transmite el mensaje; por ejemplo, manchones de tinta en textos impresos, palabras ilegibles o borrosas, falta de sonido en la radio, interferencias en el sonido y la imagen del televisor o la computadora.
   e) *Ruido ambiental:* son alteraciones naturales del ambiente, como lluvia, truenos, calor, frío, etcétera, y alteraciones artificiales producidas por máquinas y artefactos como aviones, autos, martillos, campanas, teléfonos y muchos más.

8. *El contexto.* Se refiere al ambiente físico, la situación social y el estado psicológico en que se encuentran emisor y receptor en el momento de la comunicación.
   a) *Físico:* se refiere al lugar o a las condiciones físicas en que se realiza el proceso de comunicación; por ejemplo, una sala muy elegante, un jardín al aire libre en un día soleado, un museo muy antiguo, una calle muy transitada, un auditorio, etcétera.
   b) *Social:* tiene que ver con las diferentes áreas o los campos de actividad de una sociedad; por ejemplo, contextos de negocios, laboral, académico, religioso, cultural, político, etcétera. Las normas, los hábitos y los patrones de conducta de los grupos son determinados por el contexto social; el lenguaje y los significados varían conforme a la interpretación que hacen las personas de acuerdo con la situación social y cultural en donde se realice la comunicación.
   c) *Psicológico:* es el "estado" o "ambiente" emocional que se genera debido al carácter, los comportamientos o las actitudes del emisor y receptor; por ejemplo, en una junta de trabajo puede haber tensión por un fuerte conflicto; en una fiesta de cumpleaños llega a haber un ambiente muy relajado y alegre, etcétera.

Clasificación de la comunicación

Hay varias formas de clasificar la comunicación para estudiarla, pero la mayoría de los autores (*cfr.* Hybels y Weaver, 1976; R. Miller, 1978; Blake R. y Haroldsen, 1983; Berlo, 1980) han elaborado tipologías, cuyos elementos de categorización son los principales componentes que hemos analizado en el proceso de comunicación y que funcionan como variables en cada situación.

1. ***Emisor y receptor***
   De acuerdo con el número de participantes que intervienen en el proceso comunicativo como emisores y receptores, tenemos los siguientes tipos de comunicación:
   a) **Intrapersonal:** consigo mismo.
   b) **Interpersonal:** entre dos personas.
   c) **Grupal:** en un grupo pequeño (tres o más personas).
   d) **Pública:** una persona o un grupo ante un público.
   e) **Masiva:** una persona o un grupo hacia un número indeterminado de personas a través de diversos medios.
2. ***Medio***
   Pueden considerarse tantos tipos de comunicación como recursos existan para la transmisión y recepción de los mensajes, pero la clasificación más significativa, de acuerdo con el medio empleado, es:
   a) **Verbal:** oral y escrita.
   b) **No verbal:** visual, auditiva, kinésica y artefactual.
   c) **Electrónica:** los recursos que la tecnología permita para establecer comunicación con otros.
3. ***Mensaje***
   a) ***Por el contenido*** (idea, tema o asunto) y el destino al que se envía, la comunicación puede ser:
      - **Pública:** tema o asunto que se hace o es factible de hacerse del conocimiento de todos los individuos.
      - **Privada:** tema o asunto cuyo contenido es restringido al conocimiento de uno o varios individuos relacionados con el mismo.
   b) ***Por el tratamiento*** (el modo de decir o nombrar las cosas) del lenguaje usado en la comunicación, ésta es:
      - **Culta:** los lenguajes académico, especializado, técnico.
      - **Estándar:** el lenguaje que habla y entiende la mayoría de los individuos que conforman una sociedad o un país.

- **Coloquial:** el lenguaje más personalizado o familiar entre personas cuya interacción es cercana (amigos).
- **Popular:** el lenguaje común, vulgar, propio de todos los hablantes de pueblos, regiones o grupos específicos. Puede llegar a ser obsceno.

4. ***Contexto***

   De acuerdo con el lugar, la situación social y el ambiente psicológico en el que se produce la comunicación, puede ser:

   a) **Formal:** está sujeta al orden, las normas y los papeles establecidos por el grupo en cierto nivel o estrato de la sociedad.

   b) **Informal:** es espontánea, más natural, de acuerdo con gustos y preferencias individuales.

Para comprender cómo se aplican los tipos de comunicación en una situación en particular, hagamos el siguiente análisis:

Situación de comunicación:

Estamos en un auditorio escolar, en donde el director informa a los padres de los estudiantes acerca de algunas medidas adecuadas para incrementar la seguridad escolar; les habla en forma objetiva y clara, mostrándoles algunos ejemplos prácticos.

Análisis de los tipos de comunicación que se generan de acuerdo con cada componente del proceso

1. **Análisis del CONTEXTO:**
   Estamos en un *auditorio escolar...*
   (lugar, situación social y psicológica)
   = Comunicación formal
2. **Análisis del EMISOR y RECEPTOR:**
   En donde *el director* está informando a los *padres de los estudiantes...*
   (quién envía el mensaje y quién lo recibe)
   = Comunicación pública
3. **Análisis del MEDIO o CANAL:**
   En una *conferencia...* con algunos ejemplos
   = Comunicación verbal oral
4. **Análisis del MENSAJE en cuanto a CONTENIDO:**
   Sobre *medidas adecuadas para incrementar la seguridad...*
   (idea-tema)
   = Comunicación pública
5. **Análisis del MENSAJE en cuanto a TRATAMIENTO:**
   Hablando en forma objetiva y clara, que entienden todos los escuchas
   = Comunicación con nivel de lenguaje estándar

Hacer ejercicios como éste, mediante el análisis de los procesos comunicativos que vivimos a diario, resulta útil para aprender a realizar ciertas adaptaciones o los cambios que sean necesarios para lograr mayor efectividad en diferentes contextos.

Propósitos generales de la comunicación

Cuando las personas tienen la intención de comunicarse, seguramente es porque hay algún propósito para hacerlo.

Las funciones básicas del lenguaje (representativa, expresiva y apelativa) se usarán para cumplir los ***propósitos generales de la comunicación***. Douglas Ehninger, Alan H. Monroe y

Bruce E. Gronbeck, en su libro *Principles and Types of Speech Communication* (1981:66-69), citan cuatro propósitos generales:

Propósitos generales de la comunicación

1. *Informar (función representativa).*
2. *Entretener (función expresiva).*
3. *Persuadir (función apelativa).*
4. *Actuar (función apelativa/directiva).*

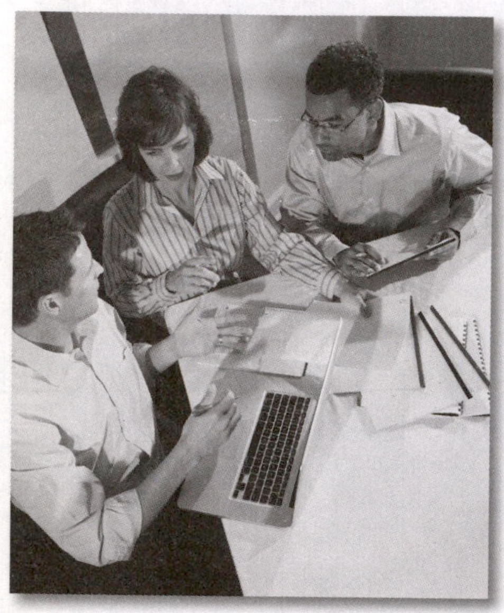

El propósito general de informar utiliza la *función representativa* del lenguaje, ya que con él se intenta explicar algún suceso o término, describir relaciones entre conceptos o bien instruir sobre algún proceso o conocimiento. Algunos tipos de comunicación oral que se consideran informativos son, por ejemplo, las instrucciones, los informes, las demostraciones, las explicaciones sobre funcionamientos de máquinas, etcétera.

El propósito general de entretener usa la *función expresiva* del lenguaje, ya que con él se intenta lograr el encuentro y la comprensión entre hablante y oyente a través de la propia naturaleza social del lenguaje. Cumple el fin humano –origen de la comunicación–, que es precisamente acercarse a otros, compartir alguna idea, sólo para llegar a un entendimiento o una identificación. Algunos ejemplos de comunicación oral con este propósito son una charla de café, el humor característico de un comediante ante una audiencia, las confidencias de dos amigos, la narración de experiencias personales de un jefe a sus empleados durante una reunión, etcétera.

El propósito general de persuadir usa la *función apelativa* del lenguaje, ya que la persona, al comunicarse, quiere influir, hacer un llamado al pensamiento del oyente para formar alguna idea, provocar un cambio de actitud o reforzar creencias y valores. Este propósito se dirige al convencimiento racional y emotivo de las personas para que piensen de cierta manera. Ejemplos que manifiestan este propósito de la comunicación oral son: convencer a la gente de no utilizar productos que dañen nuestro planeta; participar en una discusión y expresar nuestros puntos de vista a favor o en contra; hacer que un público crea en los beneficios de cuidar la salud, etcétera.

El propósito general de actuar, que se realiza también mediante la *función apelativa* o directiva, intenta dirigir o llevar al oyente a un grado de motivación que lo impulse a realizar alguna acción. Este propósito se considera también persuasivo, ya que procura influir en las creencias o actitudes de las personas, pero mediante argumentos bien estructurados que atiendan a las necesidades o expectativas del oyente; el comunicador tratará de "mover" el pensamiento de aquél para que decida actuar. Ejemplos de este tipo de propósito en la comunicación oral son la cátedra de un maestro que motiva a sus alumnos para que estudien más sus materias; el entrenador que motiva a sus deportistas para que obtengan el triunfo o el jefe que promueve a sus empleados para que sean más productivos.

Pueden ser muchos los objetivos que la gente tenga para comunicarse en forma más específica, pero los propósitos generales representan las intenciones que tienen las personas al comunicarse oralmente.

Comunicación oral y escrita

Cuando tenemos el propósito de comunicarnos, logramos hacerlo mediante dos tipos de comunicación que utilizan el lenguaje verbal: hablar y escribir.

Desde niños aprendemos a hablar, y después, a partir de la educación escolar formal, a escribir; por eso, hablar puede parecernos un proceso más fácil que escribir, debido a que la palabra escrita está sujeta a una estructura o sintaxis, a una ortografía, etcétera; sin embargo,

escribir bien resulta de mucha utilidad para ordenar ideas y manejar con mayor precisión el vocabulario en el momento de hablar, porque los errores y las deficiencias al escribir generalmente se reflejan al hablar; aunque las dos habilidades son procesos comunicativos diferentes en cuanto a conocimientos y habilidades, ambas son producto de un *razonamiento verbal* y son, por lo tanto, complementarias, aunque con diferencias notables que conviene analizar para entender mejor la comunicación oral.

- *La comunicación oral está ligada a un tiempo, es siempre dinámica en un continuo ir y venir.* Normalmente, las personas interactúan hablando y escuchando; el hablante tiene en mente al oyente y el oyente al hablante. *La comunicación escrita está ligada a un tiempo y espacio, es más estática, y permanece.* En general, el escritor está lejos del lector, además, a menudo no sabe quién será el que reciba el mensaje (como en la mayoría de los libros). La comunicación escrita permanece en el tiempo y el lector puede leer o "escuchar" al autor cuantas veces quiera. La comunicación escrita se hace más dinámica cuando se asemeja a la oral, como en el caso de las cartas personales y de los mensajes a través de la computadora, en los que escribimos casi igual que como hablamos.
- *La comunicación oral tiene la capacidad de utilizar la voz, los gestos y todos los recursos de expresividad de movimientos del hablante.* La entonación de la voz, la gesticulación y los movimientos ayudan a interpretar con más exactitud el significado de los mensajes; lo apoyan y complementan. *La comunicación escrita sólo utiliza signos lingüísticos* para denotar "expresiones" o "estados de ánimo"; tiene una estructura gramatical; por lo tanto, tiende a ser más formal que la hablada. Cuanto más conocimiento haya del lenguaje y su gramática, mayor será la probabilidad de redactar o escribir correctamente.
- *En la comunicación oral cometemos muchos errores*; usamos vocabulario con significados y pronunciación incorrectos; decimos frases incompletas; usamos repeticiones, redundancias, etcétera; sin embargo, para el escucha muchos de ellos pasan inadvertidos, por la rapidez o naturalidad del habla. *En la comunicación escrita tratamos de evitar errores* de cualquier tipo, ya sea de construcción sintáctica o de ortografía. Las repeticiones y redundancias se hacen notables, así como la escasez o pobreza de vocabulario.

El siguiente cuadro de Chávez (1993:104) resume las principales diferencias entre la comunicación oral y la escrita:

COMUNICACIÓN ORAL	COMUNICACIÓN ESCRITA
Es espontánea	Es más reflexiva o razonada
Se rectifica	No lo admite (se tiene que hacer un nuevo texto)
Utiliza modismos, proverbios	Los utiliza sólo en la literatura
Hay acción corporal	No la hay (utilizamos signos)
Se repiten palabras	Se evitan repeticiones y redundancias
Es casi siempre informal	Se seleccionan el lenguaje y la forma
Es dinámica	Se hace estática o dinámica
Se amplía con explicaciones	Debe ser precisa y concisa
Rompe la sintaxis	Se cuida la sintaxis; se estructura
Utiliza nuevos significados	Se evitan en textos formales

Reconocer las características de la comunicación escrita ayuda a desarrollar y mejorar la comunicación oral. Por ejemplo:

- Con la lectura de textos se incrementa el nivel de lenguaje y se amplía el vocabulario, ya que algunas palabras las conocemos sólo en su forma escrita, debido a que el lenguaje al escribir es más culto o formal que el que generalmente usamos al hablar.
- Cuando estudiamos una lengua extranjera, conocemos mejor su gramática por medio de la escritura, en tanto que practicamos la pronunciación oralmente.
- Al leer un texto visualizamos la ortografía de las palabras y eso ayuda a corregir errores en la pronunciación.

El uso de la comunicación, tanto en la forma oral como en la escrita, presenta muchas variaciones de acuerdo con la cultura, clase social, profesión o actividad de las personas, como veremos más adelante; pero no se puede negar que todos necesitamos hablar y escribir para transmitir a otros nuestras ideas por medio del lenguaje; éste, al ser interpretado y comprendido, habrá cumplido su propósito esencial: comunicar.

Resumen

El hombre es un ser social por naturaleza, por lo cual para alcanzar sus metas y objetivos requiere de la comunicación con sus semejantes. Las personas necesitan compartir lo que observan, piensan y sienten a través de un lenguaje; por eso la comunicación se define como la creación de significados compartidos por medio de diversos fenómenos simbólicos.

Examinando la comunicación como proceso social, se distingue su dinamismo, ese movimiento continuo que pone énfasis en las características de su naturaleza: dinámica, transaccional, personal y afectiva. De acuerdo con tal naturaleza, el ser humano también presenta características propias para la comunicación, ya que él mismo se considera un sistema generador de mensajes con capacidad para recibir información, procesarla y transmitirla.

El lenguaje, como la comunicación, se considera de naturaleza social, pues nace en la gente y propicia la interacción de los grupos y la formación de sociedades. Los dos se complementan, ya que el lenguaje es un mero instrumento para comunicarse y la comunicación necesita del lenguaje para funcionar.

Al hablar de comunicación oral hablamos también de la lengua o el modo particular de expresarse de un grupo o pueblo.

Para estudiar y comprender mejor cómo funciona la comunicación humana, es necesario detener la dinámica del proceso y observar cada uno de los elementos que la componen mediante la representación de modelos. Los modelos sirven para ver la interrelación de los componentes y sus efectos o resultados tendientes a la aceptación o el rechazo de la comunicación. Diversos modelos demuestran estos componentes; entre los que se consideran básicos son: el emisor, quien envía el mensaje; el mensaje, con su contenido y tratamiento; el receptor, quien recibe el mensaje. Se añaden a éstos, los elementos que indican la respuesta y fidelidad del mensaje, como son la retroalimentación y el posible ruido, los medios o canales utilizados para hacer llegar hasta el destinatario el mensaje y, finalmente, el contexto social; todos son variables y producirán un efecto en los resultados del proceso.

La comunicación humana, como proceso, se distingue por su dinamismo o movimiento continuo que pone énfasis en las características de su naturaleza social, integrada por personas que mediante transacciones de ideas influyen entre sí y se integran como miembros de un grupo, el cual, para satisfacer sus expectativas y cumplir objetivos, se comunica con el propósito de informar, de entretener, de persuadir o de actuar.

En la comunicación humana encontramos dos formas de manejar el lenguaje verbal: la oral y la escrita. Ambas utilizan el razonamiento verbal, pero se diferencian en cuanto al uso de habilidades por parte de las personas para la transmisión de sus ideas. La comunicación escrita es más razonada, estructurada y hasta cierto punto estática y permanente; en cambio, la comunicación oral se distingue por su dinamismo, su espontaneidad y su rapidez para expresar ideas, aunque las personas cometen muchos errores al hablar, como son las repeticiones, las frases incompletas o las fallas de pronunciación.

El lenguaje como vehículo primario de comunicación, sea oral o escrito, es el que cumple con esa función vital para el ser humano de compartir sus ideas y sentimientos con otros.

140 caracteres

En no más de 140 caracteres, defina los siguientes conceptos.

- #Comunicación
- #Expresión
- #Lenguaje
- #Lengua
- #Habla
- #Modelo
- #Mensaje
- #Retroalimentación

- #Comunicación oral

- #Comunicación escrita

Leer es un placer

Lea y analice el siguiente texto. Posteriormente, responda las preguntas que aparecen al final.

¿Cuándo empezaron a hablar los humanos?

Daniel Mediavilla (agosto 10 de 2015-20:39)

http://elpais.com/elpais/2015/08/07/ciencia/1438961176_330561.html

(1) Hace unos 7,000 años los humanos dejaron las primeras muestras de su dominio del lenguaje cuando comenzaron a escribir. Sin embargo, la capacidad innata de todos los niños para aprender cualquier idioma y el hecho de que toda la humanidad comparta un origen común en África indica que la aparición del lenguaje es mucho más antigua, anterior al movimiento migratorio con que los *Homo sapiens* iniciaron la conquista del mundo hace 60,000 años.

(7) En 2011, en un artículo publicado en la revista *Science*, Quentin Atkinson, investigador de la Universidad de Auckland, en Nueva Zelanda, analizando las riquezas de los fonemas de los diferentes idiomas, situó el origen del lenguaje en algún lugar del sudoeste africano. Con un método similar a los análisis de ADN, que observan un descenso de la diversidad genética conforme nos alejamos de la cuna de la humanidad en África, Atkinson observó que el número de fonemas de un idioma descendía al alejarse de este continente. Así, algunos idiomas africanos emplean más de 100 fonemas, mientras el hawaiano, hablado en unas islas que se encuentran entre los últimos lugares colonizados por la humanidad, tiene 13.

(16) La aparición del lenguaje moderno habría coincidido con una explosión de las capacidades cognitivas humanas poco antes del inicio de la migración. Entonces, unos humanos que ya eran anatómicamente modernos experimentaron un salto evolutivo en su intelecto que les dio capacidades completamente nuevas, algo que se observa en expresiones artísticas como las de Altamira o en el probable desplazamiento de los neandertales.

(22) Algunos investigadores del siglo pasado, como Claude Levi Strauss, mantenían que el lenguaje, tan diferente de las formas de comunicación entre animales, debía haber aparecido de repente en esta explosión y no como fruto de la evolución desde la articulación de sonidos en animales. Noam Chomsky, uno de los lingüistas más influyentes, también consideraba que el lenguaje es una capacidad exclusivamente humana y tan distinta que no se podría explicar por mecanismos evolutivos convencionales. Más adelante, otros científicos como Steven Pinker cambiaron esa tendencia y se comenzó a aceptar la posibilidad de que la combinación de cambios genéticos y selección natural a lo largo de millones de años, podría dar lugar a una habilidad tan rara como el lenguaje.

(30) Desde entonces, la búsqueda del origen del lenguaje se apoyó en herramientas evolutivas. Algunos investigadores como Philip Lieberman, del MIT (Instituto Tecnológico de Massachusetts), han estudiado el cerebro humano en busca de los órganos imprescindibles para el lenguaje. En un artículo publicado en 1995, Lieberman comparó los efectos sobre los ganglios basales, que también tienen otras especies, de una enfermedad como el párkinson y de la falta de oxígeno que sufren los escaladores del Everest. En esta línea, el análisis de cráneos fósiles de hace unos 400,000 años, pertenecientes a *Homo erectus*, ha mostrado que aquellos humanos ya habían desarrollado las áreas de Brocca y Wernicke, relacionadas con el lenguaje, y que su anatomía ya reunía los requisitos para articular sonidos. Eudald Carbonell comentaba recientemente que en esa misma época la humanidad comenzó a controlar el fuego, un factor que pudo desempeñar un papel relevante en la aparición del cerebro humano. Además de liberar una mayor cantidad de nutrientes de los alimentos a través de la cocina, las llamas pudieron suponer un cambio social al reunir a los grupos alrededor del fuego. En ese entorno, comentaba el codirector de Atapuerca, habría comenzado a surgir el lenguaje, que a su vez favoreció el crecimiento del cerebro.

(45) En esta búsqueda de los orígenes del lenguaje, los investigadores han tratado de buscar los momentos evolutivos en los que se fue fraguando. La semana pasada, investigadores de las universidades de Birmingham (Reino Unido) y Neuchâtel (Suiza) publicaron un estudio que indicaba que los bonobos, una especie de chimpancé –los animales vivos más próximos a los humanos–, se comunican de una manera similar a los bebés. Ambos utilizan un tipo de gemido para llamar la atención en circunstancias muy diversas, tanto positivas como negativas. Para comprender su significado es necesario entender el contexto, algo que no sucede en las llamadas de otros animales, como los monos, que emiten sonidos fijos para circunstancias siempre iguales. Este tipo de comunicación podría, según los investigadores, ser un paso entre las vocalizaciones de los primates, asociadas a contextos concretos, a una forma de usar los sonidos más humana. Si estuviesen en lo cierto, esa transformación habría comenzado hace más de 6 millones de años, cuando vivió el último ancestro común de chimpancés y humanos.

(58) Por el momento, los científicos no lo han tenido fácil para obtener pruebas indiscutibles para refrendar sus hipótesis sobre el origen del lenguaje, pero es posible que en el futuro cuenten con mejores herramientas. La posibilidad de recuperar material genético de fósiles antiguos ayudará a explorar los cambios en el ADN que pudieron estar relacionados con la evolución del lenguaje. Como en el caso de Lieberman y los ganglios basales, el análisis del genoma está descubriendo la relación entre genes y determinadas disfunciones respecto al lenguaje. De un modo similar al que a partir de análisis genéticos se ha estimado que neandertales y humanos modernos tuvieron hijos juntos hace unos 50,000 años, sería posible buscar la aparición de rasgos asociados a la evolución del lenguaje. A través de esas pesquisas se indagará también en el fenómeno biológico y cultural que hizo posible la revolución cognitiva y la humanidad moderna.

Preguntas

1. ¿Qué sucedió con las lenguas de los grupos humanos que emigraron de África a nuevos continentes?

2. ¿Cuál es la relación que podemos establecer entre las habilidades cognitivas y la aparición del lenguaje?

3. ¿Cómo se asemejan las propuestas de Claude Levi Strauss y Noam Chomsky?

4. ¿Cuál es la influencia de la complejidad de la vida social en el lenguaje?

5. ¿Cuáles han sido los aportes de los análisis de ADN en el estudio del origen del lenguaje?

El supercódigo

Le sugerimos ver el video "Adquisición y desarrollo del lenguaje en la infancia" escaneando con un dispositivo móvil el código que se muestra a la derecha; también, puede consultar uno similar que aborde el mismo tema.

Observe e identifique a través de una línea del tiempo digital, cuál es el proceso por el que pasamos los humanos para adquirir y dominar el lenguaje. Si no sabe cómo elaborar una línea del tiempo en formato digital revise la siguiente página: <http://martafranco.es/7-herramientas-para-crear-lineas-de-tiempo-interactivas/>; o busque información al respecto en algún sitio de internet.

Cuando haya elaborado su línea del tiempo, escriba el vínculo en el siguiente espacio para poder revisarla:

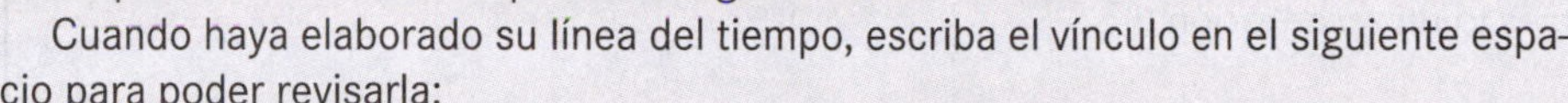

Tome en cuenta que la actividad será evaluada de acuerdo con la siguiente rúbrica:

Aspecto a evaluar	Sobresaliente 5	Satisfactorio 3	No satisfactorio 1	Puntos
INFORMACIÓN La información presentada es válida y oportuna.	La información presentada es la más relevante y oportuna del video.	La información presentada es relevante en la mayoría de los casos; sin embargo, se excluyeron algunos momentos importantes.	La información presentada no es la relevante o se excluyeron abundantes momentos importantes.	
IMÁGENES Las imágenes de la línea del tiempo están relacionadas con la información escrita.	Todas las imágenes utilizadas son relevantes, oportunas y de alta calidad.	La mayoría de las imágenes utilizadas son relevantes, oportunas y de calidad, sin embargo, se presentan fallas en la inclusión de algunas de ellas.	Las imágenes utilizadas no son relevantes ni oportunas y son de baja calidad.	
TEMPORALIDAD La línea del tiempo respeta la información temporal presentada en el video.	La temporalidad expresada en el video está excelentemente representada en la línea del tiempo.	La temporalidad expresada en el video está bien representada en la línea del tiempo, sin embargo, presenta errores en el orden de los procesos.	La temporalidad expresada en el video está muy mal representada en la línea del tiempo.	
ORTOGRAFÍA La redacción es clara, con puntuación y ortografía sin errores.	La línea del tiempo no presenta errores en la redacción, ortografía o puntuación.	La línea del tiempo presenta entre 1 y 3 errores en la redacción, ortografía o puntuación.	La línea del tiempo presenta más de 4 errores en la redacción, ortografía o puntuación.	

Lo que sé (y lo que no)

Responda las siguientes preguntas y luego evalúe si sus respuestas son correctas.

Pregunta	Sí	No	¿Por qué?
1. ¿Los conceptos de lengua y habla son semejantes o, por el contrario, representan conceptos diferentes?			
2. ¿El lenguaje escrito es la representación del lenguaje oral?			
3. ¿La función representativa del lenguaje es la más importante de todas?			
4. ¿El lenguaje es un fenómeno social más que un proceso cognitivo?			
5. ¿Existe sólo un modelo de comunicación para explicar el proceso comunicativo?			
6. ¿Los elementos retroalimentación y ruido siempre están presentes en el momento de comunicarnos con otros?			

Compare sus respuestas con las que aparecen a continuación:

Respuestas: 1. No 2. Sí 3. No 4. No 5. No 6. No

Y a la final

A continuación se presenta un extracto de un cuento del escritor mexicano Enrique Serna. Léalo e identifique y subraye en el texto los componentes del proceso de comunicación. Justifique por escrito su elección.

La última visita
Enrique Serna

—Hijita de mi vida, qué milagro que te dejas ver.

—No es un milagro. Vengo todos los jueves, como quedamos.

—Quedamos en que no íbamos a mencionar el pacto. Si me lo vas a echar en cara no sé a qué vienes.

—Perdón. Tenía muchas ganas de verte. ¿Así está bien? ¿O prefieres que diga que te extrañaba mucho?

—No me lo creería; nos vimos el martes en casa de tu hermano. Mejor pórtate como una visita normal. Pregúntame cómo sigo del riñón o algo que suene a cordialidad forzada.

—Esas eran las preguntas que te hacía Matilde, la novia del Tato, y si mal no recuerdo la detestabas por hipócrita.
—Tienes razón, pero en ese tiempo creía en la sinceridad de las visitas. Ahora ya no me hago ilusiones. Prefiero el falso protocolo de la gente que visita por compromiso.
—No empieces tan pronto con tus amarguras. Resérvatelas para cuando llegue Rodolfo.
—A lo mejor no viene. Habló para decirme que tiene una junta en el banco. Es mentira, pero ya sabes cómo le gusta darse a querer.
—Agradécele que te haga sentir incertidumbre. Así puedes mortificarte pensando que no vendrá y luego lo recibes con más gusto, como si te cayera de sorpresa.
—De tu hermano sólo podría sorprenderme que llegara sobrio. Por cierto, ¿no quieres una cuba?
—Con muy poquito ron, si me haces favor.
—¿Esperas que te la sirva yo? En esta casa cada quien se sirve solo.
—Ya lo sé, mamá, pero tengo que hacerme la recién llegada para que puedas decir ese diálogo. Si no lo dices, revientas.
—Por decirlo tanto la gente se creyó que esto era una cantina. Llegaban a la casa y antes de venir a saludarme iban a servirse un trago. Pero eso sí, ninguno tenía la decencia de traer una botella.
—Roberto sí traía.
—Porque yo se lo pedí cuando ya me tenían hasta la madre sus primos y los amigos de sus primos. Un día le dije: mira, Roberto, tú eres como de la familia y yo te quiero mucho, pero si vas a venir con tu séquito coopera con algo ¿no?
—En aquel tiempo te podías dar ese lujo. Si hoy vinieran él y toda su familia, seguro los recibías con champaña.
—Eso harías tú, que no tienes dignidad. ¿Ya se te olvidó cómo te pusiste cuando Rodolfo encontró a Pablo Espinosa robándose mis pulseras y lo corrió de la casa? Por poco te desmayas de coraje. Gritabas que nadie tenía derecho a meterse con tus amigos y que Rodolfo era un envidioso porque no tenía visitas propias y se desquitaba con las tuyas. No, Blanca, yo toleraba gorrones, pero tú eras débil hasta con los rateros.

Para conocer más

Si quiere profundizar más sobre los procesos comunicativos, le sugerimos abrir el código que se muestra y ver el documental titulado “La comunicación”, o uno similar. Algunos puntos de reflexión para debatir al respecto, en grupo, son:

A. Comunicación animal
B. Evolución del proceso comunicativo
C. Especies más evolucionadas, a nivel comunicacional

CAPÍTULO

2

Roles, lenguaje y contextos

Si es deshonroso no poder defenderse con el cuerpo, más lo es no valerse de la razón y de la palabra, específicas del hombre.

Aristóteles

Rol o papel del comunicador

Algunos autores consideran un **rol** o papel "como un conjunto de expectativas de comportamiento exigido a los que ocupan una posición social determinada" (Parson, Merton y Homans).[1]

En otros términos, todo cargo, posición social o estatus (profesor, madre, militar, estudiante, médico, deportista, etcétera) dentro de una sociedad se rige por reglas o normas que indican cómo debe actuar el individuo en esa posición.

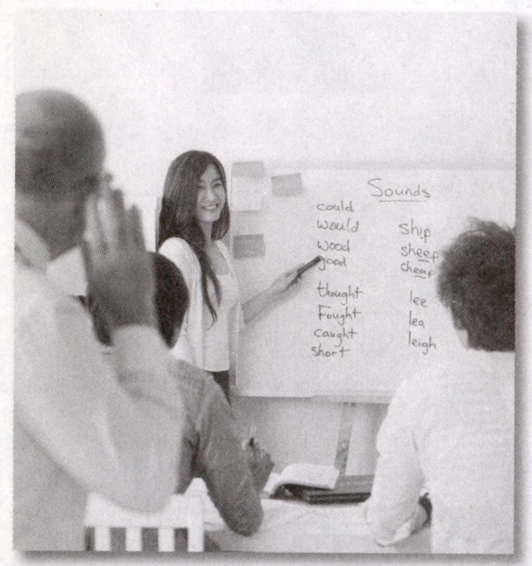

Los roles uniforman las conductas que los individuos deben tener en una posición; para ello se establecen reglas y normas; se dictan leyes y se imponen castigos; surgen creencias, valores y costumbres distintivas de cada grupo y, mediante la interacción de los diferentes estratos o niveles sociales, el grupo vive y se desarrolla de manera interdependiente para formar lo que llamamos sociedad. Por consiguiente, en todos los roles que desempeñamos en un sistema social, al comunicarnos con los demás, cumplimos también el rol de *comunicadores*.

Cada uno de nosotros cumple varios roles, de los que cada rol exige una conducta y una forma de comunicarnos que va de acuerdo con las normas establecidas para esa posición específica dentro del grupo social en que vivimos; sin embargo, las personas llegan a actuar y hablar diferente, pues valores, actitudes y habilidades personales influyen en el seguimiento de las normas esperadas, haciendo que éstas se modifiquen o no se cumplan; surgen así dos tipos de conductas: las que "deben ser" y las que "pueden ser".

Conductas en un papel

Las conductas asignadas al ***deber ser*** son las establecidas formalmente por el grupo para un rol, como expectativas de acción, conforme a sus valores o ideales; es lo que se espera que haga cada persona para cumplir algún rol.

Las conductas relacionadas con el ***poder ser*** son las que cada individuo sigue de acuerdo con sus criterios, recursos, aptitudes o capacidades individuales. Así, en el desempeño de cualquier rol, las personas pueden decidir su comportamiento o forma de actuar. Veamos, como ejemplo, las conductas que se esperan de alguien en el rol de estudiante:

- Deber ser: *un estudiante debe escuchar a su maestro, comunicarse con él en forma respetuosa y hablarle siempre con la verdad (es la regla o la conducta ideal esperada en su rol).*
- Poder ser: *un estudiante puede enojarse y gritarle a su maestro y hablarle en forma hostil o agresiva. Puede también mentirle y engañarlo (es la conducta que el alumno puede manifestar de acuerdo con criterios propios, decisiones y estados de ánimo, aun sabiendo que está quebrantando la norma y que ese comportamiento no es deseable ni correcto en su rol de alumno).*

Conductas del comunicador

Al igual que en otros roles, el ***comunicador*** enfrenta normas de conducta para cumplir su función principal de comunicar. En este rol, y siguiendo las características propias de la naturaleza social de la comunicación, las conductas que se esperan del comunicador son dos: **interactuar** y **empatizar**.[2]

---

[1] Citados en el *Diccionario de las ciencias de la educación*, Aula Santillana, 1995:1246.

[2] Carl Rogers, *On Becoming a Person*, Houghton Mifflin, Boston, 1961:110, citado en Saundra Hybels y Richard L. Weaver II en su libro *La comunicación*, 1976.

- ***Interactuar*** es el ***deber ser*** del comunicador. Es la norma establecida, pues sin la interacción con otros, o aun con nosotros mismos, no puede cumplirse la función principal del rol. Para establecer comunicación oral ***debe*** existir primero la intención de hablar, sin olvidar el sentido *bilateral* o de intercambio del proceso comunicativo; reconocer los efectos que se van a producir entre el emisor y el receptor, quienes, al cumplir su rol, adquieren el compromiso de hablar, pero también de escuchar. Atender a este deber parece fácil, tomando en cuenta que desde niños (en condiciones normales) hablamos y escuchamos; sin embargo, saber hablar y escuchar con efectividad no es sencillo, pues generalmente desconocemos cómo nos perciben los demás cuando hablamos, somos poco conscientes de lo que decimos y casi siempre carecemos de interés cuando escuchamos.[3]
- ***Empatizar*** es la conducta que ***puede ser***, ya que un comunicador ***puede*** colocarse en el lugar de la otra persona para comprender mejor sus ideas y sentimientos, y así lograr una comunicación más efectiva. No es fácil para un comunicador ser empático porque la empatía implica la capacidad de reproducir en uno mismo los sentimientos de alguien más,[4] logrando así una identificación; debido a los factores que influyen en la comunicación, tal conducta no se da fácilmente en todas las interacciones. Desde otro punto de vista, sabemos (por estudios que aporta la psicología) que el modo o estilo de comunicar influye notablemente para empatizar. El comunicador que ***pueda*** empatizar con otros tendrá más efectividad en su interacción ya que la empatía promueve la confianza y el sentido de unión,[5] metas implícitas de la comunicación.

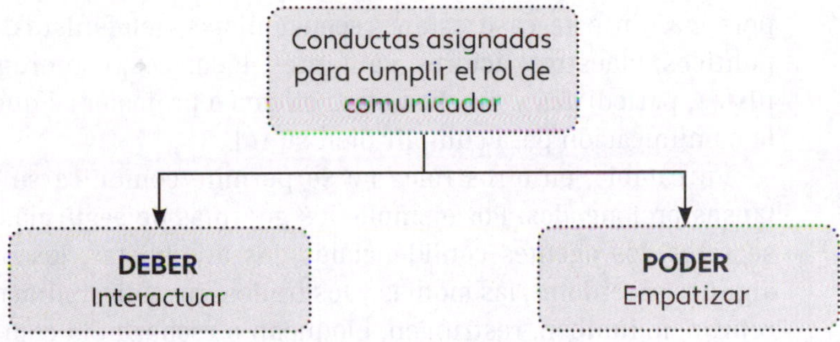

Contexto, roles y significados

Las conductas que exige el rol de comunicador son todas aprendidas, así como los significados que de ellas se derivan, pues las personas aprenden a expresarse e interpretar significados de acuerdo con la situación y con los lugares donde se encuentren en el momento de la comunicación.

---

3 *Cfr.* Sthephen E. Lucas, *The Art of Public Speaking*. Cap. 1, "Speaking and Listening", 1989:28-32.

4 La palabra *empatía* proviene del griego *empatheia* = "pasión", "afecto". Se utiliza en el psicoanálisis y en terapia no directiva de C. Rogers (y otras terapias conversacionales afines), en que el terapeuta debe comprender, sin juzgar, al paciente. *Diccionario de las ciencias de la educación*, 1995:521.

5 El término "empatía" ha sido elaborado y muy desarrollado por los psicólogos K. Horney y H. S. Sullivan, quienes consideran que es la base de un buen proceso de identificación. Por ejemplo: empatía materna indica la capacidad de la madre para captar intuitivamente las necesidades y los sentimientos de su hijo. Empatía terapéutica es la cualidad por la cual el terapeuta puede sentirse en el lugar del paciente, adoptar su marco de referencia y comprender objetivamente sus sentimientos y su conducta. (La empatía en la comunicación terapéutica constituye una de las cualidades de un buen terapeuta). Tomado de *Enciclopedia de la psicopedagogía: pedagogía y psicología*. Océano Centrum, 1998.

El contexto cultural se puede definir como "el conjunto de valores, creencias y comportamientos humanos que prevalecen en un sistema, y éste generalmente difiere de una cultura a otra".
(Enciclopedia del lenguaje, 1994:48).

Por ejemplo, aprendemos a no interrumpir conversaciones ajenas, y a estar atentos y en silencio en conferencias o en salones de clases, a sonreír al saludar, a no hablarle a un extraño, a seguir el protocolo para enviar mensajes a través de la computadora y, en la cultura occidental, a leer línea por línea de izquierda a derecha. Este conjunto de modos de comportamientos de comunicación verbal y no verbal se aprenden en un lugar y ambiente social que llamamos *contexto cultural*.

El contexto cultural

El contexto cultural marca y delimita la forma en que los miembros de una cultura efectúan su comunicación, pues los mensajes generalmente se expresan con un tratamiento predeterminado para cada rol. Por ejemplo: el modo en que un locutor de deportes narra por la radio o la televisión está ligado a normas aprendidas para el cumplimiento de su función como comunicador en medios masivos; asimismo, un candidato político, un sacerdote, un médico, etcétera, se distinguen por la forma en la que han aprendido a comunicarse para cumplir con sus responsabilidades, profesiones u oficios dentro del contexto social al que pertenecen.

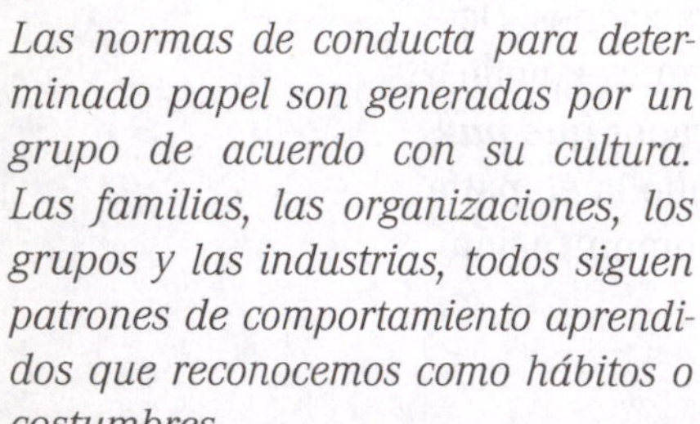

Las normas de conducta para determinado papel son generadas por un grupo de acuerdo con su cultura. Las familias, las organizaciones, los grupos y las industrias, todos siguen patrones de comportamiento aprendidos que reconocemos como hábitos o costumbres.
(Ídem, 1994:48).

La importancia de examinar los contextos culturales se debe a la influencia que ejercen para promover o inhibir la comunicación. En ciertos roles se necesita saber hablar y hablar todo el tiempo; tener competencia comunicativa es parte de su responsabilidad, del *deber ser* de la persona. En este caso están: recepcionistas, telefonistas, vendedores, políticos, maestros, actores, cantantes, locutores, conferenciantes, cronistas, periodistas y muchos otros oficios o profesiones que ***deben*** usar la comunicación para cumplir bien su rol.

En cambio, en otros roles no se permite comunicarse o hablar por lapsos prolongados. Por ejemplo, los guardias de seguridad, los policías secretos, los agentes confidenciales, los archivistas, los bibliotecarios, algunos sacerdotes, las monjas y los frailes, cuya disciplina es el silencio, reprimen, inhiben, restringen, bloquean o rechazan la comunicación en sus funciones.

Niveles de lenguaje y significación

El lenguaje se aprende también a través del contacto con nuestro grupo, en la misma forma en que aprendemos los modos de comportamiento; en este sentido, el comunicador puede aprender conductas, idiomas o palabras propias de diversos contextos culturales para lograr una comunicación más efectiva cuando se encuentre en ellos.

Como vimos en el capítulo 1, el lenguaje es el gran instrumento de comunicación, el elemento con el cual se pueden hacer más cambios y adaptaciones para lograr que las palabras representen algo para las personas en cierto contexto, puesto que *los significados no radican en las palabras, sino en las personas, que les dan significación con base en información y experiencias previas comunes* (Berlo, 1980:141).

Aprendemos lenguajes verbales y no verbales a los que atribuimos significados, pero el lenguaje, como los significados, evoluciona; aprendemos nuevos términos y con ellos significados, los cuales modificamos, desfiguramos y perdemos en los diversos contextos en donde nos comunicamos.

Un emisor, de acuerdo con sus propósitos de comunicación, selecciona palabras y frases con una significación para él, y cuando las expresa a un receptor, éste dispone también de un lenguaje y significados aprendidos por su experiencia, los cuales le servirán para interpretar el mensaje recibido bajo la influencia del contexto en donde se encuentren ambos. Por lo tanto, el comunicador debe tratar de hacer adaptaciones pensando en su receptor, ya que "la comunicación se da sólo si el receptor posee un significado para el mensaje y este significado es similar al que el emisor pretende darle" (Berlo, 1980:142).

Las modificaciones que efectuamos en el lenguaje, desde la gramática y el vocabulario hasta la pronunciación y entonación que demos al mensaje, llegarán a modificar el significado, ligado siempre a un contexto cultural que delimita la significación.

Observemos un caso:

Un jefe, al entrar a su oficina en un día normal de trabajo, saluda a un empleado sin verlo a la cara, con entonación agresiva y un volumen de voz muy alto; para este subordinado podría significar que su jefe está alterado o enojado con él por algún motivo de trabajo. En cambio, si esta conducta se diera en una calle donde al ir caminando el jefe saludara en esa forma al empleado, éste se vería confundido y pensaría que su jefe ha sido grosero con él, sin tener ningún motivo para ello.

Otro ejemplo de cómo el contexto delimita la significación que otorgan las personas al lenguaje sería el siguiente:

Un cocinero pregunta a un ayudante: ¿Tiene el cazo ya preparado?, refiriéndose a un utensilio de la cocina. La significación sería muy diferente si el lugar fuera una oficina llena de papeles y un abogado preguntara a su secretaria: ¿Tiene el caso ya preparado?; en esta situación el significado sería un asunto, problema pendiente o un expediente de trabajo. Más aún, si decimos en este párrafo "en ambos casos" el significado cambia debido al contexto en donde se utiliza la palabra, aquí casos *se estaría refiriendo a los dos ejemplos citados.*

Proceso de adaptación

A pesar de las diferencias que se encontrasen en la significación del lenguaje, dos personas de origen social o cultural distinto tratarán de comunicarse de algún modo, de manera que se vaya haciendo cada vez más comprensible su mensaje, sea verbal o no verbal, hasta llegar a establecer un significado para ambos; a este proceso se le conoce como ***adaptación***.[6]

El proceso de adaptación resulta útil para reducir las diferencias en la interpretación del mensaje entre personas que tienen la intención de propiciar una respuesta haciendo un esfuerzo para entenderse.

Las adaptaciones por medio del lenguaje nos obligan a examinar los niveles del mismo que usamos en las situaciones que vivimos a diario. En todos los casos, el cambio de un rol a otro, de una actividad a otra, implica repercusiones y modificaciones en el lenguaje o en las formas de hablar y actuar. Tal influencia no se limita al entorno profesional, también en la vida personal nos ocupamos de numerosas actividades que nos demandan comunicarnos de maneras que en situaciones informales e individuales suelen ser más flexibles y cambiantes que en las asociadas con actividades en grupo o en público, formalmente establecidas.

[6] Desde el punto de vista de las ciencias sociales se entiende el término "adaptación" como una aceptación de las demandas usuales de la sociedad o de un grupo concreto, así como de las relaciones personales con los demás, sin fricciones ni conflictos. También se habla de adaptación como un proceso mediante el cual un grupo o una institución establece una relación con su medio que le permite sobrevivir y prosperar (aculturación). (*Diccionario de las ciencias de la educación*, Santillana, 1995).

El siguiente cuadro nos muestra tres niveles de lenguaje, con ejemplos de palabras que se suelen utilizar en contextos culturales distintos, así como en situaciones formales e informales.

El contenido de los temas vistos sugiere que, si queremos cumplir eficazmente el rol de comunicador, es esencial una buena disposición para observar y aprender los hábitos y las costumbres peculiares del contexto cultural en donde nos encontremos, para reconocer las *diferencias* que muestran los patrones de comportamiento verbales y no verbales debidas a las actividades y funciones que desempeñen las personas en su estructura social. Si analizamos estos elementos lograremos entender mejor el significado de su comunicación.

Tipo específico de lenguaje	1. Culto (académico, especializado, técnico)	2. Estándar (coloquial, organizacional, familiar)	3. Popular (común, vulgar, obsceno)
¿Cómo se presenta?	Generalmente escrito	Escrito y hablado	Generalmente hablado
¿En dónde se origina?	Publicaciones técnicas, informes profesionales, informes técnicos, academias, escuelas, actos legales, conferencias de expertos, foros científicos, libros de texto.	Medios masivos (radio, revistas, periódicos, televisión, publicidad, cine), pláticas en familia, conversaciones de trabajo, documentos, empresas.	Compañeros, amigos, reuniones con gente del mismo sexo o familiares cercanos, grupos informales, conversaciones callejeras, pláticas con amigos, habla de un barrio, jerga.[7]
¿Cómo se construye o estructura?	Muy organizado, con sintaxis y ortografía muy cuidadosas, vocabulario amplio, expresiones precisas; con pies de página, referencias bibliográficas; términos cultos, secuencia ordenada de ideas, coherente y concordante con la unidad del tema.	Construcción no siempre estructurada o rigurosa; sintaxis reconocible, pero no estandarizada; lenguaje que va de especializado a común; uso de modismos o clichés; modismos regionales; secuencia de ideas a veces imprecisa, pero coherente.	Construcción libre, errores de dicción; variable según la región; léxico peculiar, vocabulario repetitivo, palabras inventadas; con significados de imágenes o metáforas alusivas a hechos, actos, papeles y sentimientos.
¿En dónde se aprende?	En escuelas, clases formales, manuales, lecciones, libros de autores clásicos, obras de literatura.	En los primeros años, por imitación en el hogar; en la escuela, en radio, en televisión, con los compañeros de trabajo.	Entre amigos, escuchando a amigos y compañeros, del lenguaje callejero, artistas y héroes.
Ejemplos de palabras	furúnculo párvulo laborar ósculo abertura cónyuge	absceso niño trabajar beso agujero esposo-esposa	grano chiquillo chambear picorete hoyo viejo-vieja

Funciones del comunicador

Por las características de la naturaleza social de la comunicación, como la interacción entre personas, la organización de grupos, el uso de niveles del lenguaje y sus significados delimitados por un contexto social o cultural, la función primordial de un comunicador consta de acciones más específicas.

[7] Lengua especial que hablan los miembros de un grupo social diferenciado. Palabras en el lenguaje familiar o vulgar que no están aceptadas. Lengua complicada o incomprensible. (*Diccionario enciclopédico Océano*, 1996).

Zacharis y Coleman (1978:26), en su libro *Comunicación oral. Un enfoque racional*, señalan cinco funciones que tiene el comunicador: 1. lingüística, 2. simbólica, 3. organizativa, 4. social, 5. cultural.

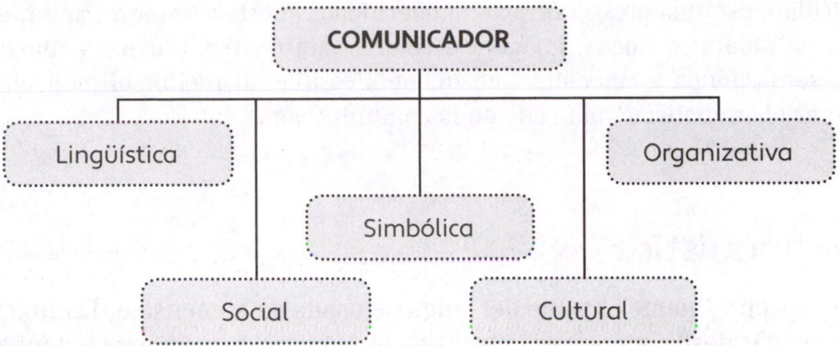

Las funciones lingüística y simbólica se derivan de la capacidad que tiene el hombre de producir lenguaje y simbolizar en diversas formas su realidad, para comunicar a otros sus ideas y sentimientos. La función organizativa está implícita en la social y ésta en la cultural, ya que la sociedad se conforma de grupos que se comunican entre sí para organizar su estructura jerárquica y formar instituciones con sus funciones y actividades. Así los grupos desarrollan sus hábitos y comportamientos sociales que los distinguen como una cultura.

Función social

Se refiere a la comunicación que utilizan las personas cuando representan diversos roles dentro de un sistema social, siguiendo patrones de comportamiento aprendidos para actividades ya sean de trabajo o de entretenimiento, así como en todos los ámbitos: religioso, político, académico, familiar, etcétera. La función social permite al comunicador interactuar en formas apropiadas, de acuerdo con las situaciones sociales de los diferentes estratos.

Ejemplo

En una petición de matrimonio, los padres de la novia, al recibir en su casa a los padres del novio para formalizar la relación, siguen una serie de normas y conductas establecidas para dicha situación, pero esos comportamientos tendrán variantes según el estrato o nivel socioeconómico de las personas. Asimismo, tanto los anfitriones, rol que desempeñan los padres de la novia, como los invitados, rol de los padres del novio, tienen un comportamiento aprendido de acuerdo con su posición social.

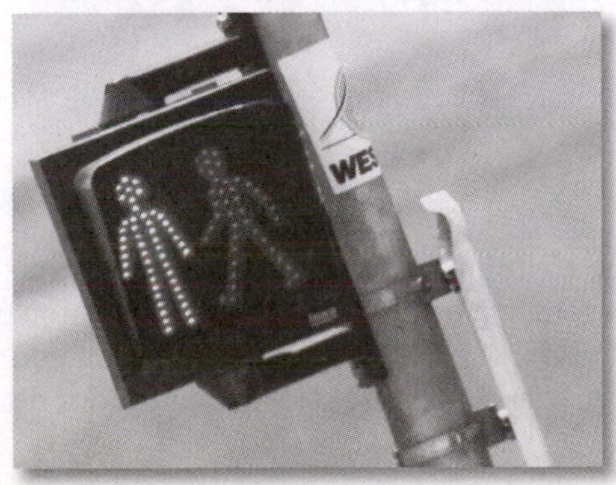

Función simbólica

Se utiliza para representar hechos, objetos o sentimientos por medio de símbolos, señales o signos. En la comunicación que se genera se usan varios códigos o lenguajes, con cargas emocionales positivas o negativas en los mensajes, que pueden provocar efectos constructivos o destructivos en los participantes en el proceso comunicativo, según la significación que den a los símbolos utilizados.

Ejemplo

El publicista que capta una realidad y la traduce en símbolos para comunicar ideas de seguridad, estatus, prestigio, sexo, modernidad, libertad, riqueza, amor, etcétera, a través de palabras, líneas, imágenes, colores, ambientes, música y objetos, para generar sensaciones y emociones en un público que, al recibir el mensaje, puede interpretar el simbolismo planeado en la comunicación.

Función lingüística

Está ligada específicamente al estilo del lenguaje usado en el mensaje. Tal función la utiliza el comunicador desde que genera ideas, las ordena con base en su contenido y elige el tratamiento y el nivel adecuados para los receptores. Es muy variable, ya que un mensaje puede construirse con diversos estilos de lenguaje: formal, informal, especializado, popular, culto, estándar, etcétera, según el deseo del comunicador y la situación en la que se comunica.

Ejemplo

Una conductora de televisión: desde la forma en que genera y estructura sus ideas, selecciona las palabras y elige el modo de pronunciarlas, hasta la forma en que presenta al público cada mensaje, va creando un estilo lingüístico personal, original.

Función organizativa

A través de la comunicación se ordena el conjunto de individuos por puestos, estratos y jerarquías; se generan normas, roles y funciones para construir una empresa, organización o estructura social. Esta función es la que promueve la interdependencia y la transmisión de información entre todas las partes que integran un sistema social.

Ejemplo

En una organización de negocios existe un consejo directivo que se comunica internamente para decidir; las decisiones tomadas se comunican a los gerentes, éstos informan a los jefes de departamento y, a su vez, los jefes de departamento enteran a sus subalternos, cumpliendo así roles y actividades que tienen como objetivo el buen funcionamiento de la organización.

Función cultural

Los individuos, al comunicarse, transmiten hábitos, costumbres, valores y creencias que conforman su cultura. Los modos de hablar y comportarse de los grupos humanos se aprenden a través de la comunicación y por medio de ella se crean, transforman y cambian con el tiempo. Con esta función de la comunicación apreciamos las diferencias y similitudes de conductas en las diversas culturas.

Ejemplo

En todo contexto, la interacción humana generalmente comienza con un saludo, pero éste se expresa en forma verbal o no verbal de diferentes formas, de acuerdo con normas, roles, estratos, actividades y costumbres que conforman una cultura: en ciertos grupos orientales es simplemente una reverencia; otros, con las manos unidas por las palmas y cerca del centro del cuerpo se inclinan en señal de respeto. En Occidente las personas extienden el brazo y se estrechan la mano recíprocamente; a distancia, agitan la mano; otros acostumbran darse un beso en la mejilla o dos, uno en cada mejilla, o besarse en la boca. Igual que los gestos, lo que dicen las personas al saludarse también varía dependiendo del lenguaje aprendido en su cultura para cada situación.

Escucha activa

Hemos visto que en toda sociedad o cultura desempeñamos roles, aprendemos normas de comportamiento y formamos criterios respecto de lo que más nos conviene en cada situación en la que interactuamos; evaluamos lo que es correcto o incorrecto en cada caso y lo adecuado para cada contexto cultural; enfrentamos conflictos al desempeñar varios papeles, individual o colectivamente, y en algunas actividades incluso evitamos o inhibimos la comunicación.

Nuestros patrones de lenguaje y vocabulario son aprendidos. Cada quien decide cuándo conviene usar el lenguaje formal y cuándo es más apropiado hablar informalmente. Todos usamos un idioma, una lengua propia de nuestra familia y de la región en donde crecimos o vivimos, incluyendo modismos o palabras populares con la entonación que nos caracteriza.

Tenemos creencias y tomamos actitudes que determinan nuestros pensamientos, acciones y preferencias acerca de objetos y acontecimientos, y las cuales manifestamos a través de múltiples comportamientos: estéticos, sexuales, religiosos, cívicos, etcétera. Esto exige que toda persona esté consciente de sus acciones cuando vive un proceso de comunicación, pues sabemos que es compartido, así como que sus efectos intelectuales y emocionales son recíprocos; por lo tanto, la responsabilidad también debe ser compartida.

Saber escuchar: responsabilidad del comunicador

La primera responsabilidad en el rol de comunicador es aprender a ser buen oyente y, más aún, ser un "escucha activo", lograr el entendimiento de ideas y tal vez también ser empático. Saber escuchar activamente es una práctica de comunicación que exige responsabilidad en cualquier situación, ya que puede ayudar a generar intercambio de información precisa, estableciendo gran fidelidad en la transmisión y recepción de las ideas que contienen los mensajes; la empatía nos permite aprender a anticipar los probables efectos en nuestro encuentro comunicativo.

El comunicador debe tener conciencia clara de que el proceso de comunicación es recíproco, en tanto que el éxito en la comunicación depende en la misma medida del emisor y del receptor. Recordemos que la dinámica de la comunicación es transaccional, y que, con el intercambio de mensajes, la responsabilidad que adquieren ambas partes viviendo el rol de comunicadores es compartida.

"Escuchar activamente" se refiere a un proceso totalmente activo, puesto que en él aplicamos las principales facultades humanas: físicas, intelectuales y emocionales.

(Vasile y Mintz, 1986:41-42).

Saber escuchar activamente es responsabilidad indispensable para lograr la identificación con otras personas; además nos hace ser comprendidos y respetados, a la vez que nos da credibilidad, con la que ganamos la confianza de los demás; éstos, al ser escuchados con atención, reciben la satisfacción de ser "atendidos", también se incrementan, en el escucha, las habilidades de autonomía y flexibilidad y éxito en la comunicación.[8] Tales habilidades son:

- **Físicas:** ***visuales y auditivas.*** Vemos gestos y movimientos, y escuchamos ideas a un tiempo.
- **Intelectuales:** ***memoria, inteligencia, imaginación, razonamiento.*** Porque analizamos, categorizamos, relacionamos, sintetizamos, aplicamos ideas, generamos imágenes mentales, etcétera.
- **Psicológicas:** ***emociones, sentimientos, estados de ánimo.*** Porque leemos "entre líneas" lo que sienten las personas al hablar.

Escuchar activamente no es un proceso fácil, porque, más que una facultad física e intelectual, es un proceso *psicológico-emocional-selectivo*, ya que posee una íntima relación con el *interés* o la *motivación* que cada uno de nosotros tenga para escuchar; es un proceso selectivo, que funciona cuando una persona siente necesidades y busca satisfacerlas mediante la información o comunicación con otros, aun cuando se presenten ciertos obstáculos debido a las diferencias entre emisor y receptor, comenzando por la intención, los objetivos o las razones que haya para escuchar.

Propósitos para escuchar

1. *Disfrutar*
2. *Informarse*
3. *Entender*
4. *Empatizar*
5. *Evaluar*

(Vasile y Mintz, 1986:41-42).

Los propósitos que puede tener una persona para escuchar son, entre otros:

- *Disfrutamos* al escuchar música, poesía, el parlamento de una obra de teatro, una canción, etcétera.
- *Nos informamos* cuando tenemos necesidad de conocer y obtener datos de hechos, informes, clases, conferencias, noticieros, etcétera.
- Buscamos *entender* la información que procesamos cuando existen puntos de vista que resultan confusos y tratamos de captar racionalmente todo lo que escuchamos.
- *Empatizamos* cuando respondemos al mismo nivel de sentimientos; por ejemplo, cuando escuchamos a un buen amigo que comparte con nosotros sus experiencias y leemos "entre líneas" su mensaje para comprender mejor su verdadero significado.
- *Evaluamos* cuando, al escuchar, establecemos juicios o críticas, o valoramos el mensaje, ya sea positiva o negativamente.

Obstáculos para escuchar activamente

Zacharis y Coleman (1987:196) dicen que al escuchar se pueden presentar varios obstáculos en la comunicación debido a diferencias entre emisor y receptor, entre las cuales encontramos principalmente:

- *Diferencias en las percepciones.* Las diferentes experiencias, actitudes y valores, es decir, los marcos de referencia distintos, determinan la forma como percibimos e interpretamos lo que vemos y escuchamos.

[8] Abraham Maslow, en su libro *Toward a Psychology of Being*, define como una "persona sana" al individuo autónomo, libre y capaz de escuchar y mostrar su singularidad en sus respuestas, aunque tenga que representar cierta cantidad de papeles. Si aprecia las situaciones de comunicación con toda su complejidad y se enriquece con las reacciones intelectuales y emocionales de los demás, su conocimiento se incrementará y será capaz de disfrutar de un gran número de lo que Maslow llama "experiencias cumbre"; esto es, experiencias que le proporcionan, al hablar y escuchar, un beneficio, mayor flexibilidad y una mejor habilidad para enfrentar procesos de comunicación. (Citado en Hybels y Weaver II, 1976:55).

- *Diferencias en habilidades de comunicación.* No siempre es evidente el nivel personal de conocimientos o habilidades para interactuar con que cuentan el emisor y el receptor en un proceso comunicativo. Nos empeñamos en evaluar y juzgar "deficiencias" o "defectos", anulando muchas veces el propósito de comprensión y entendimiento.
- *Diferencias en la interpretación del mensaje.* Tanto las palabras como los gestos pueden ser interpretados en varias formas, creando una barrera para el entendimiento. Tenemos una propensión a pensar en términos radicales; por ejemplo, listo o tonto, culpable o inocente, bueno o malo, etcétera, pero a veces es difícil captar grados, intensidades o matices de significado, lo que ocasiona que el lenguaje nos conduzca a fallas en la comprensión de lo comunicado.
- *Diferencias en autoridad o estatus.* Las posiciones que ocupan los individuos en la situación de comunicación también influyen en la calidad de la recepción y emisión de mensajes. Dos personas de igual jerarquía tienden a escucharse mutuamente al mismo nivel, pero en posiciones de jefe-subordinado, maestro-alumno, padre-hijo, etcétera, en las que la autoridad de uno de los participantes está presente, se tiende a ocultar información, a no hacerla clara o, al menos, no lo suficientemente explícita. Entonces se propician los malentendidos o la captación parcial de los mensajes.

Hay otros factores que pueden impedir escuchar eficazmente (Zacharis y Coleman, 1978:196-198) debido al uso incorrecto de los procesos mentales propios para escuchar; por ejemplo:

- *Tratar de memorizar:* no debemos tratar de registrar todo lo que el emisor dice y grabarlo en la memoria para después meditarlo. Quizá nuestro deseo sea no perder nada del mensaje, pero este propósito puede ser inútil porque si insistimos en memorizar al mismo tiempo que el mensaje está fluyendo en boca del emisor, esto nos provocará tensión y llegará el momento en que, cansados, dejemos de escuchar, porque no es posible retenerlo todo. Es mejor ir captando y clasificando las ideas principales. Si queremos recordar algunos detalles, entonces tomemos apuntes o notas.
- *Atender falsamente:* se atiende con la presencia, mas no con el intelecto; establecemos un contacto visual con el emisor, asentimos con la cabeza, quizá expresamos gestos cordiales hacia el emisor, pero no estamos realizando procesos mentales para comprender el mensaje. Esta postura falsa llega a convertirse en un mal hábito que, una vez arraigado, puede ser muy perjudicial. Ante dicho obstáculo, empecemos por reconocer si realmente tenemos interés para escuchar o el propósito de hacerlo; lo importante es no engañarnos, pues sabemos bien si escuchamos o no.
- *Prejuzgar el contenido del mensaje sin haberlo oído:* a veces el tema llega a parecernos conocido o irrelevante, y el emisor poco interesante, mas no debemos juzgarlos antes de escucharlos. Debemos escuchar y esperar a que se termine de hablar, pues muchas veces durante el desarrollo del mensaje surgen puntos de vista atractivos y el tema para el cual había pobres expectativas puede parecernos al final valioso y de gran utilidad. Así que primero escuchemos, entendamos, y luego juzguemos.
- *Distraerse o soñar*: una mirada de alguien, un ruido ambiental, una persona que se mueve o transita por el lugar, la luz que se modifica, alguna palabra que nos evoca sentimientos, etcétera, cualquier cosa llega a distraer a un mal oyente y llevarlo a imaginar, discurrir o soñar. Pensar que estamos allí para escuchar un mensaje útil, provechoso o importante, así como reconocer el esfuerzo que está haciendo el

hablante para comunicarse con nosotros nos ayudará a concentrarnos más, a pensar en las ideas del mensaje, así como a evitar las distracciones y la ensoñación.

- *Creer que nuestras ideas son siempre mejores que las que escuchamos*: en el caso de los receptores que piensan saber todo, si los puntos de vista del hablante son diferentes, entonces creerá que están equivocados. La forma de percibir y de pensar puede ser diferente en cada persona, por lo que para escuchar ideas opuestas a las nuestras es necesario prepararnos con una mentalidad abierta, con la finalidad de comprender diferentes puntos de vista. Tratar de ser objetivos para aceptar la diversidad de ideas ayudará a tener una nueva visión del mundo.

Un estudio realizado con estudiantes demostró que 17.3% del tiempo activo lo dedicaban a leer, 16.3% a hablar, 13.9% a escribir y 52.5% a escuchar, así que aproximadamente 60% del tiempo activo es empleado para escuchar a otros.

(Hanna y Gibson, 1987:56).

Vencer los obstáculos y mejorar la forma de escuchar es importante para la vida, tanto personal como social: es parte de nuestras actividades diarias.

Como miembros de una sociedad, los humanos funcionamos intelectualmente en forma natural como oyentes, ya que escuchar es la base del proceso de aprendizaje que realizamos desde niños a través de estímulos auditivos, imitación de palabras y estructuras gramaticales; así como de los modelos de entonación de todo lo que escuchamos.[9]

Donald Walton (1991:39-43) dice que existe un buen número de mitos generados o concepciones equivocadas alrededor de lo que implica saber escuchar. Por ejemplo:

- *Mito 1: Los malos oyentes son menos inteligentes.* Quizás en algunos casos sea verdad, pero la mayoría de la gente tiene el potencial para aumentar considerablemente su capacidad para concentrarse, escuchar y retener las ideas que le transmiten.
- *Mito 2: No se puede mejorar la capacidad de escuchar.* Algunos autores establecen una diferencia entre oír y escuchar. La capacidad de oír es únicamente sensorial (oímos porque tenemos oídos), pero saber escuchar abarca la dimensión de interpretar, entender y permanecer atento a lo que se dice y a la forma en que se dice. Si no aprendemos a escuchar a través de una educación formal (por ejemplo en cursos o en la escuela), sí podemos tratar de aumentar la concentración mediante la práctica constante y la intención de escuchar activamente.
- *Mito 3: La lectura incrementa la habilidad para escuchar.* Aunque es verdad que leer es como escuchar la voz del autor, quien nos proporciona el trasfondo necesario para entender, no necesariamente mejora nuestra habilidad para escuchar. La lectura no se desarrolla en un contexto social (como ocurre con el habla), en el que las variables pueden influir en la comprensión del significado del mensaje y el escucha debe poner toda su atención en lo que está diciendo y haciendo el comunicador. Al contrario de esta situación, el lector llega a distraerse, soñar o retirarse, y regresar a la parte del mensaje escrito en el momento en que así lo quiera.

Aprender a escuchar sí se puede lograr; este aprendizaje representa algunas ventajas prácticas en el manejo del lenguaje, que mejora con la imitación del vocabulario y estilo de comunicadores expertos. Más aún, es posible adquirir conocimientos en forma más rápida y eficaz si no sólo recibimos lo que oímos, sino que analizamos, relacionamos, evaluamos y aplicamos las ideas que escuchamos con un propósito determinado.

Recordemos que cada persona tiene el control de su propio mecanismo para comunicarse y aprender a escuchar eficaz y activamente; podemos hacer esto si atendemos las siguientes recomendaciones:

[9] El *Modelo simbólico de aprendizaje*, de Jerome Bruner, es el que hace uso de la palabra escrita y hablada. El lenguaje es el principal sistema simbólico que se utiliza en procesos de aprendizaje; aumenta la eficacia con que se adquieren los conocimientos y con que se comunican las ideas. (*Enciclopedia psicopedagógica*. Grupo Editorial Océano Centrum, 1998:182).

Para aprender a escuchar:

1. *Establezca una firme intención o deseo de escuchar. Reconozca la importancia del propósito de hacerlo.*
2. *Reflexione sobre el contenido del tema, sus ideas y su trasfondo.*
3. *Tenga una mentalidad abierta para apreciar la diversidad de ideas.*
4. *Evite prejuicios y suposiciones antes de escuchar.*
5. *Trate de empatizar con el hablante.*

Conociendo las dificultades que implica escuchar activamente, es responsabilidad del comunicador, en su rol de emisor, elaborar mensajes significativos y estimulantes que despierten interés y entendimiento en el receptor; por el contrario, su obligación en su rol de receptor será la de ser un escucha activo, tener una actitud de apertura para entender, comprender, evaluar el mensaje y quizá lograr empatizar. Con tal disposición estaremos en posibilidad de cumplir en forma más efectiva el rol de comunicador.

Resumen

En una sociedad todos desempeñamos roles. Un rol representa un conjunto de conductas establecidas para el cumplimiento de una posición específica dentro de un sistema social. Desde este punto de vista, las familias, las organizaciones y los grupos siguen patrones de comportamiento aprendidos que, en conjunto, constituyen una cultura.

El cumplimiento de los roles, en un sistema dado, exige que los individuos interactúen, surgiendo así la interdependencia del grupo. La acción entre unos y otros se realiza por medio de la comunicación, por lo que todos, en el desarrollo de algún rol asignado, también asumimos en algún momento el rol de "comunicador".

El rol de comunicador, al igual que otros roles, implica conductas, normas o reglas que prescriben cómo actuar, entre las que encontramos dos básicas: el deber de interactuar y el poder de empatizar. Ambas conductas se fundamentan en el deber del comunicador de hablar y escuchar a otras personas, así como en la intención de llegar a una identificación a través del lenguaje, por medio del cual se realizan adaptaciones según el contexto en donde se efectúa la comunicación.

Siendo la comunicación un proceso social delimitado por un contexto, un comunicador cumple funciones sociales, simbólicas, lingüísticas, organizativas y culturales, cada una ligada a la formación, la organización y el desarrollo de un grupo. Por eso el rol de comunicador exige a una persona observar y conocer el sistema social en donde se comunica; hacer predicciones o inferencias sobre la forma como responderán a la comunicación los miembros del grupo de acuerdo con sus valores, normas y papeles establecidos; luego, seleccionar los niveles de lenguajes adecuados para cada persona, situación o contexto, con la finalidad de establecer mayor identificación interpersonal y una interacción más significativa.

El rol del comunicador se relaciona íntimamente con nuestra forma de escuchar. Su cumplimiento puede resultar fácil y cómodo para muchos, pero para otros es difícil e incómodo. Saber escuchar es parte de la responsabilidad de un comunicador. Puesto que el proceso comunicativo es recíproco, debemos saber hablar, pero también saber escuchar; según ciertos estudios, muy pocas personas saben hacerlo, pues existen muchos obstáculos y mitos que impiden que escuchemos con efectividad.

140 caracteres

En no más de 140 caracteres, defina los siguientes conceptos.

- #Rol
- #Poder ser
- #Deber ser
- #Comunicador
- #Interactuar
- #Empatizar
- #Contexto cultural
- #Función social

• #Obstáculos en la comunicación

___

___

___

• #Responsabilidad del comunicador

___

___

___

Leer es un placer

Lea y analice el siguiente texto y responda las preguntas que aparecen al final.

Redefiniendo la comunicación

María del Pilar Montes de Oca Sicilia (agosto 24 de 2012)

http://algarabia.com/desde-la-redaccion/redefiniendo-la-comunicacion/

Mucho se ha hablado de la gran cantidad de mensajes que pululan por el orbe, mucho de la cantidad de bytes de información que llega a nosotros en distintas formas y de diversas maneras, mucho también de que estamos viviendo en la "era de la comunicación". Todo esto puede ser cierto; sin embargo, hoy en día, por comunicación se entienden muchas cosas y todas muy distintas. Es decir, todo el mundo cree entender el término –lo que denota y lo que connota– pero nadie tiene una noción completa del concepto mismo.

En primera instancia, valdría la pena hacer un viaje etimológico de la palabra: el verbo comunicar proviene del verbo latino *communico, as, are, avi, atum*, que a su vez proviene de *communis*, vocablo que se traduce como 'comunicar', tal cual –lo que nos deja en las mismas.

Sin embargo, si analizamos un poco más, nos damos cuenta de que también connota conceptos como participar y compartir, como conversar, platicar y, más aún, como juntar, mezclar, confundir y ensuciar a otro con nuestras ideas. Conceptos, muchos de los cuales desconoce y ni siquiera imagina el verbo español de hoy.

El verbo "comunicar" como tal, aparece por primera vez en el español en 1484, con el sentido de 'comulgar' –"coincidir en ideas y sentimientos con otra persona"– y dos años después, en 1486, ya con el sentido de compartir, tener comunicación con alguien.

Es interesante hacer notar que el vocablo encierra en sí la raíz de común –de donde provienen las palabras común, comunitario, comunidad, comunión, entre otras, y que implican un grupo de personas– y una desinencia verbal que denota 'acción', es decir, el 'hacer o efectuar una acción', lo que nos daría el significado de "hacer común". Esto significa que en un origen la palabra connotaba que la comunicación afectaba al comunicado y al comunicador de la misma forma, que se trataba de una cuestión de ida y vuelta.

Pero, dejándonos de argumentaciones etimológicas, podríamos decir que comunicar significa, en principio, "hacer al otro partícipe de algo"; y esto, como nos podemos imaginar es de una amplitud y una extensión bárbara.

Por otro lado, desde el punto de vista biológico, es un hecho que el ser humano se ha adaptado al medio y ha sobresalido del resto de las especies gracias a dos características esenciales que tienen que ver con la comunicación y el lenguaje. Una de ellas es la capacidad cognitiva de aprender lo que ve –que de alguna manera u otra es el resultado del desarrollo del cerebro y la consecución del *homo sapiens*– y otra –más relevante aún– su capacidad de transmitir información. Es entonces el lenguaje la vía única e importantísima tanto de adquirir conocimiento como de transmitirlo.

Todas las especies biológicas o seres vivos son capaces de transmitir a sus descendientes la información aprendida a lo largo de su vida a través de los genes. Pero sólo el ser humano ha sido capaz de generar cultura y de heredarla gracias al lenguaje que le permite "comunicarse" con sus congéneres y "hacerlos partícipes" de sus conocimientos. Más aún, es a partir de la escritura que se logró la verdadera transmisión de información, ya que ésta pudo ser almacenada y consultada por una generación tras otra.

No obstante, desde el descubrimiento de la escritura, pasaron muchos siglos en donde la tradición oral prevaleció. La Edad Media es ejemplo de ello, existía una vertiente oral que transmitía de forma lírica y épica –en los conventos, las abadías y las cortes– y paralelamente otra vertiente en donde la cultura libresca se dio de forma impresionante, con copistas e ilustradores que trataban de plasmar en papel lo que de otra manera no hubiera permanecido en el tiempo.

La segunda revolución sustancial la traería la invención de la imprenta en 1440, por Gutenberg, que permitió reproducir los libros "en serie". Esta cultura impresa, aunque sigue siendo importantísima hasta nuestros días –ya que en ella reside la mayor parte de la cultura humana–, puede verse hoy amenazada por la gran cantidad de información que encontramos vía electrónica –especialmente en la televisión, en la radio y en lo que suele llamarse Internet o World Wide Web.

Todos estos medios electrónicos despliegan esa inconmensurable cantidad de bytes de información que revolotean acechantes en todo lo que hacemos y pensamos, que entran hasta nuestra intimidad y nos perforan, que nos amenazan de forma inoportuna con o sin nuestra voluntad.

Ante esto valdría la pena preguntarse si el verdadero sentido de la comunicación sigue siendo el mismo, si realmente nos estamos comunicando –de ida y vuelta–, si estamos "compartiendo", si estamos "conversando" y "comulgando en ideas y conocimientos"; si la información que estamos obteniendo nos ha servido o nos va a servir para algo o si simplemente estamos siendo bombardeados por información y por ideas que no necesitamos, no vamos a usar, y ni queremos recibir.

Preguntas

1. ¿A qué se refiere la autora con viaje etimológico de la palabra?

2. Explique la comunicación desde el punto de vista biológico. Es decir, la consecuencia de nuestra biología en la comunicación.

3. ¿Cuáles son las dos características esenciales que tienen que ver con la comunicación y el lenguaje?

4. Explique el paso de la oralidad a la escritura, desde la Edad Media a la Edad Moderna. Cómo era en cada una y qué hecho influyó en la masificación de la escritura.

5. ¿Cuál es la reflexión que hace la autora sobre el verdadero sentido de la comunicación en la actualidad?

El supercódigo

Abra el siguiente código y observe con detalle la infografía que se presenta en el artículo "Community manager: reconfigurando la comunicación", o consulte un texto similar.

A partir del texto (o el sugerido), analice las habilidades que debe tener un comunicador, así como la escucha eficiente que debe poseer un *comunity manager*.

Luego, imagine la situación inversa: un especialista de esta área que actúe sin empatizar con los clientes o con la comunidad, y que se olvide de sus funciones sociales, lingüísticas, simbólicas y culturales.

Escriba una reflexión al respecto en el siguiente espacio.

Lo que sé (y lo que no)

Responda las siguientes preguntas, luego evalúe si sus respuestas son correctas.

Pregunta	Sí	No	¿Por qué?
1. ¿El comunicador enfrenta normas de conducta para cumplir su función de comunicar?			
2. ¿El contexto cultural no tiene impacto alguno en la manera de transmitir un mensaje?			
3. Al haber diferencias culturales y sociales, los hablantes deben adaptarse a esta situación para no generar malos entendidos.			
4. No existen diferencias fundamentales entre el lenguaje culto, estándar y popular.			
5. Al escuchar, ¿se pueden presentar obstáculos en la comunicación?			
6. ¿Existen mitos o concepciones equivocadas alrededor de lo que implica saber escuchar?			

Compare sus respuestas, con las que aparecen a continuación:

Respuestas: 1. Sí 2. No 3. Sí 4. No 5. Sí 6. Sí

Y a la final

Entre a la siguiente página: http://www.thematic.co/ o a alguna similar que permita crear historias con el uso de imágenes.

Empleando fotos reales, genere una historia en donde se puedan apreciar los siguientes componentes:

- Tipos de lenguaje: culto, estándar, popular.
- Funciones del comunicador: social, lingüística y cultural.
- Obstáculos de escucha activa (al menos tres).

La historia será evaluada con la siguiente rúbrica.

Aspecto a evaluar	Sobresaliente 5	Satisfactorio 3	No satisfactorio 1	Puntos
Tipos de lenguaje Presencia y claridad de los tres tipos de lenguaje	Los tres tipos de lenguaje se encuentran representados de manera excelente en la historia presentada.	Los tres tipos de lenguaje se encuentran representados en la historia aunque con algunos errores. O falta uno de los tres.	Los tres tipos de lenguaje se encuentran muy mal representados en la historia. O faltan dos de los tres tipos.	
Funciones del comunicador Presencia y claridad de las tres funciones del comunicador	Las tres funciones del comunicador se encuentran representadas de manera excelente en la historia presentada.	Las tres funciones del comunicador se encuentran representadas en la historia aunque con algunos errores. O falta una de las tres.	Las tres funciones del comunicador se encuentran muy mal representadas en la historia. O faltan dos de las tres.	
Obstáculos de escucha activa Presencia y calidad de al menos tres obstáculos de la escucha activa	Los tres obstáculos de escucha activa se encuentran representados de manera excelente en la historia presentada.	Los tres obstáculos de escucha activa se encuentran representados aunque con algunos errores en la historia presentada. O falta uno de tres.	Los tres obstáculos de escucha activa se encuentran muy mal representados. O faltan dos de tres.	
Imágenes Calidad de las imágenes y correspondencia con el texto	La calidad de las imágenes es excelente y éstas corresponden con la información presentada.	La calidad de las imágenes es buena y se corresponden, en la mayoría de los casos, con la información presentada.	La calidad de las imágenes es deficiente y/o no se corresponden con la información presentada.	
Ortografía La redacción es clara, con puntuación y ortografía sin errores.	La historia no presenta errores en la redacción, ortografía o puntuación.	La historia presenta entre 1 y 3 errores en la redacción, ortografía o puntuación.	La historia presenta más de 4 errores en la redacción, ortografía o puntuación	

Escriba aquí el vínculo de su historia:

Para conocer más

Abra el siguiente código y lea el texto "Ocho problemas en la (in)comunicación humana", o consulte uno similar.

En el siguiente espacio realice un esquema sobre los problemas presentes en la comunicación y compárelo con sus compañeros.

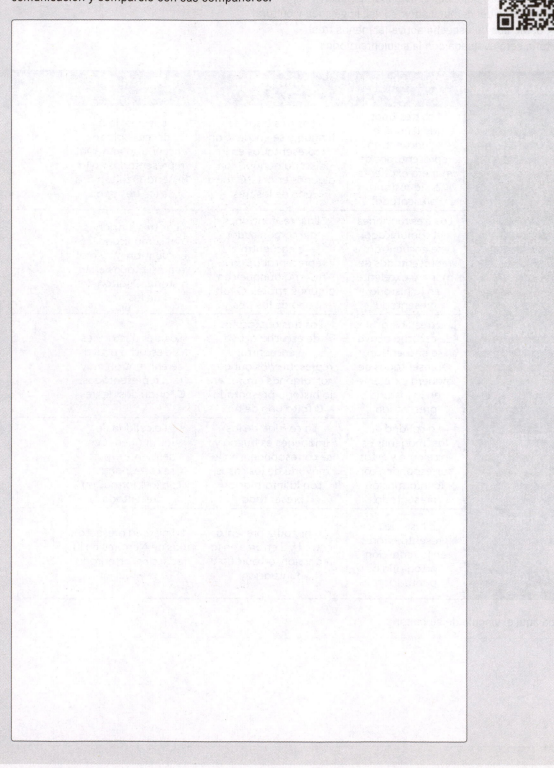

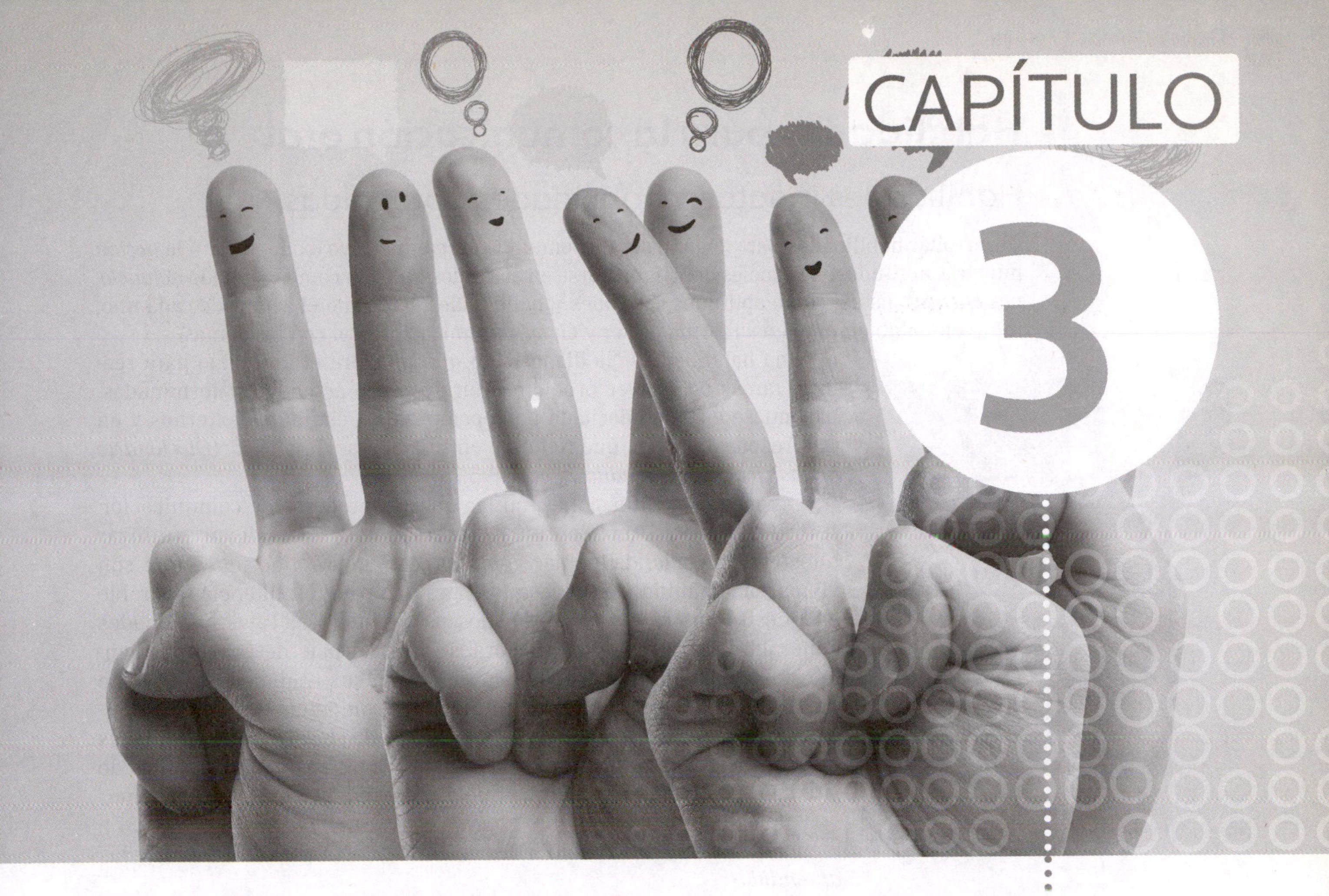

CAPÍTULO

3

Habilidades para la comunicación oral

Y tenemos, sobre todo, la voluntad de la acción, la cual nunca es excesiva; porque hay que querer, querer siempre, querer aun cuando no se pueda.

Miguel de Unamuno

Habilidades para la comunicación oral

Habilidades innatas y habilidades aprendidas

Desarrollar habilidades para llegar a ser un comunicador competitivo exige llevar a la *acción* nuestras aptitudes,[1] las cuales deben reflejarse en actitudes que den como resultado *actuaciones eficaces*. Es así como aptitudes, actitudes y habilidades, así como el actuar de cada uno, influyen notablemente en su forma de ser y en su comunicación oral con los demás.

Una habilidad es "la disposición que muestra el individuo para realizar tareas o resolver problemas en áreas de actividad determinadas, basándose en una adecuada percepción de los estímulos externos y en una respuesta activa que redunde en una actuación eficaz" (*Diccionario de las ciencias de la educación*, 1995:713).

Las múltiples situaciones, en las que los procesos de comunicación se presentan en forma continua y permanente, nos obligan a utilizar nuestras potencialidades para generar conductas o acciones que son vistas como habilidades necesarias para lograr una influencia favorable en nuestro entorno y ser aprobados por los demás. Tales habilidades generalmente se desarrollan acordes a las normas de comportamiento establecidas por los grupos y fundadas en sus tradiciones, valores e ideales personales. La clave para lograr la competencia en la comunicación depende, entonces, de la capacidad de desarrollar habilidades que nos permitan adaptarnos con facilidad a los tipos más variados de situaciones y actuar en la forma que aprueben los demás y uno mismo.

Ángel Majorana, en su libro *El arte de hablar en público* (1978:34-37), menciona dos tipos de habilidades en la comunicación: las *innatas* y las *aprendidas*:

> *Hay aptitudes innatas y derivadas, naturales y adquiridas. El estudio integra y templa, pero no crea. Por otra parte, todo orador tiene una manera propia de concebir y expresarse. Lo que es útil a uno, perjudica a otro. En este orden, no existen normas constantes, tampoco hay categorías fijas.*

Reconocemos que algunas personas poseen ciertas cualidades naturales sobresalientes que influyen para tener éxito en su comunicación: una constitución física armoniosa, simpatía, una voz sonora, un carácter firme y honesto, etcétera. Existen también aptitudes, como la entonación de la voz, la fluidez al hablar, la gracia de movimientos corporales, la expresión de gestos, la dirección de las miradas, etcétera; todas estas habilidades pueden ser aprendidas y desarrolladas hasta llegar a convertirse en verdaderos talentos.

La fórmula V-V-V de elementos visuales, vocales y verbales

Los estudios de Albert Mehrabian, uno de los principales expertos en la comunicación interpersonal,[2] señalan que para lograr la efectividad de la comunicación es importante la unión de tres tipos de elementos que se relacionan en un mensaje cada vez que hablamos, que son: 1. visuales 2. vocales, y 3. verbales (citado en Hybels y Weaver, 1974:81).

---

[1] El *Diccionario de la Real Academia Española de la Lengua* da tres acepciones para la palabra aptitud: 1. cualidad que hace que un objeto sea apto para cierto fin, 2. suficiencia para obtener un empleo o cargo, y 3. capacidad, disposición para el buen desempeño de una actividad, pág. 124.

[2] Albert Mehrabian, *Silent Messages*, Belmont, Wadsworth, California, 1971:42-47. Véase también, del mismo autor, "Communication Without Words", *Psychology Today*, 2, 1968:53.

Con la finalidad de utilizar estos tres tipos de elementos para desarrollar habilidades que causen mayor impacto en nuestra comunicación oral, usaremos una fórmula fácil de recordar a la que llamaremos la **fórmula V-V-V**, por cada uno de los elementos que la componen.

Los elementos visuales

Se relacionan con la imagen física que los demás perciben de nosotros en el momento de la comunicación: la forma de gesticular y la de movernos, los desplazamientos que hacemos, el arreglo personal o vestuario que usemos. La apariencia física está determinada por tipo de cara, complexión, estatura, color de ojos y cabello, la manera de vestir y los objetos o accesorios que se portan.

Como una habilidad ligada a los factores de personalidad físicos, manejamos estos elementos visuales como estímulos que enviamos al receptor o público para provocar un impacto favorable en nuestra comunicación a través del *contacto visual, la postura, los movimientos, los gestos o la expresión facial, el desplazamiento y el manejo de los espacios físicos*.

Los elementos vocales

Son las modulaciones que percibimos en la voz, como la entonación, la velocidad, el volumen, el énfasis o la fuerza, el ritmo, la proyección y la resonancia. Saber manejar la voz es uno de los factores indispensables y más notables para el desarrollo de la habilidad oral, pues la gente tiende a escuchar y relacionar ***personalidad*** con ***voz***. Mehrabian señala que "el tono y la calidad de la voz pueden determinar la efectividad del mensaje y la credibilidad del comunicador" (citado en Decker, 1992:48).

Sin habilidad vocal simplemente no lograríamos comunicarnos en forma oral. Para incrementar o mejorar la voz, necesitamos seguir las recomendaciones de algunos expertos que reconocen dos aspectos importantes: 1. ***las funciones*** que cumple la voz en relación con el mensaje, y 2. ***las características vocales*** que imprimen el significado a la palabra oral.

Los elementos verbales

Se refiere a todas las palabras y los métodos lingüísticos que utilizamos para hablar, desde la forma de estructurar las ideas que formulamos, la selección del lenguaje y los términos que utilizamos, hasta el contenido o significado que se obtienen del mensaje que transmitimos.

Para explicar cómo se produce este impacto, analicemos lo que ocurre en una situación de comunicación: en los primeros segundos, al comunicarnos, lo primero que hacemos es vernos unos a otros: cómo somos, cómo nos movemos, cómo estamos vestidos, etcétera. Los elementos visuales producen el primer impacto para la aceptación o el rechazo de la interacción, pues conforman la primera impresión; el sentido visual capta rápidamente la información y con base en nuestra percepción selectiva recibimos, analizamos, evaluamos y emitimos el primer juicio de aceptación o rechazo hacia el comunicador y su mensaje.

En seguida, apreciamos la voz. Al vernos unos y otros, al mismo tiempo escuchamos, por lo que los sonidos de la voz son los que reforzarán o modificarán la primera impresión formada por los elementos visuales: el "cómo lo dice" hace que la interpretación de lo que escuchamos refuerce o modifique el primer juicio visual hacia el mensaje o el comunicador, ya que la entonación o el énfasis de la voz puede modificar la percepción sobre la persona e incluso cambiar el significado del mensaje.

Racionalizamos el contenido. Las ideas, convertidas en palabras, serán el elemento verbal que complete la evaluación de aprobación o rechazo hacia el mensaje o el comunicador, pues es en este plano donde se examinan el tema y sus derivaciones, el lenguaje y nivel de vocabulario empleados, junto con el sonido de la voz y las formas visuales del comunicador, que completan el mensaje y su interpretación, como un todo.

Como afirmó Mehrabian,[3] para asegurar el efecto deseado de la comunicación es necesario que estos tres elementos –visuales, vocales y verbales– sean "consistentes" entre sí, que exista un equilibrio entre ellos; por ejemplo, que la emoción en la voz se conjunte con la energía de movimientos del cuerpo y la expresividad del rostro del comunicador para hacer congruente el todo: ***la idea con la imagen***, es decir, ***el fondo*** y ***la forma***.

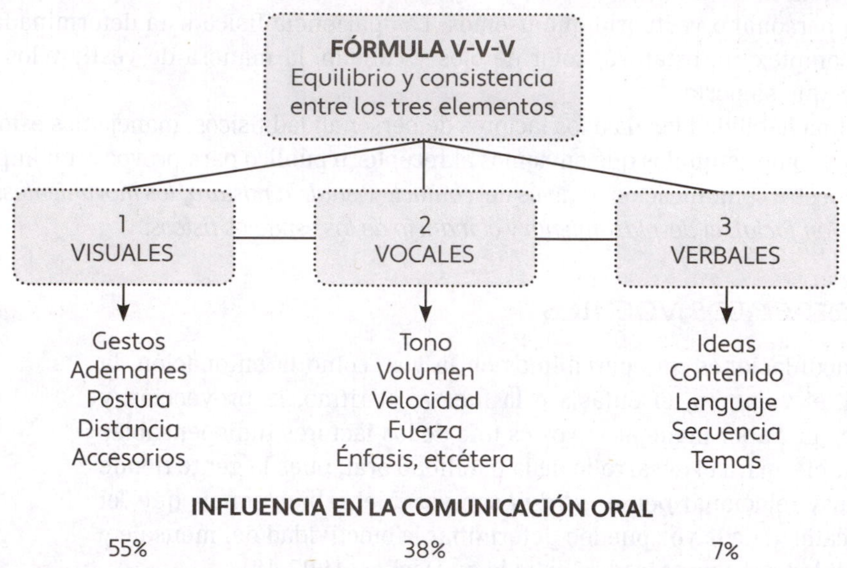

Kinésica: la kinésica estudia la acción corporal, incluyendo 1. el contacto visual, 2. la postura, los movimientos, 3. los gestos o la expresión facial.

(Ray Birdwhistell; Introduction to Kinesics, *1952. Citado en Fernández Collado y Dahnke, 1986:203).*

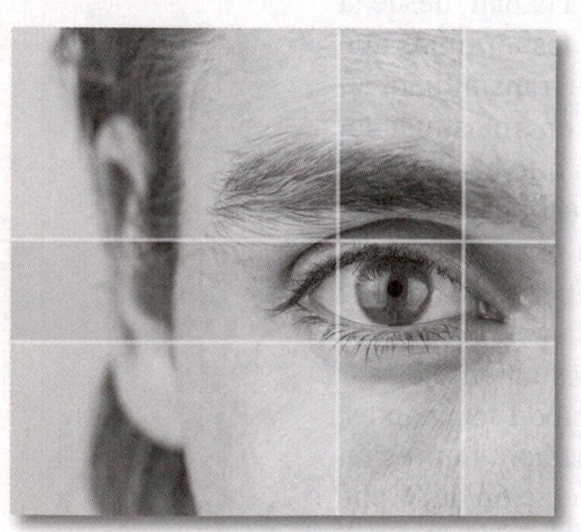

Habilidades de comunicación no verbal

La comunicación no verbal incluye ***todo aquello que transmite o lleva algún significado no expresado por medio de palabras, como los movimientos del cuerpo, la voz, los objetos, el tiempo y la distancia*** (Ehninger, Monroe y Gronbeck, 1978:225).

Las ciencias o disciplinas auxiliares que han apoyado el estudio de la comunicación no verbal son la kinésica, la proxémica, la comunicación artefactual y la paralingüística.

El contacto visual

En una situación de comunicación, sin duda la primera habilidad física y de movimiento que debemos practicar es tratar de mantener el *contacto visual* con el receptor o los receptores. Los ojos son la única parte del organismo que tiene contacto directo con otra persona mientras hablamos o escuchamos. Este contacto, más que una simple mirada, es una señal para el emisor de que mientras él habla nuestra mente trata de procesar el mensaje verbal, al mismo tiempo que está siendo atendido y comprendido por el receptor.

[3] Mehrabian, en su libro *Silent Messages* (citado por Decker, 1992:8), nos habla de mensajes "consistentes" cuando hay concordancia entre los tres elementos mencionados, y mensajes "inconsistentes" cuando existe desequilibrio entre ellos. La efectividad se logra cuando los mensajes son consistentes con las expectativas que tiene la gente que escucha.

Para un buen comunicador esta habilidad no sólo consiste en hacer contacto visual con el receptor, sino que por medio de la mirada debe reflejar entusiasmo, naturalidad y convicción de ideas, pues ver con seguridad a los demás denota verdad e inspira confianza, además de que hace que el público dé credibilidad al mensaje. Sin embargo, Ekman, Friesen y Ellsworth (1972) mencionan varios errores que se cometen con frecuencia al aplicar el contacto visual,[4] los cuales disminuyen la efectividad del mensaje.

Errores que deben evitarse en el contacto visual

- ***Dejar vagar la mirada.*** Un problema común se presenta cuando pensamos y nuestra mirada tiende a irse hacia arriba, como si mirásemos el cielo, o bien, miramos al piso porque no queremos ver a nadie. También nuestra mirada puede ir de un lado a otro sin detenerse o fijarse en algún sitio. Estos movimientos imprecisos de la mirada, que evitan el contacto visual con quien escucha, hacen que éste se sienta incómodo o ignorado.
- ***Parpadear lentamente.*** Un mal hábito es cerrar los ojos por más de dos o tres segundos cuando se está hablando. Esto puede interpretarse como "no quiero ver" a los escuchas; debido a la lentitud para abrir y cerrar los ojos se puede perder interés en el mensaje.
- ***Mantener el contacto visual menos de cinco segundos.*** Cuando hablamos y estamos seguros del tema, nos sentimos cómodos en la situación y permanecemos tranquilos; generalmente fijamos el contacto visual con los escuchas de cinco a 10 segundos. Cuando mantenemos el contacto menos de este tiempo, esto indica al receptor que hay vaguedad de ideas, falta de preparación en el tema o cierto rechazo hacia la situación.
- ***Ver a las cámaras y no a las personas.*** Cuando estamos frente a cámaras de televisión o de video, es importante establecer contacto visual con aquellos a quienes dirigimos el mensaje, antes que ver a las cámaras. En una entrevista, o en un foro de discusión, hay que mantener el contacto visual con las personas con las que interactuamos. Si la grabación se hace sin público, el director de cámaras indicará hacia dónde hay que dirigir la vista.
- ***Concentrar el contacto visual en un solo sitio.*** Es común, al hablar en público o en grupo, fijar la mirada solamente en quien nos muestra aprobación; en este caso, los demás escuchas pronto comienzan a sentirse olvidados. Un consejo en este caso es mirar a varios lugares del auditorio, o fijar el contacto en tres o cuatro puntos de referencia en un recorrido de 180°; empezar en 0°, luego 45°, en seguida 90°, después 125° y terminar en 180°. Lo mismo debe ocurrir al regresar la mirada, hay que entrar nuevamente en contacto con algunos sitios donde se encuentra el público receptor.

Postura y movimientos

Por *postura* entendemos *la posición física del cuerpo*; ésta siempre influye en la percepción que los otros tengan de nosotros. La postura que cada quien adopta se relaciona con la condición mental o el estado de ánimo, y es un reflejo de ellos (Kendon, 1970; Scheflen, 1972; Duncan y Fiske, 1977);[5] por eso se dice que la postura refleja el carácter del comunicador.

Algunos ejemplos confirman lo anterior: no es usual imaginarnos a una persona muy autoritaria con una postura muy relajada, o a una tímida con una postura muy erguida. El comunicador, para ser eficaz en este aspecto, debe aprender a pararse erguido y moverse con naturalidad.

---

[4] Todos los movimientos faciales fueron filmados y estudiados cuidadosamente por Ekman, Friesen y Ellsworth en 1972, siguiendo los estudios de movimientos musculares precisos. Ekman y Friesen, 1975 (citado en Fernández Collado y Dahnke, 1986:214).

[5] Citado en Fernández Collado y Dahnke, 1986:204.

La mala postura y los movimientos inadecuados se consideran malos hábitos que hemos ido adquiriendo en nuestra vida; por ejemplo, si vemos a alguien con una postura muy encorvada, con los hombros hacia el frente, dejando caer los brazos a lo largo del cuerpo, nos dará una impresión diferente de la del individuo que siempre permanece muy erguido, pero inmóvil, con sus brazos extendidos, estáticos, pegados al cuerpo y las piernas juntas completamente rígidas. Sin duda, tales posturas pueden cambiarse por otras que resulten más adecuadas para la comunicación.

Algunas recomendaciones que mencionan Ander-Egg y Aguilar (1985:99-100), para manejar efectivamente la postura y los movimientos al hablar (sobre todo ante auditorios de más de 70 personas) son:

- ***Manténgase erguido con naturalidad.*** La buena postura de la parte superior del cuerpo refleja seguridad. Encorvarse o relajarse demasiado hacen pensar en individuos tímidos, abatidos o de poca autoestima.
- ***No descuide la parte inferior de su cuerpo.*** La manera de pararse es un elemento visual de gran impacto. Pararse con las piernas abiertas, muy juntas, o entrelazadas, no es recomendable. Es mejor mantenerlas en una posición ligeramente abierta, con un pie más adelante que el otro, evitando hacer movimientos o *balancearse* en forma continua.
- ***Muévase sin exageración.*** El movimiento da energía apoya las ideas del mensaje e imprime dinamismo. Muévase moderadamente; acérquese o aléjese de quienes lo escuchan. Gesticule sin exageración, pero apoye con expresividad facial sus ideas. Utilice movimientos moderados, sobre todo con las manos, que lograrán ayudarlo a reforzar el contenido de su mensaje. Recuerde que el movimiento siempre es mejor que la pasividad y causa una impresión de gran vitalidad.
- ***Use un estilo propio.*** No existen reglas fijas que nos digan cómo movernos o pararnos en cada situación; tampoco una sola manera de moverse, pero hay recomendaciones que nos indican que los movimientos naturales, que denoten entusiasmo o espontaneidad, pueden ser efectivos para proyectar más de nosotros mismos.
- ***Dé significado y congruencia a sus movimientos.*** Cada movimiento, gesto o desplazamiento debe apoyar el significado específico de cada idea que comunicamos. Un puño cerrado puede indicar poder, lucha, esfuerzo, etcétera. Cambiar de lugar en el momento en que termina una idea y empieza otra ayudará al público a entender este cambio. Si hablamos de hechos formales, una postura formal sería congruente; precisamente el error que hay que evitar es el de decir una cosa y reflejar otra con los movimientos, así como estar inexpresivos y permanecer estáticos cuando se da un tema cuyo contenido es muy dinámico. En general, el comunicador debe guardar concordancia entre lo que expresa y lo que hace.
- ***Obsérvese.*** La postura, los movimientos y los gestos dependen de un conjunto de habilidades físicas que debemos tratar de desarrollar; verse en un espejo para examinar sus gestos y ademanes, o grabarse en un video mientras habla, le servirá para conocer qué comunica con su cuerpo; pida a otros que imiten su forma de caminar, de moverse y de gesticular; luego reflexione sobre lo que observó. Recuerde que los movimientos conscientes y en forma planeada pueden mejorarse para lograr, en forma gradual, tener más impacto en los receptores.

Los gestos y la expresión facial

La expresión facial refleja el entusiasmo, la naturalidad y la espontaneidad con que decimos el mensaje. Los movimientos de la cara, o gestos, son los elementos visuales de mayor impacto y es en ellos, por lo tanto, donde el comunicador debe desarrollar más habilidad para apoyar su mensaje efectivamente. Analicemos algunas recomendaciones al respecto:

- ***Tenga vitalidad, refleje energía.*** Es en la cara donde más mostramos el interés por las cosas; además, la energía que usamos para gesticular depende mucho de los estados anímicos por los cuales pasamos. Controle los sentimientos negativos que llevan a gestos desagradables y trate siempre de mostrar una expresión cordial, alejando pensamientos que se reflejen en gestos de nerviosismo o intranquilidad.
- ***Conozca sus gestos nerviosos.*** Observe qué gestos acostumbra hacer cuando se siente intranquilo o nervioso y trate de controlarlos. ¿Tiende a tocarse la nariz? ¿Acostumbra tocarse el pelo? ¿Tiende a levantar las cejas? ¿Se muerde los labios? ¿Se queda por unos minutos con la boca abierta? Pregunte a los demás cómo lo ven. Examínese en un video y tome nota de sus expresiones: es una buena forma de reconocer los buenos y malos hábitos en la expresión facial.

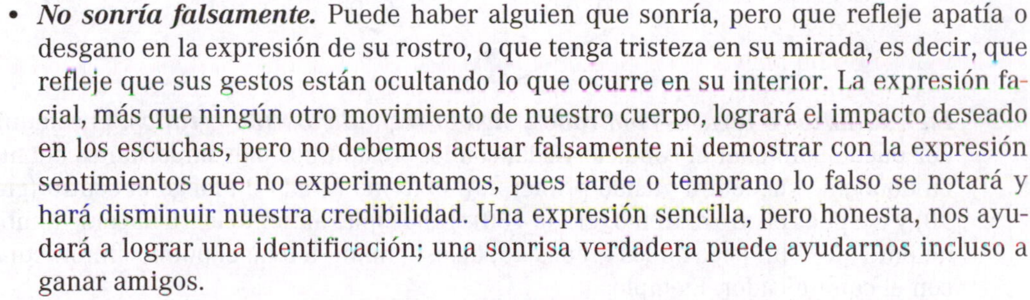

- ***No exagere.*** Muy pocas personas tienden a exagerar sus movimientos y expresiones faciales durante un acto de comunicación, pero es aconsejable pensar que la exageración de gestos tiene más influencia negativa que positiva, así que seamos moderados cuando queramos ser muy expresivos y dar más apoyo expresivo a los mensajes.
- ***Mantenga una expresión cordial y sonría.*** Muchas personas piensan que mostrarse *muy serias* les ayudará a verse formales al comunicar sus ideas pero, en general, con la seriedad el público puede percibir hostilidad o distanciamiento. En cambio, quienes sonríen y expresan cordialidad tienen una clara ventaja en comparación con las otras, pues son percibidos como abiertos y amigables, y sus ideas son aceptadas con mayor facilidad.
- ***No sonría falsamente.*** Puede haber alguien que sonría, pero que refleje apatía o desgano en la expresión de su rostro, o que tenga tristeza en su mirada, es decir, que refleje que sus gestos están ocultando lo que ocurre en su interior. La expresión facial, más que ningún otro movimiento de nuestro cuerpo, logrará el impacto deseado en los escuchas, pero no debemos actuar falsamente ni demostrar con la expresión sentimientos que no experimentamos, pues tarde o temprano lo falso se notará y hará disminuir nuestra credibilidad. Una expresión sencilla, pero honesta, nos ayudará a lograr una identificación; una sonrisa verdadera puede ayudarnos incluso a ganar amigos.

La forma en que un comunicador se desplaza a través de un espacio y la distancia que mantiene con los receptores surten efectos que pueden ser benéficos o perjudiciales para la recepción del mensaje.[6] Esta influencia ha sido determinada en estudios de ***proxémica***, disciplina que estudia los desplazamientos en un espacio físico.

Proxémica: estudia la distribución y los desplazamientos, en los espacios físicos.

(Edward T. Hall, **The Silent Language***, 1959, y* ***The Hidden Dimension****, 1966. Citado en Ehninger, Monroe y Gronbeck, 1978: 226).*

Algunas recomendaciones que brindan los expertos para desplazarse en ciertos espacios se deben a la influencia que tiene en los participantes el manejo de estas distancias, ya que las sensaciones de las personas varían de acuerdo con el acercamiento o alejamiento del orador, así como de los cambios del volumen de voz, los gestos, el contacto corporal y el contacto visual. En ciertas situaciones con extraños, las distancias personales son incómodas, aunque en determinados lugares o ciertas culturas promueven el acercamiento como signo de confianza y amistad. Comunicarse en espacios muy reducidos y cerrados provoca incomodidad en algunas personas, ya que sienten que se invade su "espacio vital"[7] o

[6] Edward T. Hall, en su libro *The Silent Language* (1959), usó la palabra "proxémica" para referirse a esta área de estudio y detalló más aún sus ideas unos años después al publicar *The Hidden Dimension* (1966).

[7] Edward T. Hall nombró así al espacio que una persona considera como suyo. Es un espacio en donde establecemos límites para el contacto corporal con otros. El manejo de dicho espacio está condicionado también por factores socioculturales aprendidos.

espacio personal, el cual varía según la interacción aprendida en cada grupo social. Edward T. Hall identificó cuatro tipos de distancia para la interacción:

- ***Distancia íntima:*** implica cercanía extrema y contacto corporal (20 cm).
- ***Distancia personal:*** se manifiesta entre familiares, amigos y compañeros; implica cercanía y alguna forma de contacto corporal.
- ***Distancia social:*** permite cierta privacía en espacios públicos. La comunicación interpersonal se lleva a cabo casi siempre en este espacio. Tal distancia varía de una cultura a otra.
- ***Distancia pública:*** es el límite impuesto por la capacidad de la voz del comunicador y los recursos técnicos. Cuanto mayor es la distancia, más ritualista o convencional es el comportamiento. Se tienden a exagerar los gestos y movimientos, además de realizar desplazamientos en forma planeada.

Los estudios que se han hecho sobre las distancias y los desplazamientos de un comunicador, en diferentes espacios físicos o instalaciones, han servido para sugerir consejos como los siguientes:

- ***En auditorios o lugares rectangulares, no olvide los extremos.*** Para el comunicador generalmente es difícil atender con el contacto visual a las personas situadas en cada extremo del lugar, por la tendencia a mirar al centro o en un ángulo de visión menor de 180°. Ejemplo:

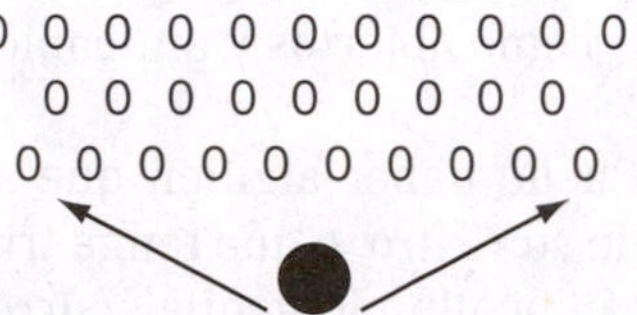

- ***En auditorios o lugares cuadrados, siga la regla de los 180° grados.*** El comunicador puede mantener el contacto visual con los tres puntos más importantes del lugar en donde se encuentra viendo primero un extremo (grado 0), luego el centro (grado 90) y después el otro extremo (grado 180). Tal desplazamiento logra hacerse también deteniéndose un poco en los grados 45, de esta manera todo el público interactuaría con el comunicador. Ejemplo:

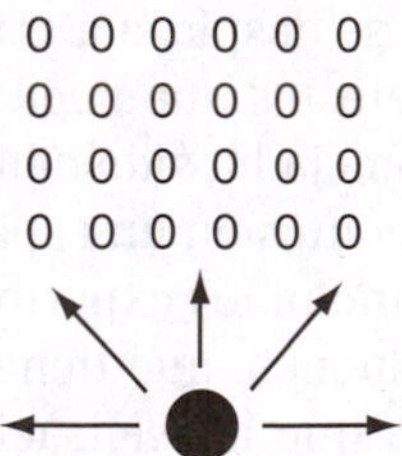

- ***En lugares o espacios circulares, siga la regla de los 360 grados.*** Esto indica que el comunicador deberá tratar de desplazarse y mantener su contacto visual con todas las personas ubicadas alrededor de él. Para ello, podrá girar lentamente y poner fija su mirada más o menos cada 45 grados. Ejemplo:

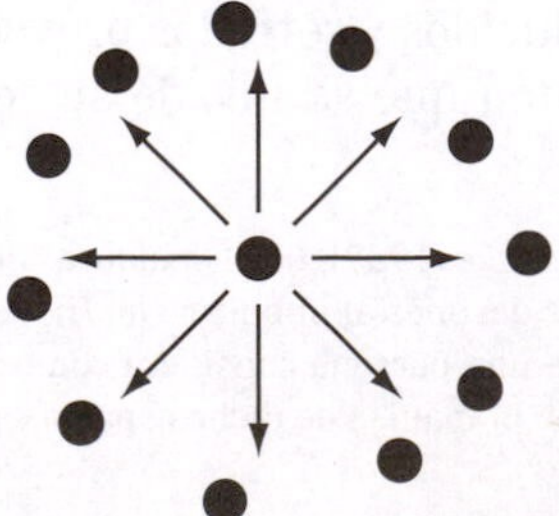

En cuanto a lugares abiertos o espacios muy grandes, en donde los receptores se encuentran a diferentes distancias con respecto al comunicador –como serían un estadio, una plaza, etcétera–, los movimientos tendrán que exagerarse.

En contraste, en los lugares muy pequeños o espacios cerrados, movimientos, desplazamientos y gesticulaciones se moderarán y se harán naturalmente, aunque con énfasis y precisión.

Comunicación artefactual

David y Judith Bennett realizaron un estudio en el cual se resalta la función del escenario, término que se refiere al mundo físico o espacio que rodea a la interacción comunicativa. "Toda acción social es afectada por el contexto físico en el que ocurre" (Knapp, 1984). Los objetos y la ubicación que tienen dentro de un lugar físico como *muebles, lámparas, plantas, esculturas, artículos decorativos, etcétera,* también fueron analizados en relación con la recepción o el rechazo de la comunicación, y la disciplina que los estudia es la ***comunicación artefactual***.

Otra forma de clasificación es la de Bennett (1984), que establece diferencias por la forma en que se presentan los objetos ante los receptores. Así tenemos:

- ***Objetos integrados***: aquellos que se usan con un propósito específico de los participantes en la situación de comunicación. Por ejemplo, el escritorio y el borrador en un salón de clases.
- ***Objetos incidentales***: los que pueden afectar a los receptores, aunque no sean parte de un plan ni haya intención de usarlos o ejercer una influencia con ellos. Por ejemplo, un ventilador o una lámpara con fuerte luz en el salón de clases.

Otro tipo de objetos se clasificará de acuerdo con el uso que el comunicador les dé. Tenemos:

- ***Objetos revelados***: son los que el comunicador usa con énfasis; señala y muestra a los receptores. Por ejemplo, un folleto o un cuaderno con indicaciones en el salón de clases.
- ***Objetos ocultos:*** los que no son detectados por el público como parte del acto comunicativo y, sin embargo, se ha planeado su uso. Por ejemplo, un escudo en la sala de conferencias, un ramo de flores en la mesa, etcétera.

El mobiliario es importante porque la audiencia puede sentirse incómoda en una silla muy dura o sin respaldo, lo que le provoca inquietud y distrae su atención. El color y estilo de los muebles, así como su posición de acuerdo con los espacios también llegan a incrementar o reducir la tensión de las personas. Asimismo, los movimientos de los objetos (por ejemplo una puerta que se abre) logrará hacer que alguien olvide momentáneamente el mensaje que está expresando. Todos estos aspectos de la proxémica deben cuidarse, ya que pueden aumentar o restar la efectividad del proceso de comunicación.

Comunicación artefactual: estudia el uso de los objetos y accesorios en un entorno o contexto.

(Prohansky, Ittelson y Rivlin, 1970. Citados en Fernández Collado y Dahnke, 1986:204).

Paralingüística

La disciplina auxiliar de la comunicación no verbal que estudia los elementos vocales, y su notable influencia en el desarrollo de las habilidades de la voz en la comunicación oral, es la ***paralingüística***.

Las recomendaciones que sugieren los estudios de *paralingüística*[8] o *paralenguaje* nos ayudan a reconocer las principales funciones de la voz, de acuerdo con el propósito del mensaje, y las principales características vocales, que imprimen un significado distintivo y particular a la palabra oral de cada persona.[9]

Paralingüística: estudia el sonido de la voz; volumen, entonación, velocidad, ritmo, énfasis o fuerza.

(Davitz, 1964. Zuckerman, De Paulo y Rosenthal, 1981. Citados en Fernández Collado y Dahnke, 1986:204).

---

[8] Término que significa, por su etimología, "próximo al lenguaje"; se refiere al sonido que se emite al pronunciar alguna palabra con sus características vocales, que imprime individualmente cada persona según su estado de ánimo o emociones.

[9] Davitz (1964) estudió los componentes emocionales de las expresiones vocales, entre las que menciona como un ejemplo la **cólera**, con sus características de volumen alto, tono agudo, timbre estrepitoso, velocidad rápida, inflexión irregular y ritmo cortado.

Funciones de la voz

La voz, como elemento fundamental para la comunicación oral, cumple varias funciones, ya que nos sirve principalmente para:

- ***Denotar nuestra personalidad.*** Nos distingue ante los demás; conforma gran parte de nuestra personalidad pues se considera un sonido "único" que, al ser escuchado por otros, forma una impresión de nuestra identidad.
- ***Comunicar nuestros sentimientos, actitudes y emociones.*** Al respecto, Disraeli[10] dijo: "No hay indicador tan seguro como la voz para saber si nuestro discurso causó una impresión en el público", pues con ella los demás pueden deducir nuestros intereses, filosofía de vida o estado emocional.
- ***Transportar el mensaje.*** Como medio de transporte, su función es llevar el mensaje hasta los escuchas, pero la decisión de elegir las condiciones de ese transporte es nuestra. ¿Queremos enviar nuestro mensaje en un transporte que va lento, con pausas prolongadas, empujón por empujón? ¿O bien elegimos enviarlo en un transporte cuya velocidad y ritmo son ultrarrápidos, sin pausas, con sonidos incompletos, que nadie entiende? Para mejorar el manejo de la voz preguntémonos: ¿Cómo es el transporte que elegimos?
- ***Generar imágenes.*** Hacemos que los escuchas visualicen imágenes al escuchar una voz: la anciana cuyo tono vocal es muy agudo y nasal puede hacernos pensar en una bruja de cuento infantil. Un hombre de voz áspera y fuerte da idea de ser tosco y agresivo. Una voz suave, fina, lenta, nos sugerirá sumisión o falta de carácter. La tendencia a juzgar una voz y hacer juicios sobre la personalidad es un aspecto de gran importancia para el comunicador, ya que la voz crea imágenes en el pensamiento de los oyentes sobre el que habla y sobre lo que dice durante su comunicación.
- ***Hacer más interesante la comunicación.*** A través de la emoción, el entusiasmo y la energía al hablar, formamos en los escuchas un ambiente vital en donde las ideas expresadas cobran significado; aunque cuando alguien habla con poca expresividad o emotividad el tiempo transcurre lentamente, nos sentimos aburridos y tal vez ni escuchamos el mensaje completo. Como todo lo que se aprende puede cambiarse, es recomendable grabar nuestra voz, escucharla y juzgarla, para aprender como oyentes, no como productores; esto servirá para saber cuánta vitalidad reflejamos y cuánta energía transmitimos a los demás. ¿Somos capaces de interesar a nuestros receptores y llevarlos a un mundo de ideas lleno de vitalidad?
- ***Conocer más del mensaje y de las personas a las que escuchamos.*** El tono de ciertas expresiones, las pausas, las inflexiones bajas y suaves o de volumen alto casi nos hacen adivinar "entre líneas" la idea de nuestro interlocutor por la pronunciación de sus palabras, o algún estado de ánimo; la voz refleja un verdadero sentimiento o una emoción que muchas veces no se dice con la palabra.
- ***Expresar, hablar, comunicar.*** El éxito en las diversas situaciones de comunicación oral depende en 38% de la voz,[11] de acuerdo con la habilidad que tengamos para manejar este instrumento sonoro considerado "el medio por excelencia" para la expresión del lenguaje racional y emocional de los seres humanos.

---

[10] Benjamín Disraeli, político inglés (1804-1881), primer ministro en 1874, campeón del imperialismo británico, famoso por sus dotes de orador en discursos políticos. (Citado en Hesketh Pearson en su libro *Dizzy, The Life and Personality of Benjamin Disraeli, Earl of Beaconsfield*. Traducción al español por Julio Luelmo, Nueva York, 1953).

[11] Porcentaje mencionado por Albert Mehrabian en su libro *Silent Messages*, Belmont, Wadsworth, California, 1971. (Citado por Hybels y Weaver, 1976:111).

Características de la voz

El habla se articula con diferentes sonidos que sirven de base para las distintas características vocales individuales que son generadas por nuestro aparato fonador; éste se compone de varios órganos que intervienen en la producción de la voz: *nariz, paladar; lengua, faringe, epiglotis, laringe, tráquea, clavícula, pulmones, cavidad torácica* y *diafragma.*

La producción del habla por medio de estos órganos recibe el nombre de *articulación.* Todas las vocales y consonantes del español, al igual que las de la mayoría de las lenguas, se articulan utilizando el aire pulmonar que sale de la cavidad torácica; para pronunciar correctamente las sílabas del lenguaje se necesitan las llamadas habilidades de articulación, entre las que se encuentran cuatro principales: 1. *claridad*, 2. *pureza*, 3. *intensidad o alcance* y 4. *variedad o flexibilidad vocal* (Fernández de la Torrente, 1995:37-41).

- ***Claridad.*** Es la cualidad principal de una buena *dicción.* En ella intervienen el maxilar inferior, la lengua y los labios. La práctica enérgica y constante de estos músculos, al pronunciar las palabras, ayudará a mejorar la nitidez de la voz, pues uno de los problemas más comunes al hablar es que las personas no mueven los músculos, y su boca apenas se abre para pronunciar las palabras. El nerviosismo, la tensión y la rapidez son enemigos de la claridad. La velocidad de la voz puede modificarse y dar tiempo suficiente para que el mensaje sea articulado y pronunciado sin amontonar las ideas, mejorando la dicción.
- ***Pureza.*** Es la condición de una voz limpia, clara, sin defectos producidos por el aparato vocal, como ronquera o mala pronunciación. Cada sílaba, palabra o frase son pronunciadas con sonidos exactos y sin tropiezos.
- ***Intensidad o alcance.*** Son características que afectan directamente la escucha y el entendimiento del mensaje. Cuanto más intensidad y resonancia tenga la voz, más lejos llegará en un espacio. Es responsabilidad de un comunicador eficaz hacer uso de su fuerza vocal para que su mensaje llegue hasta los receptores más alejados del punto en donde se encuentre.
- ***Variedad o flexibilidad vocal.*** Flexibilidad es dar modulación a la voz. En teatro es necesaria para representar las emociones que viven los personajes, pero también en la vida diaria nos ayuda a dar el verdadero significado a los mensajes que queremos comunicar, ya que puede impedir el aburrimiento en los escuchas, pues la variedad de matices, tonos, ritmos, pausas y volumen lograrán que el mensaje sea más vivo, porque comunica "algo" a los receptores.

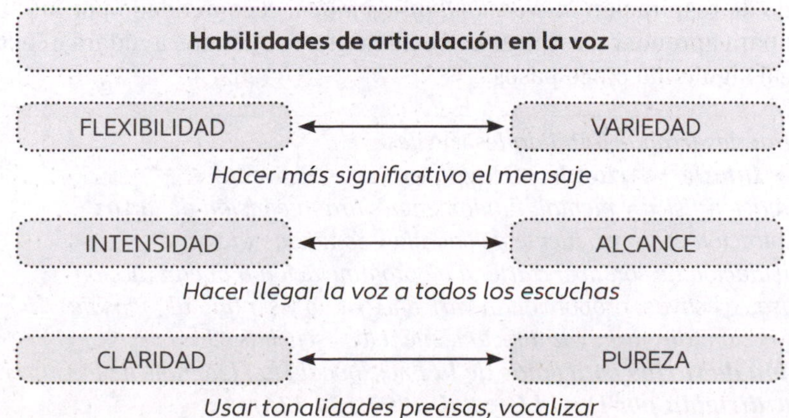

Otras características que es posible combinar en formas distintas para ayudarnos a mejorar el sonido de la voz, imprimiéndole más variedad, son: ***volumen***, ***velocidad***, ***tono***, ***ritmo***, ***pausas*** y ***énfasis***.

- ***Volumen.*** Es la percepción del sonido en el oído; puede variar desde un sonido muy débil, suave o bajo, hasta uno muy fuerte o alto.
- ***Velocidad.*** Es el número de palabras que pronunciamos en una unidad de tiempo y una característica de la voz que se ajusta al tipo de pensamientos y sentimientos que transmite el comunicador. Por ejemplo, cuando estamos tristes hablamos más despacio que cuando estamos muy alegres o entusiasmados.
- ***Tono.*** Puede ir desde un tono muy grave hasta uno muy agudo. El comunicador necesita modularlo para dar a su mensaje mayor expresividad y matices diferentes de los de otras personas. Las investigaciones del profesor Mehrabian demostraron que el tono de la voz (conocido como entonación), la resonancia y el énfasis determinaban 80% de la credibilidad de una persona cuando los escuchas no la veían; por ejemplo, a través del teléfono o el radio (citado en Ducker, 1992:48).
- ***Ritmo.*** Es la sensación de dinamismo que se genera por la combinación de la velocidad del sonido y la extensión de las pausas. Cuando hablamos lo hacemos rápida o lentamente, y dejamos pausas cortas o prolongadas entre las palabras. Este ritmo es importante para dar expresividad al mensaje. Un ritmo lento, con muchas pausas, cansa. Un ritmo ágil otorga dinamismo al mensaje.
- ***Pausas.*** Nos ayudan a agrupar las palabras habladas en bloques o unidades que tienen significado en conjunto. Son como los puntos en un escrito. Permiten respirar, dar variedad a la voz y cambiar el tono y ritmo. Si se hace buen uso de ellas, ayudan a mantener viva la atención de los receptores, propiciando breves cortes para reflexionar o pensar en el mensaje. Las pausas muy prolongadas se consideran inapropiadas, como las "muletillas", que son un sonido, una sílaba o una palabra que no tiene sentido en el mensaje (eh...; hum...; si...; este...; pues...) pero que se repiten con frecuencia sólo para llenar un espacio entre las ideas que generamos y tienen que ser expresadas una a una.
- ***Énfasis.*** Poner énfasis equivale a subrayar (como en los escritos); es dar más fuerza a aquellas sílabas o palabras con las que queremos llamar la atención de los que nos escuchan. Es aplicar vitalidad a la voz para destacar aquellas frases que llevan lo esencial del mensaje, las ideas principales que deseamos que los escuchas recuerden.

Las técnicas de control de la respiración constituyen una parte fundamental de cualquier programa de educación de la voz, como en el canto, el teatro, la oratoria o las terapias en disfunciones del habla. El tipo de respiración más eficaz requiere una *inspiración rápida* y una *espiración controlada*, que poco a poco corresponda a las necesidades de aire para la voz.

Un cuidadoso movimiento controlado de las costillas y del diafragma es el rasgo principal del método de respiración *intercostal-diafragmática*, recomendado por los especialistas como técnica para aprender a respirar correctamente, la cual nos ayudará a incrementar la habilidad vocal siguiendo cinco pasos:

Técnica para desarrollar habilidades vocales

Relájese • Inhale • Articule • Haga pausas • Proyecte

1. *Relajación física y mental: fundamental para la emisión de la voz.*
2. *Respiración correcta: fuente de energía y sonido de la voz.*
3. *Articulación de sonidos: claridad de pronunciación o buena dicción.*
4. *Pausas efectivas: proporcionan variedad, ritmo y sentido al mensaje.*
5. *Proyección: dirigir la voz directamente a los escuchas.*

(Adaptación de varios conceptos de la *Enciclopedia del lenguaje de la Universidad de Cambridge*, ***dirigida por David Crystal, 1994:124-126).***

Habilidades de comunicación verbal

Las habilidades de comunicación verbal son habilidades de pensamiento para idear, seleccionar y organizar un lenguaje con la finalidad de producir mensajes comprensibles y coherentes.

La preparación verbal es indispensable para hablar. El hombre, aun sabiéndose poseedor de conocimientos y cualidades para hablar ante los demás, puede sugestionarse negativamente respecto de sus habilidades de pensamiento para producir mensajes. Tal incapacidad o incompetencia verbal surge casi siempre por la falta de confianza en sí mismo debido al desorden de ideas, al desconocimiento del lenguaje o a la falta de preparación en algún tema y al desinterés por comunicarlo.

Son muchos los casos de personas que, con un reducido caudal de conocimientos, están siempre dispuestas a hablar de cualquier tema y, quizás inconscientes de su responsabilidad, se lanzan a opinar, recomendar y afirmar sobre lo que conocen muy poco. Otros, con gran audacia, tratan de comunicar ideas por la gran convicción que tienen de ellas, pero cuando exponen sus puntos de vista hacen notoria su falta de preparación lingüística y su pobreza de vocabulario, luego van de tropiezo en tropiezo al hablar, terminando por retirarse debido a su falta de habilidad verbal.

La preparación verbal infunde una sensación activa que puede dar mayor autoridad y confianza al comunicador a la vez que ahuyenta las influencias negativas que lo cohíben en el momento de expresarse. *La palabra es poder* es una frase popular que se oye frecuentemente; la palabra resulta más poderosa y efectiva cuando está afianzada en la preparación reflexiva y juiciosa que nos lleva a estructurar y dar forma correcta a nuestros mensajes verbales.

El desarrollo de las habilidades verbales guarda una relación muy íntima con *la preparación, el conocimiento, la inteligencia* y *la convicción de ideas*. Prepararse verbalmente es obrar con inteligencia y precisión. Tener conocimiento implica conocer bien el tema, seleccionarlo, estudiarlo e impregnarse de sus ideas. Tener convicción es dar vida a las ideas y poner entusiasmo al comunicarlas, de ahí que los grandes pilares que sostienen las habilidades verbales sean:

- ***Preparación.*** Para lograr esta acción, investiguemos en fuentes de información confiables; pongamos en la memoria pensamientos sobresalientes; observemos, leamos, conversemos con especialistas de diversas áreas del conocimiento, para formarnos ideas originales con referencias de valor; activemos nuestro cerebro para formular razonamientos lógicos, con la finalidad de que al compararlos con los de otras personas maduremos el compromiso de nuestras ideas y al compartir el contenido de un tema lo hagamos con la seguridad de estar hablando con verdad.

- ***Conocimiento.*** No es sólo adquirir información determinada, obtener datos o consultar fuentes bibliográficas, personales o electrónicas. Tampoco consiste sólo en apoyar las conclusiones propias con una serie de pruebas, evidencias o razonamientos. Conocer es algo más que leer libros, investigar datos y tener evidencias para realzar la verdad que deseamos presentar; es mucho más que reunir palabras y expresiones de impacto. Tener conocimiento es todo eso, más la apreciación e interpretación personal que nos conduce a enriquecer el espíritu auténtico y útil de lo que anhelamos transmitir, con el objetivo de que otros acepten nuestras ideas, las apoyen para lograr su entendimiento y las hagan suyas, generando conocimiento en otras personas.

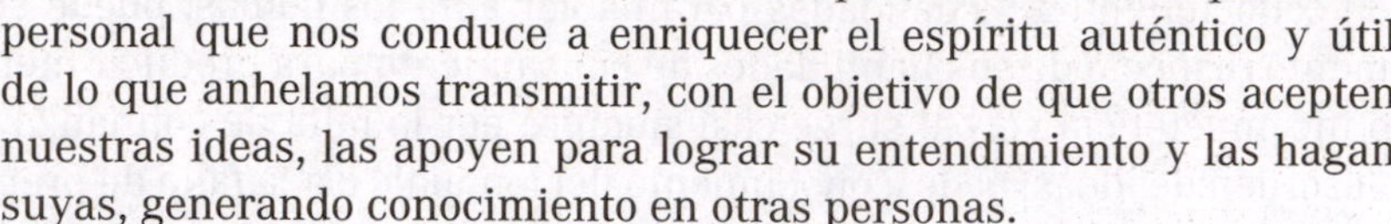

- ***Inteligencia.*** Sirve para conocer con claridad los distintos asuntos y problemas. Cultivar nuestra inteligencia requiere métodos, técnicas y procedimientos que es posible aprender de expertos, filósofos o maestros; aunque no hay un método seguro o único para incrementarla, sí podemos recurrir a observar, leer, utilizar el sentido común y aprender de los demás para adquirir cada vez más conocimientos y reforzarla. En la comunicación oral, la inteligencia nos sirve para comprender lo que decimos y responder a cuestionamientos o inquietudes de nosotros mismos, de la situación o el contexto y de los receptores (Loprete, 1985:25).
- ***Convicción.*** Es tener la responsabilidad de probar por medio de la palabra una verdad que para nosotros existe. Es creer en lo que vamos a decir para convencer a los demás de nuestras ideas. A través de la reflexión y la meditación examinamos los pros y los contras para asegurarnos de la confiabilidad del mensaje, y lo compartiremos con entusiasmo porque existe esa gran fuerza de la verdad que necesita salir, exteriorizarse, vivirse, expresarse para llegar a otros. Un comunicador con un compromiso responsable y ético consigo mismo, con su grupo y su sociedad, buscará que sus ideas se conozcan y lleguen a influir en muchas otras personas; la convicción nace de cultivar el hábito de pensar y madurar las ideas hasta quedar convencidos de que la palabra será honesta y valiosa para quienes escuchan.

La facultad de comunicar los puntos esenciales de los problemas es la gran diferencia que existe entre los espíritus cultivados y los no cultivados. Sin duda, la más grande ventaja que se obtiene en las aulas superiores es la disciplina de la mente y con ello el orden de las ideas.

John G. Hibben[12]

Cada vez que nos tracemos la meta de lograr un gran impacto en la comunicación oral y de alcanzar el éxito, pensemos en mejorar las habilidades necesarias para desarrollar los elementos verbales que constituyen los mensajes, desde el proceso de pensamiento, en donde se generan las ideas, hasta la expresión oral de su contenido, a través de un determinado vocabulario.

[12] En Carnegie Dale, *Cómo hablar bien en público*, Hermes, 1986:62.

Resumen

En el proceso comunicativo, las habilidades innatas y las aprendidas establecen una relación directa con los elementos visuales, vocales y verbales que usamos. Según los estudios del profesor Mehrabian, experto en comunicación interpersonal, los elementos visuales y vocales representan 93% del impacto que logra el comunicador en sus escuchas, por lo que son materia de estudio de la comunicación no verbal.

Las habilidades que debemos reconocer en nosotros, para manejarlas con pleno dominio, son las ligadas con el modo de actuar y hablar que reflejamos en el momento de la comunicación.

Los elementos visuales que podemos manejar son todos aquellos que la gente percibe de nosotros a través de nuestra imagen personal, el contacto visual y la forma de gesticular, movernos, desplazarnos en espacios físicos y comportarnos en cada situación.

Los elementos vocales son los que manejamos con la voz, instrumento y vehículo de comunicación por excelencia. Los matices, tono, ritmo, velocidad, énfasis, etcétera, son factores que desarrollan esta habilidad física, imprimiendo significados diversos a los mensajes en los que, más que la idea o el tema en sí, influye en sentido positivo o negativo el "modo de decir las cosas".

En conjunto, los tipos de habilidades son materia de análisis de disciplinas de comunicación no verbal como la **kinésica**, que estudia los movimientos corporales; la **proxémica**, que estudia el manejo de las distancias en espacios físicos; la **paralingüística**, que estudia el manejo de la voz, y la comunicación **artefactual**, que se encarga de estudiar el efecto que causan todos los objetos o artefactos que usamos y nos rodean en el momento de la comunicación.

Las habilidades verbales se refieren al desarrollo y el uso que damos al lenguaje, desde la generación de una idea hasta la expresión oral ante los escuchas, con cierto tipo de vocabulario, la forma de organizar las ideas y el estilo personal de decir el mensaje. Tales habilidades se relacionan con la preparación, los conocimientos, la inteligencia y la convicción de ideas para lograr el interés y entendimiento del mensaje por parte de los receptores.

140 caracteres

En no más de 140 caracteres, defina los siguientes conceptos.

- #Elementos visuales
- #Elementos vocales
- #Elementos verbales
- #Comunicación artefactual
- #Paralingüística
- #Kinésica
- #Proxémica
- #Funciones de la voz

- #Características de la voz

____

____

____

- #Habilidades de comunicación verbal

____

____

____

Leer es un placer

Lea y analice el siguiente texto y responda las preguntas que aparecen al final.

Los 10 errores más comunes al hablar en público

Forbes Staff (abril 30 de 2014)

http://www.forbes.com.mx/los-10-errores-mas-comunes-al-hablar-en-publico/

Hablar en público, frente a conocidos o desconocidos, puede resultar complicado, ya sea porque no se planifica lo suficiente o se carece de dominio del tema. Prezi cita a Terry Gault, accionista gerente y vicepresidente de Henderson Group, quien revela cómo ser mejor presentador y evitar algunos de los errores más comunes. A continuación te presentamos los 10 errores más comunes que se cometen en presentaciones en público, según Terry Gault.

1. Usar movimientos y gestos limitados. La mayoría de los presentadores novatos tiene miedo de ocupar demasiado espacio. Al hacer eso, el público entiende esta inseguridad como una disculpa.
2. Hablar con poca energía. Entre el 80 y 90% de los oradores no invierte suficiente energía en sus presentaciones, lo que provoca en el público la sensación de falta de entusiasmo e interés.
3. No planificar lo suficiente. Los presentadores expertos realizan una investigación exhaustiva para sentirse en confianza con el material que van a utilizar y así tener la capacidad suficiente para responder cualquier pregunta que el público les plantee.
4. No practicar lo suficiente. Los oradores experimentados suelen hacer un ensayo general frente a un público de confianza, con amigos, familiares y colegas.
5. Presentaciones centradas exclusivamente en los datos. Muchas veces el problema es que el orador se centra más en la exposición de datos en lugar de la narración de una historia intensa y humana.
6. Jugar sobre seguro. No correr un riesgo también es un riesgo. Si el contenido de la presentación es demasiado seguro, es muy probable que resulte aburrido para el público. Si la capacidad más importante de un orador es atraer la atención, ¿puedes permitirte no correr ningún riesgo?
7. Evitar la vulnerabilidad. Si los oradores quieren ser creíbles tienen que mostrase vulnerables. Esforzarse mucho por parecer perfecto generará desconfianza en un público experto.

8. Tomarse a uno mismo demasiado en serio. La mayoría de los presentadores tiende a ser demasiado formal y serio. Si en sus presentaciones se comportaran de una manera más natural e informal serían más auténticos e interesantes. Es importante respetar el profesionalismo del público, pero también es necesario establecer una relación humana e informal con ellos. Al hablar en un tono más distendido se proyecta la imagen de que se es igual a ellos.
9. Presentar demasiado material. Se recomienda practicar una y otra vez con cronómetro en mano si se desea calcular el tiempo que llevará realizar la presentación frente al público. En la práctica la exposición durará aproximadamente entre un 25 y 50% más.
10. Precipitarse. Precipitarse empeora cualquier problema o incidencia que se pueda tener. Por el contrario, si se lleva un ritmo más lento se transmitirá mucha más seguridad, confianza y experiencia.

Preguntas

1. ¿Cuál es papel de la emoción en las presentaciones orales?

2. ¿Qué pasaría si no se planea bien una presentación?

3. ¿Por qué la energía juega un papel importante en las presentaciones orales?

4. ¿Cómo debe ser el equilibrio entre formalidad e informalidad?

5. ¿Cuál sería la consecuencia, en la audiencia, de mostrarse lejano y arrogante en el discurso?

El supercódigo

Abra el siguiente código para acceder a los videos de varias conferencias TED, o consulte algunas similares que sean de su interés.

Seleccione tres videos, analícelos y evalúe si cumplen las recomendaciones abordadas en este capítulo. Utilice la siguiente tabla y emplee una escala del 1 al 10, donde 1 indica que no cumple con las recomendaciones y 10 es la máxima calificación.

Habilidad	Conferencia 1	Conferencia 2	Conferencia 3
Fórmula V-V-V (Elementos visuales, vocales y verbales)			
Postura y movimientos			
Gestos y expresión facial			
Comunicación artefactual			
Paralingüística			
Habilidades verbales			

Lo que sé (y lo que no)

Responda las siguientes preguntas, luego evalúe si sus respuestas son correctas.

Pregunta	Sí	No	¿Por qué?
1. ¿En un comunicador competitivo?, ¿lo innato pesa más que lo aprendido?			
2. ¿Los elementos verbales son más relevantes que los elementos visuales y vocales?			
3. ¿Es recomendable mantener el contacto visual entre 5 a 10 segundos?			
4. ¿Es necesario sonreír constantemente al momento de comunicar nuestros mensajes?			
5. ¿Al momento de comunicarnos, nuestra personalidad influye en el manejo de la voz?			
6. ¿Es necesario establecer pequeñas pausas al momento de ofrecer nuestro discurso?			

Compare sus respuestas, con las que aparecen a continuación:

Respuestas: 1. No 2. No 3. Sí 4. No 5. Sí 6. Sí

Y a la final

Observe durante dos minutos la imagen que aparece a continuación. Seleccione a partir de ella un tema sobre el que pueda hablar 3 minutos. Prepare su presentación y realícela tomando en cuenta la rúbrica.

Criterio	Sobresaliente 5	Satisfactorio 3	No satisfactorio 1	TOTAL
Elementos visuales, vocales y verbales	Los tres elementos VVV son tomados en cuenta, y de manera excelente, en el 100% de la exposición.	Se presentan algunos problemas en el dominio de los elementos VVV. O están presentes sólo dos de tres.	Los elementos VVV no son tomados en cuenta.	
Postura del cuerpo y contacto visual	Siempre tiene buena postura y se proyecta seguro de sí mismo. Establece contacto visual con todos en el salón durante la presentación.	Casi siempre tiene buena postura y establece contacto visual con todos en el salón durante la presentación.	Tiene mala postura y/o no mira a las personas durante la presentación.	
Gestos y expresión facial	Los gestos y expresiones faciales utilizados son apropiados al momento de la exposición en el 100% del tiempo.	Los gestos y expresiones faciales utilizados son apropiados al momento de la exposición en el 75% del tiempo.	Los gestos y expresiones faciales utilizados son apropiados al momento de la exposición en menos del 50% del tiempo.	
Conocimiento del tema (10 puntos)	Demuestra un conocimiento completo del tema.	Demuestra un buen conocimiento del tema.	No parece conocer el tema.	
Funciones de la voz	Existe un completo dominio y apoyo de la voz durante el tiempo de la exposición.	Existe dominio y apoyo de la voz en la mayoría del tiempo de la exposición.	No existe dominio de las funciones de la voz, y por lo tanto no apoya al discurso.	

Para conocer más

Abra el siguiente código para ver la conferencia “Neuro Oratoria: 10 principios científicos para hablar en público”, o consulte una similar que explique cómo nuestro cerebro puede convertirse en nuestro aliado al ofrecer un discurso.

Posteriormente, seleccione y describa en el siguiente espacio cinco aseveraciones que haya usado el ponente y que considere las más importantes de la presentación. Compárelas con las de sus compañeros y debatan.

CAPÍTULO 4

La comunicación interpersonal

La vida es una conversación interminable.
Friedrich von Schiegel

Las comunicaciones más cruciales para nuestras vidas ocurren en situaciones tan comunes que, con frecuencia, ni siquiera pensamos que en ellas se involucren habilidades para la comunicación, y muy raramente hacemos un análisis para poder comprender todas las razones por las que una persona ha fracasado en comunicarse en una situación interpersonal.

El concepto de comunicación "interpersonal"

La mayoría de las acciones que realizamos a diario incluyen diferentes procesos de comunicación interpersonal. Hybels y Weaver, en su libro *La comunicación* (1976:45), mencionan que:

Casi el 75% del tiempo que estamos despiertos lo pasamos escuchando, hablando, leyendo o escribiendo. La mayoría de tales formas tienen lugar en situaciones frente a frente o están directamente relacionadas con las comunicaciones interpersonales. Incluso, si deseamos examinar todas estas comunicaciones, no lo lograríamos, debido a que hay demasiadas.

Las numerosas situaciones en las que realizamos un intercambio de mensajes son todas comunicaciones con *personas*, lo que hace a veces difícil definir el sentido exacto del concepto de ***comunicación "interpersonal"***, pues desde este punto de vista toda comunicación ocurre ***entre personas, uno a uno,*** o ***uno a varios*** (Hybels y Weaver, 1976:45).

Cuando una persona expresa a otra sus ideas por medio de algún lenguaje, y aquella responde de alguna forma, sucede la comunicación interpersonal, pues basta una señal o un gesto para comunicar algo. Este tipo de comunicación se da persona a persona o cara a cara. Los mensajes verbales y no verbales son enviados y recibidos de manera continua, en tanto que hay influencia recíproca en la conducta de los participantes del proceso comunicativo, de acuerdo con la interpretación que se haga de los mensajes, y se intercambian constantemente los papeles de hablante y escucha. Así definimos el concepto:

Comunicación oral interpersonal es el proceso que ocurre entre una fuente-emisor y un receptor que están enviando y recibiendo mensajes en una transacción continua. Es el hecho de hablar cara a cara, en un nivel de interacción persona a persona.

Gerald R. Miller (citado en Fernández Collado, 1986:30-31).

Características principales

La forma en que las personas intentamos compartir ideas y sentimientos ha sido motivo de estudio de filósofos, poetas, artistas, psicólogos, sociólogos, etcétera, que han reconocido en la comunicación interpersonal sus efectos profundos y muy variables, así como las principales características que la distinguen y pueden ayudarnos a comprender su naturaleza, con un especial interés en la identificación, cercanía o intimidad que se establece en este tipo de comunicación oral.

- ***Diádica***: porque se da recíprocamente entre dos personas, como "forma básica de comunicación entre humanos" (Miller, 1978, citado en Fernández Collado, 1986:30). De acuerdo con la situación y el número de participantes, se considera la interacción más personal, es decir, ***uno a uno***.
- ***Espontánea***: porque surge naturalmente, casi siempre sin planeación; mientras que su eficacia depende de la flexibilidad y de la sensibilidad de la fuente y del receptor para lograr la identificación, la confianza y la empatía.
- ***Variable***: porque es afectada constantemente por factores internos de las personas, quienes llegan a cambiar sus pensamientos, actitudes, comportamientos, etcétera, y externos, al enviar y recibir mensajes en diferentes contextos y situaciones.
- ***Única***: porque los mensajes son individuales, únicos, tanto en aspectos no verbales como en el contenido verbal; la expresión racional y emocional de los mensajes cobra significación para el emisor y para el receptor, en un contexto determinado y en un tiempo irrepetible.
- ***Dinámica***: porque es un intercambio continuo de mensajes entre emisor y receptor, ya sea en forma verbal o no verbal; incluso puede darse sin la intención de compartir el mensaje.

Niveles de interacción

En la comunicación interpersonal, la interacción que se establece entre las personas en sus papeles de emisor-receptor, independientemente de que haya propósito o no para la comunicación, puede ser de dos tipos: ***simétrica*** o ***complementaria***.[1] (Watzlawick, Beavin y Jackson, 1967, citado en Hybels y Weaver, 1976:61).

Interacciones que se establecen en la comunicación interpersonal:	
1. Simétricas	2. Complementarias

La interacción simétrica es la relación basada en la igualdad: ocurre entre personas con los mismos rangos, grupo, condición física o intelectual, estatus y otras características; los participantes se tratan como iguales, reflejando abierta y mutuamente sus conductas. En un sentido positivo, la entendemos como llegar a convivir fácil y cómodamente con los otros. Implica abrirse, expresarse y compartir. Es estar presente. Si no estamos presentes se deteriora poco a poco la calidad de nuestras interacciones con los demás y nos enfrentamos al riesgo de perder el contacto. Por ejemplo, cuando dos miembros de una familia se separan para vivir en diferentes ciudades, la interacción comienza a reducirse por la pérdida de contacto personal o la falta de presencia.

La interacción complementaria se basa en diferencias de los participantes: generalmente uno es superior a otro. Las diferencias pueden ser de cualquier índole: físicas, intelectuales, de estatus social o lingüístico, entre otras. Los participantes se tratan con reserva y llegan incluso a jugar "juegos de distancia". A medida que las diferencias se manifiestan, la interacción toma un sentido negativo o de insatisfacción personal que logra alterar las estructuras de las personas afectadas. Un ejemplo de este tipo de interacción lo vemos en las conductas convencionales, dentro de una organización, entre patrones y subordinados.

---

[1] Paul Watzlawick, Janet Helmick Beavin y Don D. Jackson, *Pragmatics of Human Communication: A Study of Interactional Patterns, Pathologies, and Paradoxes*, W.W. Norton, Nueva York, 1967. Citado en Hybels y Weaver, 1976:61.

Una situación de comunicación interpersonal se compone de ambos tipos de interacciones. La igualdad o las diferencias en los participantes afectarán el tipo de relación que se produzca, ya sea negativa (amenaza, autoridad, agresividad, etcétera) o positivamente (cortesía, respeto, etcétera). En las situaciones de interacción simétrica es común el establecimiento de un ambiente donde se logra la confianza o la credibilidad en forma rápida e incluso se llega a empatizar, mientras que en las interacciones complementarias este ambiente es más difícil de lograr por el predominio de uno de los participantes.

La finalidad sana de toda comunicación interpersonal debe ser la satisfacción mutua de expectativas, para lo cual las personas tienen que cumplir con cuatro requisitos:

1. *Saber escuchar.*
2. *Deber compartir.*
3. *Querer comprometerse.*
4. *Interactuar recíprocamente.*

La interacción positiva requiere también la condición de estar presentes en la comunicación. La presencia la consideramos en dos formas: la intensidad del contacto o la relación con uno mismo y la intensidad del contacto o la relación con otros. Esta intensidad del contacto resulta del conocimiento personal que tienen los participantes en el proceso comunicativo; en tal sentido, encontramos cinco niveles de interacción o cinco formas de estar presentes en la comunicación con otros:

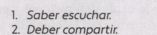

Niveles de interacción

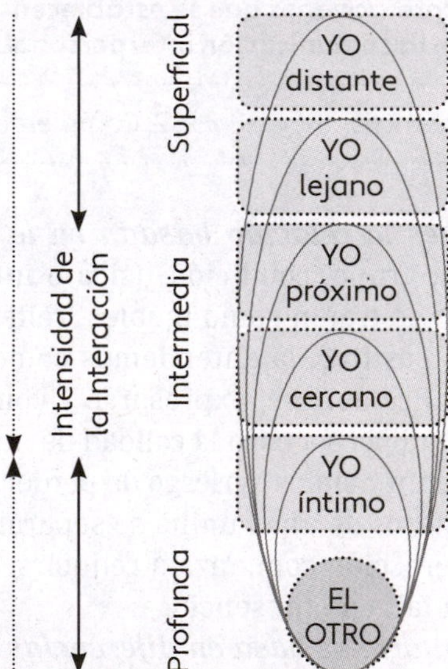

1. ***Nivel de interacción distante***: en este nivel, la interacción es mínima; se demuestran sólo conductas aprendidas para situaciones formales, como cuando llega una visita a casa, o en una ceremonia religiosa, un acto político, un velorio o una graduación. En esos casos sabemos cuándo pararnos, cuándo sentarnos, cómo preguntar o responder, etcétera.

   Entramos a jugar un rol. Sabemos cómo vestirnos, qué tono de voz usar, cuál es la postura más adecuada. Aprendemos cómo estar presentes manifestando una conducta apropiada en cada circunstancia.

2. ***Nivel de interacción lejano***: en este nivel se puede entrar en contacto verbal y de esa forma conocer algo más del otro. Sin embargo, hay límites, que dependen de nuestra manera de interactuar según normas culturales en situaciones de contacto cotidiano, como en el trabajo, con los vecinos en el supermercado.
3. ***Nivel de interacción próximo***: en este nivel nos aproximamos al ser de la otra persona; nos conocemos más y reconocemos la influencia de uno sobre el otro. En este tercer nivel hemos superado la etapa de observación de posturas y la escasez de conocimiento del otro: comenzamos a saber cómo es y cómo piensa. El enfoque está en los sentimientos, las reacciones, los puntos de vista y las formas de ser de las personas.
4. ***Nivel de interacción cercano***: en este nivel, el grado de penetración en el mundo del otro es más profundo; sabemos y entendemos más de él; conocemos su presente y su pasado, su manera de sentir y de relacionarse con otros. Aquí ocurren experiencias intensas que podemos señalar como "comunicación muy personal" o "muy profunda". Son momentos sensibles, de profundo aprendizaje o de crisis. Ocurren como interacción uno a uno y llegan a servir para explorar problemas, descubrir sentimientos o compartir vivencias intensas.

5. ***Nivel de interacción íntimo***: en este nivel la interacción llega a su proximidad máxima. Se experimenta un encuentro con el ser de la otra persona. Se llega a un máximo de entendimiento y comprensión entre las dos partes; es una experiencia que suele dejar huella, de apertura, unidad y conexión. Resulta una experiencia momentánea, pero vivida con gran intensidad. En este nivel, la interacción es una verdadera vivencia compartida; tal experiencia está llenando episodios íntimos que las personas guardan en un lugar en su interior. Son momentos muy especiales que han pasado en compañía de alguien.

Mediante la interacción con otras personas nos damos cuenta de quiénes somos, de nuestros valores y nuestras creencias, de nuestros pensamientos y sentimientos. En una relación cercana, siendo como somos, nos hacemos vulnerables y nos conocemos. Nos damos cuenta de nuestro impacto en otros, así como de lo que tenemos para dar y qué cambiar. Descubrimos nuestras fuerzas y debilidades; en especial, experimentamos nuestras diferencias.

La interacción con otros incluye a los que son semejantes a nosotros (interacción simétrica) y a los que son diferentes (interacción complementaria), es decir, a todos, porque todos somos una oportunidad potencial de crecimiento a través de la relación. Es un prejuicio el que no nos podamos relacionar con gente que es diferente y que no podamos aprender de ella. En las diferencias se encuentran los ingredientes complementarios que se llegan a integrar al todo, y los ingredientes contradictorios, que son sometidos a procesos de negociación, de manera que una u otra formas casi siempre enriquecen la relación.

Tipos de mensajes

De acuerdo con el nivel de interacción, los mensajes que envían y reciben las personas se pueden clasificar, según el estado de ánimo que predomine en el proceso comunicativo, en dos tipos: *racionales* y *emocionales* (Hybels y Weaver, 1976:66).

1. Racionales:
expresan ideas estructuradas; es el pensamiento lógico.

2. Emocionales:
expresan sentimientos del comunicador.

Las líneas para desarrollar un mensaje racional son claras y fáciles de seguir, basta con generar ideas en un orden lógico y expresarlas en forma coherente; pero las que rigen los mensajes emocionales no lo son, especialmente en situaciones conflictivas. Las líneas de acción más importantes para enviar mensajes emocionales requieren el conocimiento de la otra persona, para demostrarle simpatía o cordialidad y mantener la autenticidad.

Para alcanzar esta autenticidad debemos mostrar confianza en el otro, debido a que la emotividad en tal tipo de transacción puede desembocar en una mala interpretación o un rechazo, ser ignorado, engañado, explotado o incluso parecer ridículo. Es muy probable que si somos defraudados por alguien en quien confiábamos, después nos sea muy difícil volver a mostrarnos francos o auténticos.

El psiquiatra Ralph R. Greenson[2] afirma que, cuando uno se ve envuelto en mensajes emocionales, las cosas adquieren mayor importancia, y llegan a producir "dificultades, conflictos, desilusiones, traiciones, desavenencias, etcétera". Añade que "esto ocurre cuando uno se emociona demasiado". En consecuencia, el comunicador debe estar preparado para experimentar dichas emociones y controlarlas con inteligencia.

¿Por qué es tan emocional la comunicación interpersonal? Porque la emoción no se planea, ni se prepara, ni se estructura. Surge por las actitudes, necesidades, metas y experiencias pasadas, así como por las expectativas de los participantes y por sus estados de ánimo, además de otros factores ambientales y psicológicos que pueden afectar el mensaje.

El comunicador efectivo tomará nota de todos estos factores, sin evitar por ello los mensajes emocionales. Estructurar y preparar un buen mensaje verbalmente correcto, en una comunicación interpersonal que se le presenta al oyente "a distancia", como si se tratase de un discurso público, servirá solamente para impedir una interacción significativa. En lugar de eso, el comunicador debe intentar comunicarse ***racional y emocionalmente***, manteniendo un continuo contacto visual, creando o preservando aquellas condiciones que ayudarán al receptor a "sentir" la emotividad que transmite el emisor a través de sus palabras.

Propósitos de la comunicación interpersonal

La comunicación (como vimos en el capítulo 1) nace como una acción vital para el ser humano; por medio de ella formamos grupos y compartimos ideas. Ella refleja la capacidad del hombre de simbolizar lo que ve y siente de su entorno, a través de un lenguaje que propicia el acercamiento entre personas. Desde este punto de vista, el primer propósito de la comunicación es un ***propósito social***, que surge por la necesidad de comprendernos y entendernos como sociedad. Por otro lado, cuando existe una intención de las personas para la comunicación, entonces nace un propósito ***utilitario***.

El propósito utilitario resulta eficiente y constructivo cuando se quiere lograr algo que deje mutua satisfacción en los participantes del proceso comunicativo; pero llegar a determinar el propósito es una situación difícil, ya que podemos relacionar el mensaje con los efectos o resultados, o bien, con las intenciones del emisor (Berlo, 1980:9).

El propósito utilitario, como su nombre lo indica, nos es útil para crear un efecto intencionalmente en la comunicación interpersonal: en la familia, en los asuntos de negocios, en las escuelas, en el comercio, en la supervisión y dirección de empleados, etcétera; la comunicación entre personas con un propósito utilitario tiene una meta bien definida y es distinta por completo de la puramente social. Las preguntas "¿Qué deseo o espero al comunicar el mensaje?" (intención) y "¿Cuál es la respuesta que deseo obtener?" (resultado) nos sirven para analizar los propósitos de comunicación y especificarlos en términos de la utilidad que se quiere lograr.

---

[2] Ralph R. Greenson, "Motional Involvement" en The Exacting Ear, Eleanor McKinney (ed.) Pantheon Books, Nueva York, 1966, reeditado en *Bridges Not Walls: A Book Interpersonal Comunication*, John Stewart (ed.). (Addison-Wesley Reading, Massachusetts, 1973:61. Citado en Hybels y Weaver, 1976:66).

Definir el propósito utilitario llega a ser algo confuso o difícil (Berlo, 1980:10), pero podemos imaginar un continuo en donde el extremo será un ***propósito terminal*** (el resultado esperado) y las posiciones dentro de este continuo indicarán un ***propósito instrumental*** (lo que deseo hacer para lograr el objetivo). Estas dos clasificaciones (citadas por Berlo, 1980:9-10) nos señalan el grado en el que se cumplió el propósito o la finalidad de la comunicación, o bien, hasta qué punto el propósito ha sido sólo un instrumento para llegar a un resultado esperado.

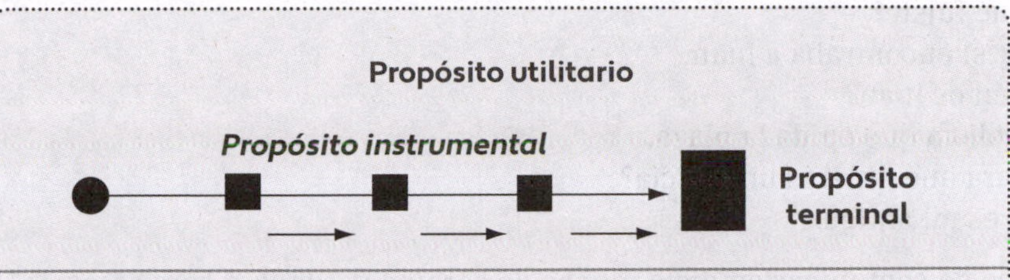

Ejemplo de los tipos de propósitos utilitarios:

Una persona platica sobre un proyecto con su jefe inmediato y se siente satisfecha por el simple hecho de discutirlo. Luego lo piensa exponer ante el director, esperando que a éste le agrade. Ambos procesos comunicativos ilustran un ***propósito terminal***, cuya finalidad es lograr algo. Por otra parte, la intención de ese comunicador también puede ser elaborar y presentar su proyecto, no intentando producir una respuesta terminal, sino con la esperanza de que les agrade a su jefe y posteriormente al director, como para que se fijen más en él y lo nombren "el empleado del año". En este caso, la persona está usando su comunicación con un ***propósito instrumental***, es decir, la plática con su jefe y la exposición del proyecto ante el director sólo han servido como instrumento para provocar un efecto en ambos receptores y así obtener el resultado intencional esperando.

Al comunicarnos oralmente, cualquier tipo de mensaje puede tener diferentes propósitos, algunos altamente terminales y otros esencialmente instrumentales, tanto para el emisor como para el receptor. Si reconocemos los propósitos terminales (los que se cumplen enteramente con la terminación del mensaje) y los instrumentales (los que se llegan a cumplir sólo después de que la respuesta del mensaje ha sido utilizada como instrumento para producir otra respuesta posterior), asumiremos la responsabilidad del resultado o el efecto de la comunicación.

Los tipos de propósitos no tienen relación con la formalidad o informalidad de la situación, ya que en ocasiones la comunicación interpersonal llega a darse en un contexto formal, sin un propósito establecido, o bien, si se tiene una intención firme para lograr algo, se puede realizar en un contexto muy informal. En las áreas profesional, laboral y personal, cuando nos comunicamos con otros, empleamos propósitos sociales y utilitarios, tanto instrumentales como terminales, en situaciones formales e informales.

La conversación

Cuando hablamos..., ¿debemos pensar en el que escucha? ¿Cómo debemos comenzar una conversación? ¿Cómo hacer que lleguen con claridad nuestras ideas a otros? ¿Cómo hacer para dejar una buena impresión de nuestra comunicación?

Conversar es hablar una o varias personas con otra u otras; es vivir, habitar en compañía; es comunicar y tener amistad unas personas con otras. Una conversación (del latín *conversatio*) es una plática entre dos o más; es un diálogo que se establece de manera agradable (*Diccionario enciclopédico Océano*, 1996:398).

La conversación no debe ser un interrogatorio; no es sólo contestar un cuestionario en donde participan dos personas, por ejemplo:

—¿Adónde fuiste ayer?
—A la plaza.
—¿A qué fuiste?
—A ver si encontraba a Juan.
—¿Quién es Juan?
—Un policía que cuida la plaza.
—¿Y para qué quieres un policía?
—Juan es mi amigo.

Este tipo de comunicación dista mucho de ser una verdadera conversación. La relación estrictamente bilateral pregunta-respuesta destruye la fluidez del estilo cálido y afectivo que debe tener una conversación. La conversación tampoco tiene que ser una suma de monólogos, sino *comprensión del diálogo* (Pierro de Luca, 1983:46). Los adultos creen saber conversar porque cada uno dice lo que piensa, aunque algunos reflexionan en lo que dirán mientras su interlocutor habla, de tal manera que no siempre escuchan. En este sentido, no se da el diálogo: lo que ocurre es simplemente una recopilación de ideas en donde cada hablante hace sus propias asociaciones libres, sin llegar a un verdadero intercambio de ideas.

En la conversación no existe ninguna regla específica para precisar cómo debe ser un mensaje en respuesta al de un hablante, pues cada interacción es cambiante, por lo que tratar de imponer un orden preestablecido puede reducir la retroalimentación y afectar todo el proceso de comunicación interpersonal (Pierro de Luca, 1983:47). Sin embargo, es de gran utilidad pensar en estructurar el mensaje para conseguir un mejor resultado del propósito deseado.

Por ejemplo, es probable que un buen vendedor cambie el orden o la estructura de su comunicación (vendiendo el mismo producto) de acuerdo con la manera en que perciba al cliente y sus necesidades. Un buen maestro cambiará el orden de la presentación de su material en relación con las expectativas de los diferentes grupos. Una madre tendrá que cambiar el orden y quizá las palabras al conversar con su hijo pequeño y al platicar del mismo tema con su hijo mayor. En cada caso, la conversación tomará una estructura adecuada a cada receptor.

La estructura de la conversación que podemos recomendar es simple y flexible; consta de cuatro etapas:

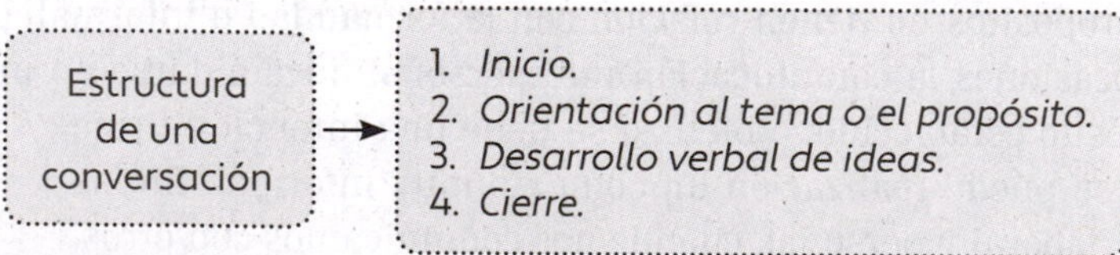

1. ***Inicio***: para iniciar una conversación podemos saludar, hacer una breve presentación de nosotros mismos y permitir al otro que también lo haga. Es usual comenzar con una referencia a algún aspecto físico o una actividad de la persona, o de ambos participantes. Asimismo, es común hacer referencia al contexto en el que se encuentran, ya sea el ambiente o lugar, o el estado psicológico de los participantes.
2. ***Orientación al tema o el propósito***: se da casi inmediatamente después de la fase de inicio. Entonces los participantes hablan un poco sobre el motivo de la reunión o la conversación, y sobre el propósito que persiguen. Recordemos (como vimos en el capítulo 1) los propósitos generales de la comunicación: ***informar***, ***entretener***,

persuadir y ***actuar***; que serán los que llega a tener una persona para establecer una conversación; durante ella, emisor y receptor pueden ir observando sus reacciones emocionales a través de los gestos, movimientos del cuerpo y el tono de voz (directo, redundante, agresivo, dulce, etcétera) adecuados para poner un matiz a la conversación y cumplir el objetivo deseado.

3. ***Desarrollo verbal de ideas***: para mejorar la parte racional de los mensajes interpersonales es necesario prestar mayor atención al contenido de ideas en la comunicación para hacerla efectiva. ***El desarrollo verbal del contenido sirve para justificar, especificar o concretar mejor las ideas*** (Enhninger, Gronbeck, McKerrow y Monroe, 1981:124-125). Su principal función es dar cuerpo a la estructura del mensaje, pues sin el desarrollo verbal los mensajes se convierten sólo en aseveraciones o generalizaciones sin contenido.

Las ideas pueden desarrollarse de diferentes formas, según el estilo personal del hablante; sin embargo, deben reforzar siempre al mensaje, de manera que éste pueda ser comprendido fácilmente y con claridad por el oyente. Hybels y Weaver (1976:68) mencionan ***nueve formas de apoyo*** usadas con más frecuencia en las conversaciones:

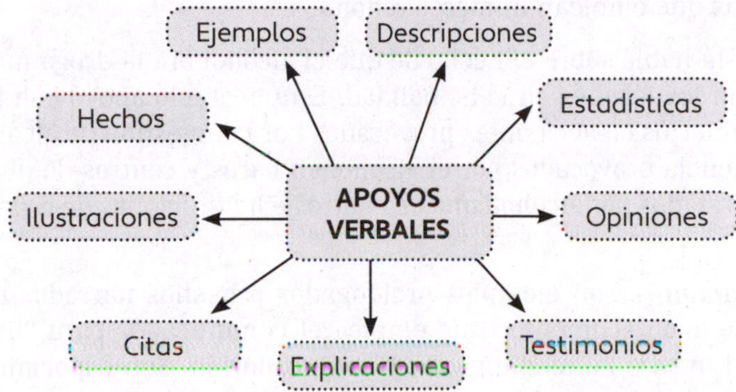

- ***Los ejemplos***: surgidos de la experiencia del comunicador, son excelentes apoyos para la conversación debido a que sus detalles son bien conocidos por los oyentes que participan en la comunicación, pues casi siempre han vivido experiencias similares.

Los ejemplos son apoyos verbales basados en las experiencias personales y revelan parte del yo; por ello, captan la empatía del oyente; la persona que lee mucho también logra obtener variedad de ejemplos extraídos de libros, revistas, periódicos, etcétera; es posible usar los ejemplos basados en las experiencias de los demás. Contar la experiencia de un compañero de clases sobre el problema que representó para él decidirse por una chica, puede ser de utilidad para quienes escuchan el ejemplo.

El comunicador también puede crear un ***ejemplo hipotético***, por alguna razón específica ligada con la situación o el mensaje; en este caso, es conveniente que el comunicador entere al oyente de que el ejemplo utilizado es ficticio. Así, la persona con una amplia gama de experiencias será más hábil para obtener ejemplos, los cuales serán combinados con ejemplos de otras personas, además de que es posible crear algunos ejemplos hipotéticos para desarrollar las ideas con mayor claridad al conversar.

- ***Las explicaciones***: expresan mediante pasos, etapas, fases, partes, etcétera, la forma en que se realiza, compone o demuestra un proceso.

En una conversación las explicaciones sirven para hacer comprender a otros la forma detallada en que se realiza algo. Con este tipo de apoyos se puede ofrecer más información, ampliar la conversación y clarificar la forma en que se debe elaborar algo; por ejemplo, cuando decimos cómo fue sucediendo un acontecimiento, etcétera.

- ***Las descripciones***: al hablar sobre formas, tamaños, colores, texturas, composiciones o dimensiones, se está describiendo.

Las descripciones son apoyos que se utilizan para crear una imagen de las cosas en las personas. En ocasiones es necesario reforzar una idea haciendo que las personas, al escuchar, visualicen en su imaginación las características principales de algún objeto, persona, lugar o acontecimiento. El gran auxiliar en una conversación, para darle viveza y exaltar la imaginación del oyente, son las descripciones, ya que a través de ellas recreamos las condiciones físicas y psicológicas de alguna cuestión.

- ***Los hechos***: los constituyen las partes de verdad que existen en una realidad y que pueden verificarse posteriormente. Los hechos se emplean para subrayar o poner énfasis en la verdad de algunas ideas.

Cuando se conversa con otros de cualquier tema, es muy probable que se añada un hecho que se ha leído o visto recientemente; cuando alguien habla sobre los jóvenes, que van cada vez más a universidades del extranjero a estudiar algún posgrado, tal vez sea útil mencionar el último estudio en el que se afirma tal hecho. Otra modalidad del hecho es que, agrupando varios hechos, surgirá una estadística.

- ***Las estadísticas***: son representaciones numéricas de grupos de hechos o ejemplos que han sido condensados en un solo número o porcentaje. Las que más se utilizan son aquellas que emplean números redondos.

Un comentarista habló sobre el hecho de que el alcohol era la droga más peligrosa y de la que más abusan los jóvenes en la actualidad. Este hecho lo apoyó con tres estadísticas: 1. El número de muertos en accidentes provocados por la ingestión de alcohol; 2. El número de hechos de violencia provocados por el alcohol en bares y centros de diversión; 3. El número de jóvenes tratados por alcoholismo en centros e instituciones de rehabilitación contra adicciones.

- ***Las ilustraciones***: son ejemplos prolongados o hechos narrados con todo detalle, historias de acontecimientos que emplea el comunicador para "ilustrar" una idea para que el oyente la imagine con viveza y colorido. Son especialmente atractivas debido a que despiertan el interés por revelar historias reales en situaciones reales.

A la mayoría de las personas nos gusta oír con todo detalle lo que sucede día con día, cuya narración aparece en los periódicos: la verdadera historia del niño que fue abandonado en un centro comercial por su madre unas horas después de que había nacido..., el accidente en el que murió el mejor ilusionista del continente americano..., etcétera. Un buen conversador probablemente tendrá un amplio repertorio de historias para narrar en el momento adecuado y añadirle así más interés al mensaje.

- ***Las opiniones***: con mucha frecuencia la razón por la que una persona expresa algo es tan importante como lo que dice.

Cuando utilizamos la opinión como apoyo pedimos al oyente que acepte nuestra idea debido a que otros también la han aceptado; pero cuando empleamos las opiniones de otros, hay que asegurarnos de que el oyente sepa de quién es la idea que estamos transmitiendo. Si el oyente no posee dicha información, podemos hacer una de dos cosas: eliminar la opinión de nuestra comunicación o proporcionar la información que permitirá juzgar la competencia de la fuente. Para ello asegurémonos de que la persona sea de buena reputación y digna de credibilidad. Cuando se usan opiniones de otros, es necesario especificar y asegurarse de que en realidad apoyan nuestra idea con exactitud.

- ***El testimonio***: cuando la persona es más importante que su opinión, lo que dice se convierte en un testimonio.

El testimonio es un apoyo que se emplea para otorgar credibilidad a nuestro mensaje, ya que si el oyente escucha lo que aseguró alguien que merece respeto y confianza, entonces el mensaje también lo merecerá. Esto significa que no sólo debemos preocuparnos por expresarle algo a nuestro oyente, sino que hay que conocer bien lo relacionado con los intereses personales, los prejuicios, la formación y las experiencias de las personas que vamos a emplear como ejemplo. Otras veces leemos en algún texto lo que algunos famosos o de gran prestigio opinaron o dijeron; en tales casos también es posible "citar" el libro, la revista, el periódico, etcétera, de donde obtuvimos la opinión.

- ***La cita***: es la opinión o expresión de ideas que ha quedado registrada en algún texto, debido a la fama, el estatus, la popularidad o el prestigio de la persona que la externó.

Cuando citamos a otra persona, debemos esforzarnos para preservar su intención. Las citas inadecuadas y carentes de exactitud o fuente de información aminoran la credibilidad de la persona citada, al igual que la nuestra como comunicadores. Para utilizar las citas, es necesario especificarlas y asegurarse de que apoyan la idea con exactitud.

Los apoyos verbales añaden interés al mensaje, ayudan a mantener la atención del oyente y llegan a dar credibilidad a nuestro mensaje; por eso no debemos usar sólo uno de ellos. Podemos usar combinaciones de manera que se haga más atractiva la conversación: usamos una opinión personal, después la reforzamos con algún ejemplo, mencionamos varios hechos, ilustramos lo ocurrido recientemente y terminamos con el testimonio de alguien de prestigio. De esta forma, la idea quedará totalmente respaldada con apoyos que ayudaron a desarrollar las ideas verbalmente, a la vez que se mantuvo el interés y la atención del oyente durante la conversación.

- ***El cierre***: la parte final es importante para reflexionar sobre el tema tratado y verificar si se cumplió el objetivo de la conversación. Los comunicadores pueden hacer un breve resumen de lo platicado, o recordar el punto esencial que motivó la charla y decir explícitamente si quedaron satisfechos con la conversación o si se tendrá que efectuar alguna otra en el futuro. Al terminar, generalmente hay una despedida en donde se desea algo bueno para el otro y se invita a comunicarse de nuevo; la forma oral de despedirse varía según las costumbres de cada región o cultura.

Para ser buenos conversadores debemos tener algo que decir, saber expresarlo y hacerlo de la manera más adecuada y en el momento más oportuno ante determinadas personas. El tono de formalidad o seriedad en el que incurren con frecuencia los tratos profesionales no se escucha generalmente en las llamadas conversaciones sociales. Sin embargo, deben convertirse en charlas que posean cierto interés, de manera que valga la pena pasar el tiempo sin considerar que se malgastó.

A la gente no le gusta reunirse con los amigos en actividades que no hayan sido planeadas de antemano, pues existe el temor de no saber conversar sobre algún tema en especial o malgastar su tiempo en pláticas inútiles. Hemos perdido el placer de conversar por conversar, que es esencial para el entretenimiento humano. En la actualidad, lo que más se acostumbra sólo por el placer de hacerlo son las charlas de café, en los recesos de eventos y exposiciones, después de las comidas con amigos, durante los viajes largos y en los ratos de ocio en casa con la familia. Tales conversaciones son generalmente positivas, estimulantes o simplemente entretenidas, y una manera de incrementar la capacidad de comunicarnos interpersonalmente.

La entrevista

Entrevistar es el proceso de comunicación en el que se mantiene una conversación con una o varias personas acerca de un tema para informar a un público de sus respuestas (*Diccionario enciclopédico Océano*, 1996:594).

La entrevista es una forma de conversación que se propone un fin determinado, distinto del simple placer de conversar. En ella encontramos tres componentes: el entrevistador, el entrevistado y la interacción.

- ***El entrevistador*** es la persona responsable de dirigir y controlar el desarrollo de la conversación, quien trata de cumplir el objetivo propuesto y crear un clima de cordialidad entre los participantes de este proceso de comunicación.

- ***El entrevistado*** es la persona dispuesta a conversar con la finalidad de responder a las preguntas que establece el entrevistador, para aportar la información que su experiencia o conocimiento le permitan, para transmitir sus ideas o puntos de vista a un receptor o grupo de receptores.
- ***La interacción***, como todo proceso de comunicación interpersonal, es continua, dinámica, con propósitos utilitarios acordes a las funciones de la comunicación y a los formatos propios para la entrevista.

Propósitos de la entrevista

La finalidad de cada entrevista debe establecerse desde la etapa de preparación, para asegurar que las preguntas sean las más apropiadas para el tipo de entrevista que deseamos realizar. Tenemos los siguientes propósitos:

Propósitos de la entrevista	Tipos de entrevista
1. *Obtener información para evaluar*	*Informativa*
2. *Intercambiar opiniones o puntos de vista*	*De entretenimiento*
3. *Cambiar o reforzar actitudes*	*Persuasiva*
4. *Convencer y llevar a una acción*	*Persuasiva*

1. ***Para obtener información y evaluar***; la entrevista es la práctica más común para conseguir información casi sobre cualquier tema, si tenemos acceso a la persona adecuada que la proporcione. En este tipo de entrevista, el entrevistador juega un papel superior; él busca la información llevando la dirección y el control de las preguntas. Debe estar atento al tiempo que toma el entrevistado para responder y observar si la respuesta contiene la información deseada en forma completa. El entrevistado debe ser paciente y cuidar que sus respuestas sean lo suficientemente completas y claras para que el entrevistador capture la información y la comprenda correctamente. De esta manera, ambos participantes aseguran que el intercambio sea equilibrado y cumpla con el propósito establecido.

   La entrevista informativa puede tener propósitos más específicos, como *evaluar*. Para cumplir dichos propósitos, el entrevistador debe tratar de crear una atmósfera relajada e informal para poner en claro que la evaluación que se haga del entrevistado será justa y amigable. Los resultados de la evaluación habrán de estar sustentados en criterios objetivos y en información documentada, no en valoraciones subjetivas o generalidades poco claras. De esta manera, la entrevista será más provechosa.
2. ***Para intercambiar opiniones y puntos de vista***, la capacidad de conversar satisfactoriamente en la empresa o en el trabajo no puede separarse radicalmente de las actividades sociales, ya que intercambiar opiniones y puntos de vista con diferentes personas es tan importante como las citas o reuniones de trabajo; de todos es conocido que alrededor de una buena comida, en una cena de gala, en una exposición o en un café, se realizan negocios y se toman grandes decisiones; pero cuando hay un objetivo definido para conversar de acuerdo con el contexto de trabajo y ciertos asuntos, la entrevista a un nivel de entretenimiento, sujeta a un tiempo oportuno y con un número variable de personas a quienes les atañe el tema, ya sea de manera formal o informal, pero en *forma profesional*, resulta ser útil para lograr diversos objetivos planeados.
3. ***Para cambiar o reforzar actitudes*** en una situación persuasiva, el entrevistador puede cambiar actitudes o reforzarlas; las habilidades necesarias para cumplir este propósito estarán dirigidas a descubrir las necesidades que imperan en los entrevistados para, mediante estímulos poderosos en su mensaje, satisfacer tales necesidades y provocar la respuesta esperada del entrevistado.

4. ***Convencer y llevar a una acción.*** Por medio de la persuasión también es posible aconsejar, orientar, convencer y llevar a una acción. Este tipo de entrevista va dirigido a convencer y, posteriormente, generar una acción específica; por ejemplo, en las actividades de venta, un vendedor entrevista a posibles clientes con el propósito de lograr que le compren su producto. Aquí los papeles de entrevistado y entrevistador son más igualitarios o complementarios, por lo cual el contexto y el ambiente deben ser de confianza e influirán en el éxito o fracaso del propósito.

Dichos propósitos constituyen la razón de la entrevista y son los que guían el tratamiento del tema en un formato *pregunta-respuesta*, en donde la responsabilidad es compartida. Cada participante en la entrevista tiene que determinar su propósito en relación con el tema. Ambos necesitan prepararse y planear forma, secuencia y tiempo en que deberá realizarse. Los dos pueden fallar ya sea al preguntar o al responder, por una falta de planeación o desconocimiento del tema, y no conseguir la finalidad propuesta. Por ello, resulta conveniente señalar responsabilidades de cada uno de ellos:

Responsabilidades del entrevistado

- Debe estar familiarizado con la información, de manera que responda fácil y rápidamente.
- Tiene que hacer el intento de anticipar todas las preguntas posibles que habrá de responder. Si el entrevistador hace alguna pregunta que no sepa contestar, será una indicación de que la preparación fue inadecuada.
- Debe sujetarse a la guía marcada por el entrevistador para satisfacer las expectativas respecto de la información, el tiempo y el propósito de la entrevista.

Responsabilidades del entrevistador

- Seleccionar el tema y material que serán cubiertos.
- Determinar el propósito de la entrevista.
- Establecer las preguntas.
- Fijar el tiempo límite permitido al entrevistado para desarrollar completamente sus ideas en sus respuestas.
- Dirigir y llevar el control del asunto o tema de la entrevista.

Existen formas en las cuales el entrevistado puede manipular al entrevistador o incrementar su control durante el desarrollo de la entrevista, que no son deseables por varias razones:

- ***Primero***: el entrevistado puede rehusar responder preguntas si ve que son muy personales, inapropiadas o que están envueltas en información confidencial.
- ***Segundo***: el entrevistado llega a influir en el tiempo dedicado a la respuesta de cada pregunta. Algunas preguntas pueden ser respondidas con un rápido sí o no, mientras que otras deberán ser respondidas con detalle.
- ***Tercero***: una vez que las preguntas han sido contestadas, el entrevistado puede llevar al entrevistador hacia otros extremos de sus puntos de vista sobre el tema, cuando considere que el entrevistador no sabe mucho del tema o desconoce algún punto importante.

Estructura de la entrevista

La entrevista se compone de varios pasos importantes, que necesitamos considerar con el propósito de reconocer las partes de su estructura básica, la cual consta de:

Apertura o presentación del tema: se establece la credibilidad del entrevistado y se explica también el propósito de la entrevista.

Cuerpo principal: es la parte donde se exponen las preguntas y se obtienen las respuestas. El entrevistador puede dividir la entrevista en segmentos, de acuerdo con la temática, y hacer diferentes grupos de preguntas para cada segmento si lo considera necesario.

Conclusión: es la parte en la que el entrevistador hace un resumen de los puntos tratados o una referencia al propósito más importante de la entrevista.

Cierre: se despide al entrevistado y se agradece su participación para hacer explícito el final de la entrevista.

Las preguntas en la entrevista

El valor de una entrevista está determinado en gran parte por la calidad de las preguntas. Algunas pueden ser concretas y fáciles; otras, muy generales o difíciles de responder. De aquí se desprende la primera clasificación de las preguntas con base en la forma de responder del entrevistado:

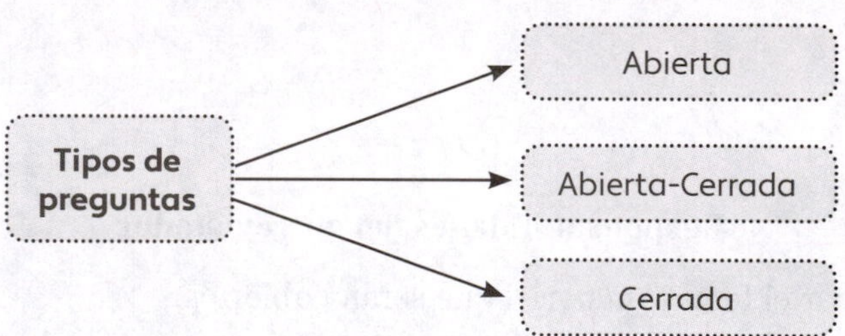

- ***Abierta***: permite al entrevistado responder exponiendo sus puntos de vista libremente y al entrevistador identificar áreas útiles o información de interés, para cumplir el propósito de la entrevista.
- ***Abierta-cerrada***: permite al entrevistado responder con cierta libertad, aunque solamente sobre los puntos o las ideas que son del interés del entrevistador.
- ***Cerrada***: el entrevistador pregunta en forma concreta sobre cierto dato o información específica, en poco tiempo. La posición del entrevistado está sujeta a dar respuesta en breve tiempo al entrevistador, quien mantiene el control sobre el tema.

La segunda clasificación de las preguntas se hace con base en ***la objetividad*** o ***subjetividad respecto del tema***; tenemos tres modalidades:

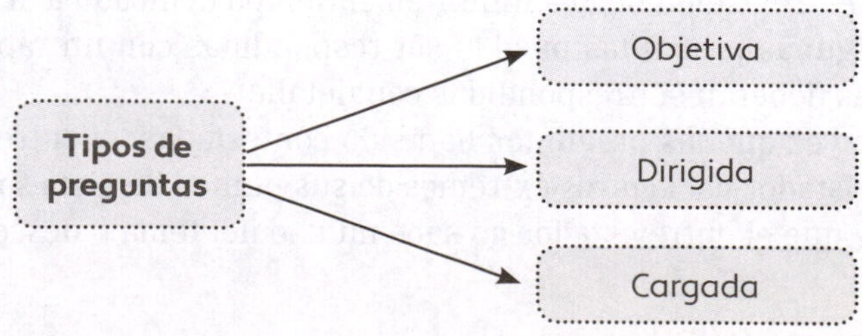

- ***Objetiva***: es la pregunta que hace el entrevistador con un punto de vista imparcial, tratando de no ser subjetivo respecto del tema para permitir razonar al entrevistado sin ninguna influencia, antes de responder. Por ejemplo: "¿Para usted qué representó el hecho de encontrar en su país personas involucradas con el terrorismo?". Al respecto, el entrevistado puede responder libremente según su criterio personal.
- ***Dirigida***: es la pregunta que llegará a influir para dirigir o sugerir la respuesta que debe dar el entrevistado. Por ejemplo: "¿Para usted representó malestar o enojo saber que en su país se encontraban personas involucradas con prácticas terroristas?". Al responder el entrevistado, generalmente dirá que sí se sintió enojado o molesto, porque esa era la dirección de la pregunta.
- ***Cargada***: es la pregunta que contiene palabras "cargadas" de emotividad, las cuales provocan una influencia o reacción positiva o negativa en el entrevistado. Por ejemplo: "¿Para usted representó un gran enojo saber que los rebeldes que provocaron la guerrilla en su país son auténticos asesinos, además de estar involucrados en actividades terroristas?". Aquí las palabras "gran enojo", "rebeldes", "guerrilla", "auténticos asesinos" y "terroristas" van creando un ambiente psicológico negativo que puede motivar al entrevistado a responder más emocional que racionalmente, debido al sentimiento provocado por el entrevistador.

Una tercera clasificación se establece con base en la importancia de las preguntas para el desarrollo del tema.

Tenemos dos tipos:

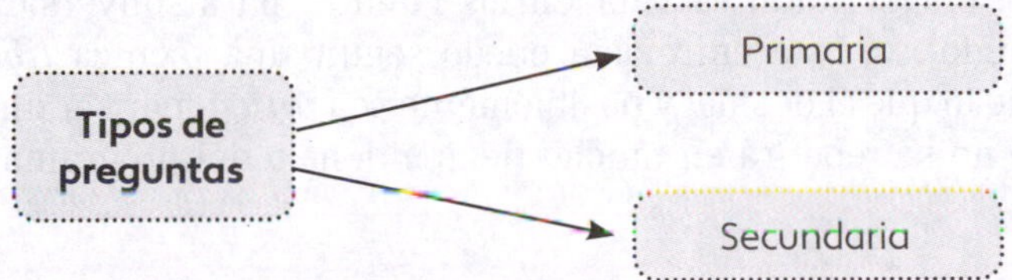

- ***Primaria***: es la que se utiliza para establecer la línea principal del tema; de la respuesta que dé el entrevistado, se harán posteriormente las siguientes preguntas.
- ***Secundaria***: sirve al entrevistador para obtener información adicional, complementaria al tema o con ciertos puntos de vista relacionados con él.

Las aplicaciones de la entrevista pueden ser muchas, de acuerdo con el *contexto* en el que se realiza, el ***propósito*** que se quiere lograr, la ***técnica*** empleada para la interacción entre los participantes y la *frecuencia* o el *tiempo* en que ésta se utiliza. A continuación presentamos un esquema que resume algunos tipos de entrevista:

Tipos de entrevista		
Por su propósito informativo o persuasivo	**Por su técnica de interacción**	**Por su temporalidad o frecuencia**
Periodística Difundir la información a través de un medio masivo.	***Libre*** Hay libertad de preguntar y responder. No se planea.	***Única*** Se da sólo una vez.
Judicial Decidir qué acción legal se debe seguir.	***Estandarizada*** Se planean las preguntas y se ejerce cierto control sobre las respuestas.	***Inicial*** Da inicio a una serie de futuras entrevistas.

(continúa)

(Continuación)

Tipos de entrevista		
Por su propósito informativo o persuasivo	**Por su técnica de interacción**	**Por su temporalidad o frecuencia**
Diagnóstica Llegar a una conclusión sobre un tema o asunto. ***Terapéutica*** Tratar de mejorar, solucionar o remediar algún mal o problema. ***Orientadora o de opinión*** Formar o dirigir la opinión pública hacia cierta idea, creencia o actitud.	***Estructurada*** Se planean las preguntas y se pide el acuerdo previo al entrevistado.	***Periódica*** Se realiza por periodos establecidos. ***Final*** La última de una serie.

Ejemplo de tipos de entrevista

Por su propósito informativo, la entrevista puede darse en un contexto público, como es el caso de la ***entrevista periodística***, que se difunde a través de un medio masivo como la prensa, radio, televisión, etcétera, y ha sido realizada por algún experto en cierta área del periodismo. Por ejemplo, el periodista Jacobo Zabludovsky, en su programa de radio, entrevista al escritor Carlos Fuentes para conversar sobre el tema México en el siglo XXI. Esta entrevista puede seguir una técnica ***libre*** para que el escritor hable de lo que él decida, y posiblemente sea ***única***, por ser un acontecimiento especial que no se repetirá en mucho tiempo dentro del programa del licenciado Zabludovsky.

La ***entrevista judicial*** es la que se realiza en los foros legales para obtener información sobre el cumplimiento o incumplimiento de las leyes. Por ejemplo, cuando alguien es acusado de cometer algún delito generalmente es entrevistado para conocer su versión sobre el asunto en el que está implicado. Este tipo de entrevista sigue una ***técnica estructurada***, en la cual el entrevistador obedece un esquema de preguntas del cual no se permite salir al entrevistado; respecto de su frecuencia, puede ser ***inicial***, ya que el acusado será entrevistado en varias ocasiones para lograr que dé la información que el caso requiera.

La ***entrevista diagnóstica*** y ***terapeútica*** es la que realizan médicos y enfermeros en forma ***estandarizada*** (porque se tiene un método para preguntar y obtener respuesta) para obtener ***información*** sobre los síntomas de una persona que se siente enferma, o bien, es ***orientadora*** cuando se pretende recibir alguna recomendación. Es ***inicial***, en el caso de un enfermo que por primera vez acude con el terapeuta y éste recomienda que vaya varias veces. Puede ser también ***periódica***, si se realiza con cierta regularidad durante un tiempo (cada mes, cada año, etcétera), o ***final***, cuando el médico da de alta al paciente y éste no regresa más.

La entrevista cuyo ***propósito es persuadir*** llega a ser ***orientadora*** si marca la dirección que hay que seguir, puede tener el propósito de ***evaluar*** y ***formar opinión*** de un público sobre un tema controversial, etcétera. Estas entrevistas, ya sean para orientar, formar opinión o evaluar, son ***estandarizadas***, porque permiten al entrevistado participar con sus respuestas en un formato que ha sido planeado para obtener el resultado deseado; en cuanto a la temporalidad, son ***únicas*** (una sola vez), ***periódicas*** (cada determinado tiempo), ***iniciales*** (para comenzar una serie de entrevistas) o ***finales*** (para dar por terminada la discusión de un tema).

El uso de técnicas específicas es importante en la entrevista. Veamos las siguientes técnicas utilizadas en diversos tipos de entrevistas:

- ***Técnicas de concordancia y aceptación***: tienen como finalidad establecer un clima de cordialidad y confianza en el momento de la entrevista. Se dicen frases amables, elogios y alusiones a la presencia o el prestigio del entrevistado.
- ***Técnicas de estructuración***: tratan de establecer el alcance y los límites de la entrevista. El entrevistador requiere un gran conocimiento del tema para ir armando, como piezas de un rompecabezas, cada idea principal con sus respectivos complementos, con la finalidad de que vayan generando las respuestas del entrevistado. Es un proceso racional y reflexivo sobre el contenido de la entrevista y la observación de la comunicación no verbal del entrevistado.
- ***Técnica de reflejo***: procede de la psicoterapia no directiva de Carl Rogers; con ella se puede ahondar en la conciencia del entrevistado hasta llegar a los sentimientos. El entrevistador debe estar muy atento a los sonidos de la voz y a los gestos que transmiten actitudes o sentimientos del entrevistado, los cuales tratará de repetir o destacar para conocer si realmente está interpretando correctamente su sentir.
- ***Técnica del silencio***: en ciertos momentos el entrevistador guarda silencio ante ciertas conductas del entrevistado, para hacer manifiestos ciertos componentes emocionales que subyacen en la interacción entrevistador-entrevistado.

Respuesta de comprensión

Es la respuesta, facilitada por el entrevistado, que aporta más cantidad de información y a la vez proporciona retroalimentación al entrevistador y a otros receptores, en caso de que los haya.

Este tipo de respuesta incrementa la fidelidad y claridad de la comunicación debido a que el entrevistado indica al entrevistador su deseo de saber si ha comprendido el mensaje correctamente. La base de dichas respuestas se encuentra en la habilidad de escuchar, ya que ésta es la piedra angular para manejar diferencias (Reig, 1995:108), aceptando incondicionalmente la individualidad del otro, parafraseando o repitiendo la misma idea de manera distinta; en otras palabras, saber escuchar con respeto.

Las respuestas de comprensión guardan relación con el tono o estilo del mensaje. El receptor no debe responder con seriedad y formalidad a un mensaje humorístico o poco profundo. Una pregunta acorde al estilo del entrevistado inducirá a éste a mostrar un mayor interés por el mensaje y a proporcionar retroalimentación valiosa al entrevistador.

Algunas recomendaciones finales para los participantes de una entrevista son las siguientes:

- ***Saber escuchar activamente***: indicar con las expresiones faciales el interés que tenemos en la entrevista, afirmar con la cabeza, mantener el contacto visual, usar expresiones que indican que estamos atentos, por ejemplo, "oh, sí...", "ajá...", "muy bien...", "eso es...", etcétera.
- ***Mostrar genuino interés en el otro***: hacer preguntas relevantes, que puedan interesar al otro; tratar de ser conversadores cordiales, a pesar de encontrar ideas contrarias a las nuestras; mostrar respeto para diferentes puntos de vista y mantener siempre la atención en las palabras para no romper la continuidad del tema.
- ***Ser cuidadoso, paciente y prudente***: ser sensible a la emotividad del otro; no interrumpir durante las respuestas, sino esperar a que termine de responder completamente, antes de volver a preguntar; manifestar interés con entusiasmo en la entonación de la voz y con movimientos; obrar con cautela ante situaciones de posible conflicto y demostrar con el comportamiento que la persona y su mensaje son importantes para nosotros.

- ***Registrar los datos que se obtienen***: documentar toda la información que se conoce en una entrevista no es una tarea difícil, pero puede resolverse por medio de fichas de registro, videograbadora o grabadora, o tomando notas que posteriormente se reestructurarán. La interpretación de la entrevista supone una labor de análisis y síntesis compleja, por la riqueza de contenidos y matices de significación que se obtienen a través de ella.

Son muchos los campos de aplicación de la entrevista, ya que, además de brindar información, posee el gran valor de promover y facilitar el proceso de comprensión en la comunicación interpersonal.

Resumen

La mayoría de las comunicaciones orales que realizamos a diario son interpersonales, es decir, de persona a persona, ya sea cara a cara o a través de algún medio. Este tipo de comunicación se da en sentido transaccional, porque hay un intercambio continuo de mensajes entre emisor y receptor o entre hablante y oyente, por eso se dice que la comunicación interpersonal es dual o diádica, y que fluye en dos direcciones recíprocamente.

Otras características propias de este tipo de comunicación son la espontaneidad y la unicidad, porque surge sin planeación, a la vez que es muy variable, flexible y dinámica; además, los mensajes que se envían se consideran únicos, debido a la influencia del contenido expresivo de la comunicación no verbal y el lenguaje utilizado, al que la persona imprime su estilo personal de acuerdo con la situación o el contexto donde se encuentre interactuando.

La comunicación entre dos personas cumple dos propósitos: uno social, cuando el mensaje es un acto comunicativo espontáneo y casual; otro utilitario, cuando existe una intención o un propósito determinado para comunicarse, el cual puede ser terminal o instrumental. Asimismo, la relación interpersonal llega a darse en forma *simétrica*, cuando los que se comunican son del mismo estatus, pertenecen al mismo grupo, poseen las mismas convicciones, etcétera. Este tipo de interacción se considera positiva, porque estimula y promueve la confianza y presencia de los participantes. La *complementaria* es cuando uno de los participantes tiene mayor jerarquía, estatus o autoridad que el otro. Este tipo de interacción a veces resulta negativa o crea obstáculos, ya que una persona marca dominio sobre la otra.

Los tipos de mensajes que se generan pueden ser emocionales o racionales, según la inclinación que tenga la persona, debido a su estado anímico o a la influencia del contexto con todas sus variables.

La conversación y la entrevista son las formas interpersonales por excelencia: por medio de ellas tendemos lazos efectivos de unión, además de que informamos, persuadimos y nos entretenemos.

La conversación se practica como una función social, como una charla de café, una plática con amigos, un breve encuentro con alguien, etcétera, pero también de manera más formal con una función utilitaria o instrumental, como sería la entrevista.

La entrevista es una forma de conversación seria, que propone un fin determinado distinto del simple placer de conversar, en la que encontramos tres componentes: el entrevistador, el entrevistado y la interacción. Realizar una entrevista, a diferencia de una simple conversación, requiere preparación y planeación; en su realización se pueden utilizar diversas técnicas, las cuales, por medio de preguntas (abiertas, abiertas-cerradas y cerradas; objetivas, dirigidas o cargadas), aseguran mejores respuestas del entrevistado. Este último necesita desarrollar habilidades para saber escuchar activamente, mostrar interés en el otro, ser paciente, dar respuestas de comprensión, etcétera, para cumplir con eficacia su papel de comunicador.

140 caracteres

En no más de 140 caracteres, defina los siguientes conceptos.

- #Comunicación interpersonal
- #Interacción simétrica
- #Interacción complementaria
- #Niveles de interacción
- #Apoyos verbales
- #Entrevista
- #Pregunta objetiva
- #Pregunta dirigida

- #Entrevista judicial

____

____

____

- #Respuesta de comprensión

____

____

____

Leer es un placer

Lea y analice el siguiente texto y responda las preguntas que aparecen al final.

La magia de conversar

Francesc Miralles (agosto 7 de 2015)

http://elpais.com/elpais/2015/08/06/eps/1438872885_619918.html

Desde la irrupción de las redes sociales y la mensajería móvil, mantener una conversación cara a cara se ha convertido en algo casi exótico. Estamos en contacto de forma abreviada y superficial con un número creciente de personas, pero cada vez nos sentimos más solos.

Para mejorar nuestras relaciones con los demás, comprenderlos y ser comprendidos, es esencial recuperar el buen hábito de hablar con tiempo y verdadera atención.

Parece demostrado que un déficit de conversación hace al sujeto más susceptible de padecer trastornos psicológicos. La falta de comunicación, directa e interactiva, con otras personas que puedan darle su opinión y relativizar los acontecimientos facilita que éstos queden atrapados en la mente.

Cuando una experiencia se estanca en el circuito cerrado de un solo individuo, las emociones se amplifican y los mismos hechos se acaban distorsionando, algo que podría haberse evitado con una charla en buena compañía.

Deborah Tannen, profesora de lingüística de la Universidad de Georgetown, explica al respecto que "una conversación bien llevada es una visión de cordura, una ratificación de nuestro propio modo de ser humano y de nuestro propio lugar en el mundo". Sin embargo, esta actividad tan humana se puede volver en nuestra contra cuando no la realizamos de forma saludable o con las personas adecuadas. "No hay nada más profundamente inquietante que una conversación que fracasa (...) Si sucede con frecuencia, también eso puede hacer tambalear nuestra sensación de bienestar psicológico".

Esta autora comenta en su ensayo "Hablando se entiende la gente" que muchas de las disputas que se producen en las parejas heterosexuales tienen su origen en nuestra formación social, durante la infancia y adolescencia, con amigos de nuestro mismo sexo. Esto provoca que, en muchos casos, se creen estilos conversacionales separados por falta de interacción entre géneros.

A partir de este comentario se generan mitos como que "los hombres no saben escuchar" o que "las mujeres hablan de sus problemas sin cesar", lo cual son claros prejuicios de género. Como sucede con cualquier otra actividad humana, hay diferentes grados de implicación y dominio en la comunicación oral con los demás. En el lado más ligero de este arte estaría la charla informal que, según Debra Fine, está injustamente poco valorada:

"La charla tiene el estigma de ser considerada la humilde hijastra de la verdadera conversación, aun cuando cumple una función extremadamente importante. Sin ella es muy difícil entablar un verdadero coloquio. Quienes dominan la charla informal son expertos en lograr que los demás se sientan involucrados, valorados y cómodos, y eso ayuda a reforzar una relación laboral, cerrar un trato, dejar la puerta abierta a una nueva relación amorosa o entablar una amistad".

Según esta experta en oratoria, la conversación informal es el primer paso para que pueda surgir la empatía entre dos personas. Aunque charlemos sobre un tema poco trascendente, en ese primer contacto en realidad estamos diciendo mucho, porque empezamos a crear un vínculo en el que ya se transmite cercanía o distancia, confianza o reservas, hacia el otro.

En palabras de Debra Fine: "La conversación intrascendente es el equivalente verbal a la primera ficha de dominó: dispara una reacción en cadena, con todo tipo de consecuencias". Contra el prejuicio de que un desconocido no tendrá nada en común con nosotros, al arriesgarnos a charlar nos podemos llevar más de una grata sorpresa.

¿Cuántas parejas, buenos negocios o amistades tuvieon su origen en una conversación casual? Probablemente la mayoría. Más allá de las habilidades comunicativas de cada uno, el arte de la conversación puede ser aprendido y potenciado. Los antiguos griegos daban gran importancia a ejercitar la oratoria y, en tiempos modernos, en 1875, Cecil B. Hartley mencionaba en su *Guía de un caballero de etiqueta,* una serie de claves que siguen siendo vigentes, ya que lamentablemente aún hoy nos pasan por alto muchas de ellas. Algunas de estas recomendaciones son las siguientes: asumirse como el centro de la conversación, interrumpir, emociones contradictorias en el lenguaje corporal, ser breve, no corregir ni alabar excesivamente.

Preguntas

1. ¿Por qué la conversación cara a cara se ha convertido en algo casi exótico?

2. ¿Cómo se relaciona la falta de conversación con los trastornos psicológicos?

3. ¿Qué sucede cuando la conversación no la realizamos de forma saludable o con las personas adecuadas?

4. ¿Cuáles diferencias establece la autora entre una conversación y una charla informal?

5. ¿Cuáles recomendaciones se consideran más relevantes a la hora de llevar a cabo una conversación?

El supercódigo

Abra el siguiente código y seleccione, al azar, una de las entrevistas disponibles; o consulte en Internet alguna similar realizada a un personaje relevante de nuestro país.

Analice con detalle la entrevista seleccionada y evalúela utilizando la siguiente tabla. Al final, comparta la información con sus compañeros y debatan al respecto.

Concepto	Entrevista a ________________
Apoyos verbales utilizados	
Propósito de la entrevista	
Estructura de la entrevista	
Tipo de pregunta: (abierta, abierta-cerrada, cerrada)	
Tipo de pregunta: (objetiva, dirigida, cargada)	
Tipo de pregunta: (primaria, secundaria)	
Tipo de entrevista por su propósito informativo	
Tipo de entrevista por su técnica de interacción	
Tipo de entrevista por su temporalidad	

Lo que sé (y lo que no)

Responda las siguientes preguntas, luego evalúe si sus respuestas son correctas.

Pregunta	Sí	No	¿Por qué?
1. ¿La interacción simétrica es lo mismo que la interacción complementaria?			
2. ¿Los diferentes niveles de interacción influyen en la comprensión del mensaje?			
3. ¿Los mensajes racionales expresan emociones y los racionales expresan ideas lógicas?			
4. Cuando conversamos con otros, ¿utilizamos apoyos verbales para mejorar nuestro mensaje?			
5. ¿La característica principal de la entrevista es su carácter informativo?			
6. ¿Existen diferentes tipos de preguntas en la entrevista, según su propósito, técnica y temporalidad?			

Compare sus respuestas, con las que aparecen a continuación:

Respuestas: 1. No 2. No 3. No 4. Sí 5. Sí 6. Sí

Y a la final

Formen parejas y planeen una entrevista en la que uno asuma el rol de un entrevistador famoso y el otro el de una figura pública de su comunidad a ser entrevistado.
Utilicen la siguiente estructura:

Entrevistador: ____________________

Entrevistado: ____________________

Propósito de la entrevista: ____________________

____

____

____

Tipo de preguntas: ____________________

Técnica de interacción: ____________________

De ser posible utilicen grabadora de voz o de video para registrar la entrevista y compartirla con sus compañeros. Ellos, junto con el profesor, evaluarán la entrevista utilizando la siguiente rúbrica.

Criterio	Sobresaliente 5	Satisfactorio 3	No satisfactorio 1	TOTAL
Entrevistador	Dirige y controla el desarrollo de la conversación y cumple el objetivo propuesto durante toda la entrevista.	Dirige y controla el desarrollo de la conversación, aunque con algunas fallas, y cumple el objetivo propuesto durante la mayor parte de la entrevista.	Graves fallas en la dirección y control de la entrevista o no cumple el objetivo propuesto durante toda la entrevista.	
Entrevistado	Responde las preguntas aportando información valiosa. Transmite sus ideas y puntos de vista durante toda la entrevista.	Responde las preguntas aportando información general. Transmite sus ideas y puntos de vista durante la mayor parte de la entrevista.	No responde las preguntas ni aporta información valiosa o no transmite sus ideas y puntos de vista durante toda la entrevista.	
Propósito de la entrevista	El propósito de la entrevista se cumple en el 100% de los casos.	El propósito de la entrevista se cumple en el 70% de los casos.	El propósito de la entrevista se cumple en menos del 70% de los casos.	
Tipo de preguntas	El tipo de pregunta utilizada es acorde con el propósito de la entrevista durante todo el tiempo.	La mayor parte del tiempo el tipo de pregunta utilizada está acorde al propósito de la entrevista.	El tipo de pregunta utilizada NO está acorde con el propósito de la entrevista durante todo el tiempo	
Técnicas de interacción	Las técnicas de interacción utilizadas están acorde con el propósito de la entrevista durante todo el tiempo.	La mayor parte del tiempo las técnicas de interacción utilizadas están acorde con el propósito de la entrevista.	Las técnicas de interacción utilizadas NO están acorde con el propósito de la entrevista durante todo el tiempo	

Para conocer más

Abra el siguiente código y lea y analice el texto “Errores comunes en una entrevista de trabajo”, o consulte un texto similar.

Posteriormente, escriba en el siguiente espacio las principales recomendaciones que se deben tomar en cuenta a la hora de asistir a una entrevista de trabajo.

CAPÍTULO

5

La comunicación oral estratégica

En épocas de exaltación dialéctico-verbal como la presente, con sus poderosos medios de comunicación, hay que atender, más todavía que a la estrategia política, militar y económica, a la estrategia del lenguaje. Pueden perderse o ganarse batallas decisivas en el campo aparentemente sereno e inofensivo del lenguaje. ¿De dónde arranca esta temible estrategia y cuáles son sus recursos?

Alfonso López Quintas

La estrategia y sus niveles de acción

Las estrategias (según la definición de Nisbet y Shucksmith, 1992:8) son estructuraciones de funciones y recursos intelectuales, afectivos o psicomotores, que se conforman en los procesos de pensamiento que realizamos para cumplir diversos objetivos.

Dicho de otra manera, se trata del conjunto de conocimientos generadores de ***esquemas de acción*** que utilizamos al enfrentar situaciones globales o específicas, ya sea para seleccionar, organizar e incorporar nuevos datos, o para solucionar problemas de diverso orden o cualidad.

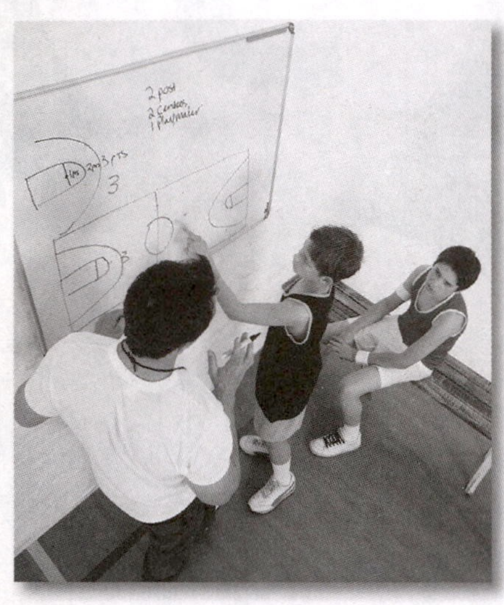

Las habilidades y las estrategias deben aprenderse de manera que puedan ser transferidas y adaptadas a nuevos problemas o situaciones previamente no experimentadas.
(Nisbet y Shucksmith, 1992:11).

El vocablo ***estrategia***, en su origen (del griego *strateguía*), significa ***arte de dirigir las operaciones militares*** (*Diccionario de las ciencias de la educación*, Santillana, 1995:593). Este término se utiliza en el proceso de enseñanza-aprendizaje para designar "la planeación conjunta de las directrices que determinan actuaciones concretas en cada una de las fases del proceso" (Santillana, 1995:593). Transfiriendo la definición a un proceso de aprendizaje de la comunicación, utilizar estrategias para hablar con mayor efectividad implica planear, organizar y dirigir nuestras actuaciones, en las diferentes fases del proceso comunicativo, para luego examinarlas, verificarlas y evaluarlas, tratando de aprender tanto de los errores o problemas como de los factores de éxito.

Las estrategias, enfocadas a cualquier proceso, son "planes o programas estructurados para llevar a cabo un determinado objetivo" (Santillana, 1995:593). En la comunicación, la planeación se dirige a la posible realización del propósito deseado, aunque su ejecución sea tan rápida que a veces resultará imposible darnos cuenta de que estamos planeando lo que decimos, como sucede, por ejemplo, en una conversación; sin embargo, en otras ocasiones la planeación es tan razonada y consciente que nos damos cuenta de los procesos mentales que vamos integrando para conformar alguna estrategia, e incluso de cómo vamos realizando acciones, como sucede, por ejemplo, cuando preparamos una conferencia que será presentada en televisión y transmitida vía satélite a muchos lugares del mundo.

En resumen, esto significa que las acciones, técnicas y habilidades empleadas durante un proceso de comunicación se pueden pensar bien antes de realizarlas: ***planear***; ***organizar***; ***aplicar***; ***supervisar*** y ***evaluar*** serán los pasos de una comunicación estratégica, para que las decisiones que hayamos tomado sean ***concientizadas***, ***transferidas*** y ***adaptadas*** a otras situaciones no experimentadas.

Por eso, la formulación de estrategias exige del comunicador más que la simple utilización de sus conocimientos y habilidades; debe aprender a aprender de sus propias interacciones con otros en diversos contextos. El término ***comunicación estratégica*** indica "nivel de acción" superior al del empleo sólo de habilidades adquiridas. Para examinar los niveles de acción, Nisbet (1992) los divide en dos tipos, según su nivel de ejecución.

- Las ***microestrategias*** funcionan en niveles de acciones sencillas, simples, en las que usamos conocimientos, técnicas y habilidades muy específicas.
- Las ***macroestrategias*** operan en niveles de ejecución superior, con acciones diversas en las cuales se combinan conocimientos, técnicas, habilidades, actitudes y valores que, en conjunto, integran un proceso complejo.

1. Niveles de acción "micro", llamados "microestrategias".
2. Niveles de acción "macro", llamados "macroestrategias".
(Kirby, 1984 en Nisbet y Shucksmith, 1992:51).

Usar ***microestrategias*** al hablar sería, por ejemplo, dirigir el contacto visual en una dirección, manejar cierto volumen de voz, hacer un movimiento con las manos, un gesto, etcétera; usar ***macroestrategias*** sería dar una conferencia, llevar a cabo una negociación, discutir en un panel o en un debate, conducir un programa de televisión, establecer una red de comunicación virtual con varios comunicadores. Ambos niveles de acción en las estrategias, con sus procesos internos simples y complejos, conforman y estructuran lo que llamaremos de aquí en adelante, en forma general, ***comunicación estratégica***.

La comunicación oral estratégica

La comunicación estratégica generalmente se realiza en público y es formalizada; se prepara y elabora antes del momento de la interacción para cumplir con la finalidad establecida. Como todo proceso unitario completo, tiene estructura y forma.

- La ***estructura*** se compone de tres partes principales, integradas por los procesos de acción, simples y complejos, que son la planeación, la organización y la interacción.
- La ***forma*** depende de la interacción que se lleva a cabo en el momento de la comunicación, ya sea de persona a persona, de persona a grupo, de persona a público, de grupo a público, y de persona o grupo a un público a través de medios de comunicación masiva.

En el ***proceso de comunicación oral***, específicamente, también observamos una estructura y una forma.

- La ***estructura*** se refiere a las partes que integran la dinámica del proceso de comunicación (antes vistas en los modelos) y a los niveles de acción que ejecutan los participantes: emisor(es) y receptor(es).
- La ***forma*** es el tipo de intercambio que se produce entre emisor(es) y receptor(es), del cual resultan experiencias y efectos diferentes, dependiendo del número de participantes que intervienen, del medio o los medios que se utilizan para el envío de los mensajes, de los mensajes que se expresan (verbal y no verbalmente), del lugar en donde se encuentran y del ambiente que se genera con la interacción. Tenemos formas de comunicación dual, en grupo, en público y masiva.

La ***comunicación oral estratégica***, en suma, es resultado de pensar en las acciones que vamos a ejecutar en cada una de las fases del proceso comunicativo, para planear la comunicación, organizarla en cada una de sus partes y dar una forma preconcebida a la interacción, con la finalidad de lograr, por medio del lenguaje oral, los propósitos deseados.

Veamos el siguiente cuadro que representa lo anterior:

Comunicación oral estratégica
Esructura y forma

COMUNICACIÓN ESTRATÉGICA ⟷ **PROCESO DE COMUNICACIÓN**

Se compone de	*Acciones necesarias para la ESTRUCTURA*	*Elementos según el modelo de Lasswell:*[1]
PLANEACIÓN ↓	• Identificar propósitos • Idear y seleccionar el tema • Analizar la situación o el contexto social	QUIÉN: *El emisor* DICE QUÉ: *El mensaje* Dónde: *Lugar* Cuándo: *Tiempo-ocasión*

(Continúa)

[1] El modelo básico para comprender el proceso de la comunicación ha sido el paradigma de Lasswell (1948): quién dice qué, en qué canal, a quién, con qué efecto (fuente, mensaje, canal, receptor, efecto). En este análisis nos interesan el "quién" y "a quién": los actores principales en la comunicación. Citado en Reed H. Blake y Edwin O. Haroldsen, *Taxonomía de conceptos de la comunicación*, Nuevomar, 1977:10.

(Continuación)

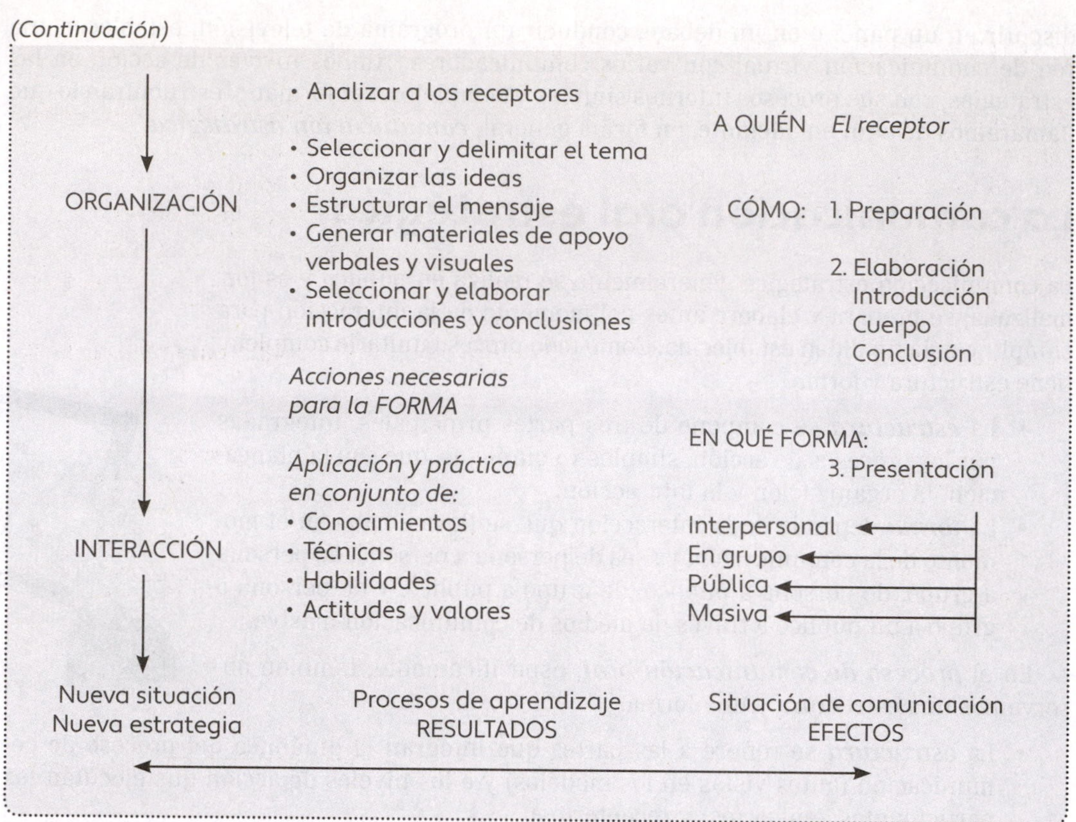

Etapas de la comunicación estratégica

La estructura de toda comunicación estratégica incluye tres partes principales: 1. **planeación**; 2. **organización**; 3. **interacción.**

La **planeación** es una etapa de ***preparación*** que nos ayudará a enfrentar con mayor seguridad los procesos de comunicación; es adentrarnos en pensamientos y reflexiones para reconocer los propósitos, las intenciones o los fines que tenemos para comunicarnos en una situación particular y determinar con precisión el efecto que deseamos lograr en el receptor.

La **organización** se desarrolla en torno al ***mensaje*** y usa procesos destinados a: 1. seleccionar el tema, 2. organizar las ideas en un mensaje claro y coherente, 3. elaborar el desarrollo verbal de las ideas, 4. generar la introducción y conclusión del tema, y 5. usar materiales de apoyo visual. La organización puede realizarse al terminar la elaboración de un guión o un apunte de las principales ideas del mensaje.

La **interacción** se refiere al proceso de comunicación que se vive en el momento de la presentación del mensaje. En esta etapa, las acciones están encaminadas a un estilo de interactuar o de presentar el mensaje, y cobra relevancia la utilización de todos los conocimientos, las habilidades, las actitudes y los valores que, en conjunto, dan ***forma*** a la comunicación estratégica.

Con la finalidad de estudiar con más detenimiento los conceptos que integran la comunicación estratégica, es conveniente hacer un análisis de las tres etapas principales que la constituyen, ya que así aprenderemos a reconocer los procesos que debemos realizar —en forma consciente— para estructurar nuestros mensajes en cualquier contexto de comunicación.

Planeación de la comunicación estratégica

Desde el punto de vista de una acción, *planear* es prever con precisión una meta y los medios congruentes para alcanzarla. Se trata de "racionalizar la acción humana, en función del logro de unos fines bien definidos que se consideran valiosos" (*Diccionario Santillana*, 1995:1109).

En cualquier proceso de planeación suelen distinguirse dos grandes fases: la preparación del plan y su elaboración. La preparación del plan estratégico consiste en una reflexión sobre nuestras intenciones o nuestros propósitos, para luego tomar decisiones y determinar el efecto que deseamos lograr en los receptores.

Tomando como base los elementos del paradigma de Laswell (1948),[2] para realizar la etapa de planeación, debemos hacernos las siguientes preguntas:

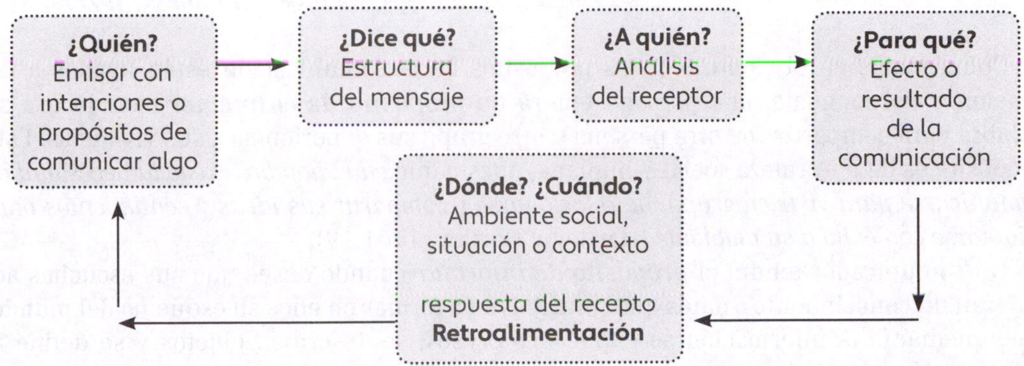

¿Quién?

Los propósitos del comunicador

Esta pregunta nos sirve para reflexionar sobre el papel que jugamos en cada situación de comunicación. ¿Cuál es nuestra identidad como comunicadores? Todos reflejamos algo de nosotros al comunicar ideas, en tanto que la forma en que las expresamos siempre surte un efecto en las personas que nos escuchan, pero también repercute en la imagen y credibilidad que los demás tienen de nosotros. Cuando pensamos con detenimiento las intenciones o los propósitos para comunicarnos, lograremos actuar con mayor autenticidad, usando las conductas y palabras más adecuadas, para conseguir el entendimiento de las ideas, pero también buscamos obtener la aprobación y el respeto de los demás.

Muchas de las consideraciones para llevar a cabo una planeación se basan en el desconocimiento de las personas respecto de los propósitos que tienen para la comunicación, o de las posibles "intenciones ocultas" que muchas otras no externan. Ciertos estudios de comunicación han demostrado que el hombre, en la mayoría de las conversaciones, "no sabe con exactitud cuál es su propósito", o simplemente "no lo piensa" (Berlo, 1980). Esto no significa que no exista un propósito para hablar pues, en el fondo, siempre habrá una intención

---

[2] Estos elementos apuntan a que, para que haya comunicación, deben intervenir dos o más participantes: un mensaje tiene que enviarse, pero otro también debe recibirse. El emisor-codificador representa al agente que desempeña el papel de iniciar y guiar el acto de comunicación, en tanto que el receptor-decodificador permite que el acto de comunicación se complete y tenga efecto (cualquiera que sea su dimensión). Además, ambos participantes deben compartir el mismo "ambiente social" para que los símbolos utilizados tengan un significado común. Citado en *Taxonomía de conceptos de la comunicación* de Reed K. Blake y Edwin O. Haroldsen, Nuevo Mar, 1989:10-11.

para comunicarse,[3] sólo que a menudo no estamos conscientes de ella en actos de comunicación que no nos interesan y en mensajes que transmitimos en forma inadvertida; sin embargo, en situaciones de comunicación en público o muy formalizada, en donde es necesario comunicar mensajes razonados, estructurados y bien elaborados, determinar el propósito siempre será prioritario para tener conciencia de la meta que queremos cumplir, interactuando de una manera abierta y clara para los receptores. El primer paso de la planeación, entonces, será determinar el propósito de la comunicación.

Ehninger, Monroe y Gronbeck, en su libro *Principles and Types of Speech Communication* (1978), hacen una clasificación de los ***propósitos generales*** que tiene la gente al comunicarse; éstos son:

1. Entretener, 2. Informar, 3. Persuadir, 4. Actuar

(Ehninger, Monroe y Gronbeck, 1978:57).

Como vimos en el capítulo 1, los propósitos de la comunicación están ligados a las funciones del lenguaje; una persona tendrá un ***propósito de entretener*** cuando usa su palabra para compartir con otra persona u otro grupo sus experiencias, sus vivencias. Este propósito es de naturaleza social y humana, puesto que *en el hombre existe la necesidad de comunicarse para vivir en grupo, de relacionarse y compartir sus ideas y sentimientos para adaptarse con éxito a su ambiente* (Hartley y Hartley, 1961:19).

Un comunicador tendrá el ***propósito de informar*** cuando desee que sus escuchas adquieran un conocimiento o datos que contribuyan a formar en ellos su esquema del mundo, pues mediante la información se explican procesos, se describen objetos y se define la significación de todo lo que nos rodea.

El ***propósito de persuadir*** se da cuando el comunicador quiere influir sobre los demás de alguna manera, para convencerlos de que piensen como él, cambien su forma de pensar, o bien, rechacen modos de pensar y de actuar propuestos por otros comunicadores.

Con el ***propósito de actuar***; el comunicador intentará llevar a los escuchas a realizar acciones mediante elementos motivacionales que impulsen los actos de la gente hacia cierta dirección.

En la planeación de los procesos comunicativos, a veces es complicado distinguir el propósito del emisor para compartir su mensaje, así como determinar el efecto de éste en el receptor al escucharlo; más difícil será reconocer la verdadera intención del emisor para producirlo. Por lo tanto, es recomendable planear un ***propósito general*** que manifieste la intención del emisor para originar su mensaje y un ***propósito específico*** que exprese el efecto que desea lograr en el receptor. De esta manera se establecen los dos puntos de vista para el propósito de la comunicación: 1. el del emisor; lo que éste desea hacer, y 2. el del receptor; lo que se desea lograr en él.

Ejemplo

Propósito general: *Informar.*
Propósito específico: *Que el público conozca la etapa de planeación de una comunicación estratégica.*

[3] Smith (1966) afirma esta intención cuando dice que "las personas se controlan recíprocamente a través de la comunicación". Otros, como Miller (1966), insisten en que el estudio de las comunicaciones debe concentrarse sólo en situaciones en que una fuente transmite un mensaje a un receptor con la intención consciente de influir en su comportamiento. Estos autores, al parecer, no consideran que el campo de la comunicación incluya situaciones en las cuales el significado sea transmitido en forma inconsciente de una persona a otra. Citados en *Taxonomía de conceptos de la comunicación* de Reed K. Blake y Edwin O. Haroldsen, Nuevo Mar, 1989:4.

La segunda cuestión para planear la estrategia de comunicación será para identificar las ideas que queremos comunicar.

¿Dice qué?

La selección del tema

Cuando pensamos hablar en una situación formalizada, quizás ante personas importantes para nosotros o en un evento especial, la planeación del mensaje comienza por la selección del tema. La comunicación estratégica exige una reflexión, aunque sea por unos minutos, sobre el tema que deseamos tratar: ¿De qué voy a hablar? ¿Qué ideas quiero expresar? Toda persona con un poco de habilidad oral es capaz de transmitir mensajes y llegar a comunicarse eficazmente en forma interpersonal sin seleccionar un tema específico e, incluso, hacer que sus mensajes sean percibidos como agradables, por ejemplo en una charla o en una conversación informal; pero cuando nuestro objetivo es comunicar el mensaje en forma pública, en un contexto formal, entonces es necesario comenzar por decidir el tema más apropiado para la gente que nos escucha y acorde a la situación particular en la que vamos a expresarnos.

Uno de los mayores privilegios de todo ser humano es poder elegir las ideas que quiere compartir con sus semejantes, pues cuando el emisor y el receptor comunican sus ideas, éstas reflejan experiencias de su vida, necesidades, preocupaciones, gustos o intereses. Por eso, la mejor fuente de ideas para la selección de un tema es la propia vida, las experiencias y convicciones. ***La selección del tema implica la capacidad del hombre de generar ideas y el esfuerzo de elegirlas con base en dos tipos de información que percibe o recibe de su entorno: 1. la información adquirida y 2. la información inmediata.***

- La ***información adquirida*** *se refiere a datos, conceptos, opiniones, recuerdos e imágenes que toda persona guarda en su memoria a largo plazo, mismas que le sirven para planear y producir nuevas ideas y opiniones.* En otras palabras, todo comunicador tiene un marco de referencia o socialización que influye en sus preferencias para seleccionar el tema del que hablará. Por ejemplo, el emisor se crió en un pequeño pueblo en donde hay muy pocos automóviles; por lo tanto, no existen problemas de tráfico ni tiene idea de cómo suceden. Por esta razón, no hablará de ello, ya que en su experiencia y aprendizaje no ha reunido información sobre el tema.
- La ***información inmediata*** es *la que buscamos o investigamos, porque la desconocemos o no tenemos ideas, y a través de libros, revistas, videos, computadoras, etcétera, vamos adquiriendo conocimiento.* En ocasiones nos gustaría hablar de un tema que nos atrae y del que no sabemos nada o quizás hemos escuchado hablar poco y nos ha interesado, pero nos faltaría información para comprenderlo y para hablar de él con mayor conocimiento. Por ejemplo, se han comunicado en varios medios masivos algunos estudios genéticos sobre "clonación"; si alguien seleccionara este tema para hablar formalmente, necesitaría estar bien informado; haber investigado y estudiado para producir ideas, organizarlas y transmitirlas con claridad. También se considera información inmediata la que recibe el comunicador en el momento de la presentación del mensaje, ya que la retroalimentación verbal y no verbal de los receptores, unida a otros elementos del contexto, siempre aporta datos que podrán ser utilizados para continuar o cambiar el tratamiento del tema.

De acuerdo con estos dos tipos de información, existen dos categorías de temas que es posible seleccionar: 1. los temas que conocemos y de los cuales podemos hablar porque contamos con información, y 2. los temas que nos gustan o interesan, pero desconocemos, y para conocerlos es necesario buscar información.

En este proceso de selección intervendrá nuestra manera de ser, de pensar y de hacer. Es por ello que no basta producir ideas para decir algo, sino también hay que estar plenamente convencidos de las ideas que elegimos y comprometidos con las ideas que expresamos. Al respecto, un especialista en técnicas de comunicación oral, Dale Carnegie (1981:50), reconoce:

> *Los oradores que hablan de lo que la vida les ha aportado de experiencia siempre atraen la atención del público. Sé que muchos no aceptan este punto de vista. Creen que su experiencia es insignificante y sin interés para los otros y prefieren quedarse en generalidades y principios demasiado abstractos desgraciadamente... pero yo les digo: Hable de lo que está convencido que le ha enseñado la vida y le escucharé atentamente.*

Stephen E. Lucas (1989:47-49) recomienda una técnica para la selección del tema, la cual consiste en hacer listas con lluvia de ideas sobre *gente, lugares, cosas, eventos, conceptos, fenómenos naturales, procesos o acciones, problemas, planes*, etcétera, y luego asociar las columnas de acuerdo con las relaciones significantes.

Ejemplo

PERSONAS	**LUGARES**	**COSAS**	**EVENTOS**
Pancho Villa	Chihuahua	Armas	Revolución
Gandhi	India	Ideas	Independencia
Picasso	Museos	Pintura	Exposición
Mi abuelita	Rancho	Regalo	Cumpleaños
Mi vecino	Universidad	Libros	Exámenes
Mozart	Mi casa	Piano	Reunión
CONCEPTOS	**FENÓMENOS NATURALES**	**PROCESOS O ACCIONES**	**PLANES**
Libertad	Morir	Viajar en tren	Tener poder
Humildad	Cosechar	Sembrar la tierra	Combatir injusticias
Arte	Olas del mar	Pintar cuadros	Ser innovador
Amor	Cielo azul	Montar a caballo	Tener vacaciones
Amistad	Sistema Solar	Ir a la biblioteca	Graduarse
Armonía	Sonidos	Componer música	Hacer un réquiem

Una persona, al externar sus ideas y elaborar tales listas, a manera de "lluvia de ideas", está lista para hacer asociaciones inmediatamente después de escribir, ya que cada palabra puede sugerirle otra nueva idea y en seguida otra, hasta llegar a conjuntar un tema, al mismo tiempo que reconoce la información con la que cuenta para exponerlo. Al escribir el nombre de Mozart, por ejemplo, llegará a pensar en su música, en el tipo de armonías y sonidos que generó o el tipo de música que compuso, el tiempo en que vivió, en sus obras más reconocidas, etcétera, y también pensará en la información que le hará falta en caso de que decida hablar sobre la vida o la música de este personaje.

Cuando el comunicador tiene ya su propósito definido y ha seleccionado el tema del que piensa hablar, necesita reconocer el *lugar* o contexto en donde se efectuará la comunicación, considerar la *ocasión* que motivó este proceso y el *tiempo* asignado al mensaje, tanto para prepararlo como para compartirlo.

¿Dónde?

El lugar

El ***lugar*** o ***escenario*** en donde se efectuará la comunicación es un punto de referencia para saber adaptar el mensaje al público; por ejemplo, un jardín al aire libre, un salón de reuniones, un café, un auditorio, un estudio de televisión, etcétera, nos dará la pauta para planear el comportamiento y la voz más adecuada. Si la comunicación se realiza en un jardín al aire libre, la conducta de los receptores tenderá a ser más espontánea y más abierta que en un auditorio o sala de reuniones, en donde las personas generalmente se comportan con más formalidad.

¿Cuándo?

El tiempo

Otro elemento de influencia para la selección del tema será el ***tiempo***, tanto el que ocupamos para preparar y organizar el mensaje como el que tenemos para decirlo.

Cuando tenemos poco tiempo para preparar un tema, lo recomendable es seleccionar algo de la información que hemos adquirido, puesto que no hay tiempo suficiente para buscar nueva; pero cuando tenemos mucho tiempo para planear nuestro mensaje, entonces será posible recurrir a investigar y unir nuevas ideas a las que ya poseemos. También debemos considerar el tiempo asignado para compartirlo; es necesario saber si podemos extendernos en detalles o si es necesario ser conciso, pues un tema muy especializado, con muchas ideas, no podría exponerse en pocos minutos y sería indebido hablar horas y horas, cuando hay pocas ideas que expresar.

Al igual que el tiempo, la ***ocasión*** es un factor en que debemos pensar durante la planeación. Las personas se forman expectativas de las situaciones que van a vivir, y siguen comportamientos aprendidos, según su estatus y sus papeles, actitudes y valores. Un comunicador debe tener presente esta expectativa con la finalidad de que su tema resulte adecuado para la ocasión por la cual se han reunido los receptores y para lo que esperan escuchar. En un funeral se oirán mensajes solemnes, formales, con ideas que recuerden las acciones notables y positivas de la persona fallecida; en esta ocasión no esperamos escuchar frases demasiado entusiastas, acompañadas de una conducta informal y exagerada que denote alegría, como si fuera un festejo.

Una vez que hemos seleccionado el tema y considerado el lugar, el tiempo y la ocasión en que se va a decir, para terminar la etapa de planeación necesitaremos obtener algunos datos sobre los receptores con la finalidad de asegurar el entendimiento del mensaje y cumplir el propósito de comunicación. Así surge la pregunta:

¿A quién?

Análisis de receptores

El análisis de receptores es un proceso de aproximación o acercamiento mediante la búsqueda de datos o información, con dos objetivos: 1. asegurar el entendimiento del mensaje y 2. lograr mayor empatía y credibilidad al ser escuchados.

Cuanto más se adapte el mensaje al público y se identifique el comunicador con los antecedentes, las experiencias, los intereses y las actitudes de los receptores, más probabilidades tendrá de lograr empatía y credibilidad. Para facilitar el análisis es posible formar cuatro tipos de receptores:

1. *Los que tienen gustos y preferencias parecidas a los del comunicador o comparten intereses y experiencias: público amigable.*
2. *Los que tienen gustos e intereses diferentes de los del comunicador y viven distintas experiencias: público hostil.*
3. *Los que, por su número, forman una gran audiencia y cuyas preferencias e intereses, por su diversidad, son difíciles de deducir: público apático.*
4. *Los que están interesados en la información o mensaje: público interesado.*

En el primer tipo la identificación resulta fácil cuando el comunicador posee ciertos antecedentes comunes con un receptor o pequeño auditorio. Por ejemplo, el estudiante universitario enfrenta muy pocas dificultades para entenderse con sus compañeros. Pertenecen al mismo grupo, tienen la misma edad, están quizás en la misma carrera y comparten intereses en actividades sociales; sin embargo, con grupos o auditorios numerosos, con diferentes experiencias, gustos o preferencias, es difícil para el comunicador encontrar puntos de identificación. En este caso, es recomendable buscar algo que sirva de "puente" de credibilidad para unir a emisor y receptor. Un empresario de edad madura, como expositor de un mensaje a estudiantes universitarios, tal vez logre establecer el puente para la identificación si recuerda alguna anécdota de su educación en la universidad o una narración de sus tiempos de estudiante.

El tipo de receptores más difícil de analizar es aquel que forma un público numeroso y de características diferentes; estos receptores no tienen ningún punto de identificación con el comunicador por sus experiencias, sus posiciones económicas, sociales, educativas, etcétera y, por lo regular, tampoco desean escuchar el mensaje porque no les interesa el tema. Algunas agencias se especializan en analizar dichas audiencias para ganar votantes en elecciones políticas; de la misma manera, lo hacen los profesionales de la televisión para influir en ellos y ganar espectadores. Generalmente, el resultado es positivo después de hacer un buen trabajo de análisis de preferencias encaminado a lograr la aceptación de algún tipo de comunicación.

Hay varios métodos que ayudan en el proceso de analizar a los receptores. Los tres que examinaremos pertenecen a la clasificación que hacen Gronbeck, McKerrow y Monroe (1978:82-89): 1. análisis demográfico, 2. análisis de actitudes y 3. análisis psicológico.

Tipos de análisis de receptores

- **Análisis demográfico**

Consiste en considerar las variables demográficas del receptor o la audiencia: ***edad***, ***sexo***, ***raza***, ***nacionalidad***, ***estado civil***, ***clase socioeconómica***, ***religión***, ***nivel de escolaridad***, ***ocupación***, etcétera. Es importante considerar cada una de estas variables, ya que pueden ser punto de unión o de separación con el comunicador en algunas situaciones. La edad resulta un factor crítico en el caso en que un hombre de edad avanzada hable a niños pequeños, en tanto la variable del sexo es factor de influencia positiva o negativa en ciertos temas catalogados sólo para hombres o sólo mujeres.

En otros casos, estas variables no son importantes. Por ejemplo, si un profesor habla a favor de mejorar un método de aprendizaje, la religión que tenga la persona no es un factor de influencia para el auditorio que escucha el tema, aun cuando tengan diferentes creencias religiosas. El sexo tampoco es relevante cuando un padre de familia habla de los valores en el hogar a una audiencia conformada sólo por madres de familia. Como vemos, cada una de estas variables puede ser un posible factor de éxito o fracaso en la comunicación. Si los receptores son significativamente distintos del emisor, se debe encontrar el puente de identificación que los una. Todas las variables: raza, sexo, edad, clase social, religión, escolaridad, estado civil, nacionalidad, etcétera, son útiles para adecuar el tema a los niveles de conocimiento y actitud de los receptores.

- **Análisis de actitudes**

Analizar las actitudes requiere cierta investigación sobre las creencias, los valores y los hábitos de comportamiento del receptor o la audiencia, para hacer inferencias sobre sus posibles actitudes hacia el tema, hacia la situación de comunicación o hacia el comunicador. Pero, ¿cómo determinar las creencias y actitudes de un receptor o una audiencia que desconocemos? Es posible hacer inferencias o aproximaciones con base en los grupos de referencia, formales e informales, de la audiencia, y observar sus actividades, gustos y preferencias.

Demográfico
- Edad
- Sexo
- Raza
- Nacionalidad
- Estado civil
- Clase socioeconómica
- Religión
- Nivel de escolaridad
- Ocupación

De actitudes
- Creencias
- Valores
- Hábitos
- Costumbres
- Preferencias
- Opiniones
- Grupo formales
- Grupos informales

Psicológico
- Autoestima
- Compromiso con el tema
- Conocimiento previo

Tratar de descubrir las actitudes individuales que quizá se encuentren en cada uno de los receptores es imposible, pero hay que decir de nuevo que si las actitudes de los receptores son parecidas a las del comunicador, no habrá problema; aunque cuando son distintas, el comunicador tendrá la necesidad de buscar la forma de ir logrando la identificación y el cambio a través de puentes, como las referencias a experiencias conocidas por el grupo o a testimonios de alta credibilidad para ellos.

- **Análisis psicológico**

El análisis desde un punto de vista psicológico exige mucha investigación, cuyos hallazgos pueden ser de gran utilidad para diversos propósitos, sobre todo para influir en el pensamiento o la conducta de los receptores por medio de la persuasión. Este tipo de análisis es el más usado en la comunicación persuasiva para detectar actitudes, creencias y valores.

La primera área del análisis psicológico trata de investigar la **autoestima**, es decir, la opinión que una persona tiene de sí misma. Las personas con alta autoestima tienden a mostrarse seguras y confiadas en sus juicios y opiniones, por ello son difíciles de persuadir. En contraste, quienes tienen baja autoestima son personas indecisas, sin mucha convicción; por lo tanto, es más fácil influir en ellas.

En un diálogo de persona a persona es fácil descubrir si alguien se estima o no, pero determinar la autoestima de un grupo heterogéneo resulta muy difícil. En este sentido, consideremos algunas variables demográficas que ayudan a realizar el análisis. Por ejemplo, si el receptor o la audiencia son de alto nivel de escolaridad, es muy probable que tengan más alta autoestima, comparada con personas que no están acostumbradas a tomar decisiones debido a su bajo nivel educativo, o con aquellas que han enfrentado fracasos en su vida, como los presos de una cárcel; personas con baja autoestima se muestran más dispuestas a responder a los mensajes que representan el sentir o la posición de la mayoría. Por ello, la mejor táctica para audiencias de este tipo es demostrar que el mensaje propone lo que la mayoría desea.

La segunda área del análisis psicológico investiga el **compromiso**, es decir, hasta qué punto las personas están comprometidas con ciertas ideas. La gente tiende a mostrarse más involucrada cuando su vida se ve mezclada en el tema que se discute. Por ejemplo, alguien que viva en la ciudad de México puede mostrar muy poco compromiso en torno al problema de tráfico de ilegales en la frontera; en cambio, quienes viven en ciudades fronterizas viven el problema y están comprometidos en la búsqueda de soluciones.

La última área de este análisis trata de investigar el **conocimiento previo**, es decir, las ideas o la información que el receptor o la audiencia tienen del tema antes de oír el mensaje del comunicador. Si las ideas del emisor van en la misma dirección que las del receptor, no hay problema; pero si el comunicador presenta ideas nuevas o contrarias al conocimiento de la audiencia, debe tener especial cuidado al preparar el mensaje.

El hecho de comunicar algo y tratar de lograr una identificación es parecido a comprar un automóvil: no todos desean el mismo auto; cada persona dedica tiempo a observar y pensar, para luego elegir; las necesidades de los compradores son distintas, los gustos y las preferencias también; pero si alguien encuentra el auto que vaya de acuerdo con sus posibilidades y gustos, lo comprará. Un comunicador que dedica parte de su tiempo a observar, pensar y elegir el tema tomando en cuenta las características de su receptor o audiencia tiene muchas probabilidades de influir, y lograr credibilidad y éxito en su propósito de comunicación.

Resumen

Los buenos comunicadores, al igual que los deportistas, aprenden conocimientos y técnicas de comunicación, a la vez que desarrollan sus habilidades para saber interactuar de manera efectiva en las diferentes situaciones de comunicación que enfrentan día con día. Pero eso no basta. Es necesario que aprendamos a utilizar la comunicación estratégica, consistente en aprender a pensar y decidir cuál movimiento sería el mejor, qué entonación, qué palabras serán las más efectivas para un determinado público.

Aprender a usar la comunicación estratégica implica tomar conciencia de los procesos intelectuales y de acción que realizamos en el proceso comunicativo. Si aplicamos a nuevas situaciones los procesos aprendidos y obtenemos nuevos resultados, posteriormente sabremos analizar y utilizar los mismos procesos en otras situaciones, para aprender otra vez de los resultados que se obtengan, y así estar inmersos en un proceso de mejora continua.

En la comunicación oral estratégica se dan niveles de acción llamados "microestrategias", como es una simple mirada enfática, y niveles de acción llamados "macroestrategias", como serán todos los procesos que realizamos en la presentación de una conferencia. Los dos tipos se utilizan para conformar la comunicación oral estratégica, que en su proceso estructural tiene tres fases principales, relacionadas con los procesos de 1. planeación, 2. organización y 3. presentación o interacción.

La dinámica de la comunicación también tiene sus partes estructurales: quién, dice qué, para qué, dónde y cuándo, y con qué efecto. Para aprender a formular estrategias de comunicación, es necesario comprender cómo los componentes del proceso comunicativo se relacionan con las partes básicas de la estrategia: planeación, organización y presentación o interacción.

La planeación es una etapa de preparación en la que el comunicador efectúa acciones antes de exponer el mensaje oralmente como identificar las intenciones o los propósitos de la comunicación, seleccionar el tema, y reconocer el lugar, el tiempo y la ocasión para su realización.

El análisis del público es otra acción recomendable para asegurar el entendimiento del mensaje y la identificación con el público. Este proceso es una aproximación que sirve para conocer algunos datos importantes de los receptores, como son las características demográficas, las actitudes, las creencias y los valores. Los métodos para cumplir con esta búsqueda de información sobre el público son el análisis demográfico, el análisis de actitudes y el análisis psicológico.

140 caracteres

En no más de 140 caracteres, defina los siguientes conceptos.

- #Estrategia
- #Microestrategias
- #Macroestrategias
- #Comunicación estratégica
- #Propósito del comunicador
- #Selección del tema
- #Análisis demográfico
- #Análisis de actitudes

- #Análisis psicológico

____

____

____

- #Planeación de la comunicación

____

____

____

Leer es un placer

Lea y analice el siguiente texto y responda las preguntas que aparecen al final.

¿Por qué hablo tan mal en público?

Manuel Viejo (febrero 12 de 2015)

http://economia.elpais.com/economia/2015/01/15/actualidad/1421334018_476553.html

De sopetón: "Quiero que pronuncies unas palabras el día de mi boda". De recuerdo: "Sal a la pizarra". De hoy: "Tiene cinco minutos para hablarme de usted en esta entrevista de trabajo". Nervios. Estrés. Angustia. Y manos a la obra. Toda la vida ensayando delante del espejo y resulta que sirve para muy poco. Los expertos de oratoria consultados aseguran que delante del cristal no se puede estar atento a los movimientos del cuerpo, al tono de voz y al mensaje. Dicen que a la hora de preparar un discurso lo mejor es grabarse con el móvil y analizarse después. Dicen que nadie nace comunicador. Y dicen, incluso, que con una buena formación se logran abrir las enrevesadas puertas del empleo.

Los expertos nos ofrecen estas siete claves para hablar bien en público y poder enfrentarnos de manera exitosa con las exigencias de la vida laboral y personal.

1. Gestionar el tiempo. ¿Cuánto tiempo vamos a estar hablando? Esto es lo primero que debemos saber antes de planificar nuestro discurso. Se recomienda terminar antes de la hora pactada, nunca sobrepasarse. Hay que tener claro que lo importante no es contar todo sino contar lo más interesante.
2. Analizar tu auditorio en dos sentidos; lo primero: no es lo mismo hablar ante universitarios que ante empresarios. Conocer el perfil de los asistentes a la ponencia varía el enfoque de la alocución y ayuda a estar preparados ante posibles preguntas. Segundo: conocer el lugar: ¿hace frío, hace calor?, ¿tendré micrófono de mano o hablaré a viva voz?, ¿las sillas de los asistentes son cómodas o incómodas, ¿hay wifi o no?
3. Hablar con entusiasmo. 80% del éxito de una buena charla está en nuestra actitud. Sonreír, subir y bajar el tono, mostrar énfasis, mover las manos... El público recordará lo que el orador les hizo sentir. La memoria está enfocada a las sensaciones.
4. ¿Qué tengo que llevar? El material tiene que ser un complemento. Es bueno poner videos y fotos. Las imágenes, al igual que las historias propias y las anécdotas, siempre se recuerdan mejor. Nota importante: todos los estudios afirman que a los 15 o 20 minutos el público se desconecta. Ahí, por tanto, sería bueno introducir el material audiovisual.

5. Mensaje directo, al grano. Arrancar con "bueno pues" se considera casi un atentado en la oratoria. A la hora de plantear un discurso, con independencia de la duración, hay tres conceptos: anticipo la idea de mi mensaje, la desarrollo y la recapitulo. El público tiene que entender que hay un beneficio en escuchar.
6. ¿Moverse o no moverse? Es muy importante el movimiento. No se debe estar sentado pero tampoco bailando. Con naturalidad, con dinamismo, sin pasarse y sin extremos. No hay un estilo específico ni un comunicador ideal. En función del tema, modelo o público, todo cambia.
7. Preparar y practicar, preparar y practicar. A comunicar se aprende comunicando. Y así se gana naturalidad, convicción, credibilidad y confianza.

Preguntas

1. ¿Por qué hablar en público nos produce miedo o estrés?

2. ¿Por qué es importante conocer nuestro auditorio?

3. ¿Cómo debe ser el inicio de un discurso excelente?

4. ¿Cómo deben expresarse las emociones en un discurso exitoso?

5. ¿Cómo debe ser el movimiento en un discurso de calidad?

El supercódigo

Abra el siguiente código para acceder al "Discurso en la Universidad de Stanford" de Steve Jobs; o bien, acceda a un discurso similar.

Después de ver y analizar el video, complete la tabla con la información que se solicita.

Planeación	Discurso
1. Propósitos del comunicador	
2. Qué dice	
3. Dónde lo dice	
4. Cuándo y cuánto dice	
5. A quién se lo dice	
6. Análisis demográfico	
7. Análisis de actitudes	
8. Análisis psicológico	

Lo que sé (y lo que no)

Responda las siguientes preguntas, luego evalúe si sus respuestas son correctas.

Pregunta	Sí	No	¿Por qué?
1. ¿En la comunicación oral, fondo es semejante a forma?			
2. ¿En las etapas de la comunicación estratégica, la planeación es más importante que la organización y la interacción?			
3. ¿El propósito del comunicador influye en las estrategias utilizadas en su discurso?			
4. ¿Con el análisis de los receptores se intenta lograr mayor empatía y credibilidad al ser escuchados?			
5. ¿El análisis psicológico se enfoca en creencias, valores y costumbres culturales?			
6. ¿El lugar en donde se lleva a cabo el discurso influye en las estrategias utilizadas en la planeación?			

Compare sus respuestas, con las que aparecen a continuación:

Respuestas: 1. No 2. No 3. Sí 4. Sí 5. No 6. Sí

Y a la final

Elabore una planeación en forma de esquema del discurso que le gustaría dar en el auditorio de su escuela, y al que podrían asistir estudiantes de cualquier carrera.

El tema y el tiempo de duración es de libre elección. Tome en cuenta que NO va a dar el discurso, sólo va a planearlo. De igual manera, tome en cuenta los siguientes puntos, así como la rúbrica de evaluación.

I. Propósito del comunicador (entretener, informar, persuadir, actuar).
II. La selección del tema (información adquirida/información inmediata).
III. El lugar (aspectos que debes tomar en cuenta, por el lugar en el que se llevará a cabo tu discurso).
IV. El tiempo (planeación y ocasión).
V. A quién (público amigable, hostil, apático, interesado),
VI. Análisis de receptores (demográfico, psicológico, actitudes).

Criterio	Sobresaliente 5	Satisfactorio 3	No satisfactorio 1	TOTAL
Elementos de la planeación	Se incluyen, y de perfecta manera, todos los elementos de la planeación.	Se incluyen, aunque con algunos errores, todos los elementos de la planeación.	No se incluyen todos los elementos de la planeación o se presentan con graves errores.	
Análisis de receptores	Se realiza un excelente análisis de los receptores. Se toman en cuenta todas sus características.	Se realiza un buen análisis de los receptores. Se toman en cuenta la mayoría de sus características.	Se realiza un análisis deficiente de los receptores. Se toman en cuenta muy pocas de sus características.	
Orden y limpieza del esquema	El esquema se presenta en excelente estado.	El esquema se presenta en buen estado.	El esquema se presenta en un estado deficiente.	
Ortografía y gramática	NO se presentan errores ortográficos o de redacción.	Se presentan entre 1 y 4 errores ortográficos o de redacción.	Se presentan 5 o más errores ortográficos o de redacción.	

Imagine ahora que esa misma conferencia la imparte en su comunidad. ¿Qué cambiaría? ¿Por qué? Justifique su respuesta.

Para conocer más

Abra el siguiente código para conocer una de las plataformas en la cual puede apoyarse para realizar exposiciones orales. Puede buscar otras similares que sirvan para el mismo propósito.

Elabore la presentación del discurso del ejercicio anterior apoyándose en esta herramienta.

Coloque en el siguiente espacio el vínculo de su presentación:

CAPÍTULO

6

Organización y elaboración de mensajes

El arte de dividir no es más que el arte de separar, para reunir después; demostrar una cosa y sus partes, y luego verlas todas juntas reunidas de nuevo.
Platón

Organización estratégica

El comunicador, luego de concluir la etapa de planeación, debe saber organizar las ideas que contendrá el tema que haya seleccionado y elaborar las diferentes partes que componen todo mensaje, desde el principio hasta el final, haciendo las adaptaciones necesarias del contenido de acuerdo con las características de los receptores.

Para la comunicación estratégica debemos realizar acciones como respuesta a las preguntas que señalan las tres etapas principales de la organización del mensaje:

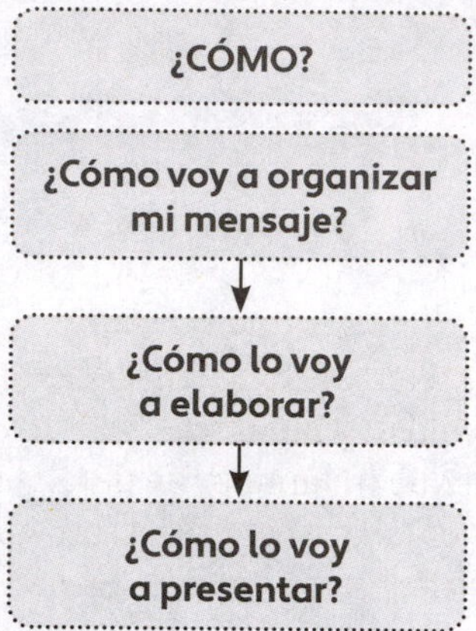

Responder a esta pregunta ¿cómo? es quizás una de las tareas más operativas del proceso de la comunicación, ya que el comunicador deberá realizar tareas mentales importantes para generar las ideas, estructurarlas, darles un orden lógico, desarrollarlas verbalmente para formar el mensaje, así como elaborar una introducción, una conclusión y, cuando se requiera, apoyar con material visual el contenido. Estas tareas las resumiremos en tres procesos de acción:

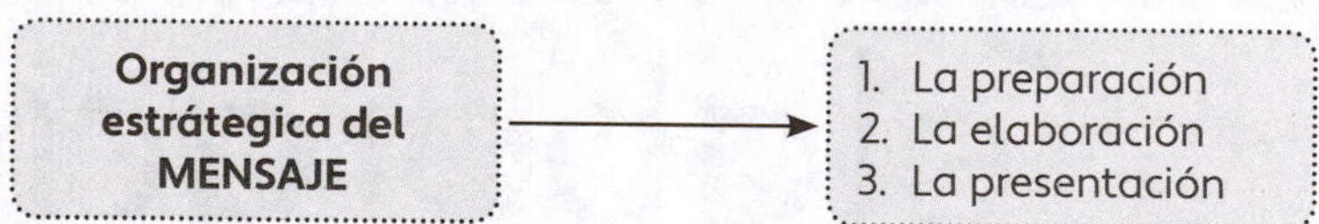

La preparación del mensaje

La etapa de la organización comienza con una preparación para ser creativos; después, hay que tener una buena dosis de ***creatividad*** para generar un tema relevante del gusto y las preferencias de los receptores, así como hacer un esfuerzo para llamar su atención, para que nuestro mensaje sea escuchado, estando seguros de brindar un contenido valioso, útil o práctico. Eso implica algunos requisitos para el comunicador:

1. Tener conocimientos de un tema y sacar la idea central que quiere comunicar.
2. Fijar el propósito general para hablar (emisor) y establecer el propósito específico para escuchar (receptor).
3. Hacer explícita la idea central del mensaje escribiendo su declaración en forma completa.
4. Tomar decisiones sobre el lenguaje adecuado para expresar oralmente el mensaje.

Paso 1

El **primer paso** se dirige específicamente a reconocer el tema seleccionado, sacar la idea central como punto de partida para desarrollar el tema que vamos a expresar y unirlo al propósito de comunicación. En la etapa de planeación anterior, hicimos la selección de un tema que consideramos apropiado para el interés del público, considerando el lugar, el tiempo y la ocasión; ahora, para prepararlo, sólo tenemos que especificar con exactitud la **idea central**, que es *la **expresión de la idea más importante del tema*** (Hanna y Gibson, 1989:36), pues si ésta no es precisada no podrán desarrollarse las ideas principales que componen el cuerpo del discurso, ya que tal idea (llamada también **tesis**) servirá de eje para la elaboración del mensaje.

Cuando hemos ideado y seleccionado un tema, generalmente éste indica una idea amplia que surge de nuestra mente en forma compacta. Por ejemplo: "Quiero hablar de la industria automotriz".

Tema: *La industria automotriz*

Pero... ¿qué queremos decir de la industria automotriz? Podemos especificar entonces con otra idea un poco más completa, menos compacta: "Quiero hablar de las innovaciones en los automóviles".

Eso está mejor, pero todavía podríamos especificar con mayor exactitud para encontrar "la idea más importante del tema", y así, con más esfuerzo creativo, pensamos en... "Hablar de las innovaciones en los sistemas de seguridad para automóviles". ¡Qué bien!

Así conocemos la idea principal que trataremos de desarrollar en el mensaje. Pero... ¿podríamos definir mejor la idea central? ¡Claro que sí! Si pensamos de nuevo, con mayor exactitud, tratando de visualizar si está completa la idea que queremos transmitir al público, nos daríamos cuenta de que existen muchas innovaciones en los automóviles: en los motores, en los sistemas eléctricos, en el equipamiento, etcétera. Y lograríamos, con ello, obtener otra idea más precisa, y así sucesivamente, adentrándonos en nuestros conocimientos sobre el tema, hasta estar seguros de obtener la idea central completa, eje de nuestro mensaje.

Idea central: Las innovaciones tecnológicas para el aumento de la seguridad en los automóviles compactos.

¡Eso es! La idea central del tema ha surgido en forma completa; la expresión de la idea más importante del mensaje ha sido establecida. Éste es el momento en que sabemos con mayor precisión qué queremos comunicar a los receptores.

Paso 2

Ahora ya podemos pensar: ¿Para qué quiero comunicar esa idea? ¿Cuál es mi propósito? ¿Qué voy a conseguir del receptor? Con estas preguntas nos daremos cuenta de que es tiempo de dar el **segundo paso**, de fijar nuestro ***propósito general*** como comunicadores y de establecer también el ***propósito específico*** que deseamos lograr en el receptor.

Tema: *Innovaciones en los automóviles compactos*.
Propósito general: Informar.
Propósito específico: Que los receptores conozcan las innovaciones tecnológicas en los automóviles compactos.

Si recordamos los propósitos generales vistos en capítulos anteriores, tenemos que son: ***informar***; ***entretener***; ***persuadir*** o ***actuar***: Sólo uno de ellos puede ser usado en cada mensaje, para indicar la intención general del comunicador para hablar. El propósito específico, en cambio, denota el efecto que deseamos lograr en el receptor o los escuchas como un propósito terminal. Por ejemplo, si el propósito del comunicador es ***informar***; busca que el público ***conozca***, ***llegue a saber***; ***se entere***, ***sepa***, ***entienda***, etcétera, los datos o la información que se le presentan en el mensaje.

Paso 3

Ahora, el **tercer paso** será unir el propósito específico que deseamos lograr en el público con la idea central, para así obtener en conjunto el ***objetivo específico y la declaración de la idea central del mensaje***:

Tema: ***Innovaciones en los automóviles compactos.***
Propósito general: Informar.
Propósito específico y declaración de la idea central: Que el público conozca las últimas innovaciones tecnológicas en los automóviles compactos, para el aumento de seguridad de sus pasajeros.

Paso 4

Llegamos a la parte final de la preparación, en donde tenemos, como **cuarto paso**, tomar decisiones para utilizar de cierta manera los tres componentes del mensaje (Berlo, 1980:54): el ***código*** o lenguaje; el ***contenido*** o ideas y el ***tratamiento*** o estilo de comunicar.

- El ***código***. Decidir qué código usar es un paso de la preparación que requiere conocimientos y habilidades para el manejo de un sistema de signos, en este caso hablamos del lenguaje o idioma, tanto para aplicar la gramática como para elegir el vocabulario más apropiado. Al respecto, Chesterton (citado en Majorana, 1978) recomienda: "una idea que no se puede expresar es una mala idea; una palabra que no se puede decir o comprender es una mala palabra". Por eso el código debe ser el de la época, el que se use en un contexto, el que hable y entienda la gente.
- El ***contenido***. Pensar en el desarrollo verbal del tema implica tener ideas precisas y claras; es un proceso de creación y organización, ya que el ser humano posee capacidad para generar ideas, traducirlas a un lenguaje, desarrollarlas y darles una secuencia para expresar todo un tema.

Las ***ideas precisas*** indican un control y manejo del vocabulario, ya que las palabras deben describir exactamente lo que se quiere decir y el oyente debe identificar estos significados.

Las ***ideas claras*** indican un orden o una secuencia correcta del contenido para que el público entienda el mensaje. Este proceso requiere que se sigan las normas de la sintaxis para la estructuración de ideas.

El ***vocabulario*** o ***léxico*** muestra el conocimiento de los niveles de lenguaje para utilizar las palabras que más se adapten al gusto o estilo de hablar del receptor, así como al contexto en donde se realiza el proceso comunicativo.

- El ***tratamiento***. Indica el modo como se presentará el conjunto de elementos que conforman el mensaje, así como la toma de decisiones para hacer cambios o adaptaciones diversas, según la situación, para el mejor entendimiento con el receptor, etcétera. Todas estas decisiones constituyen microestrategias y macroestrategias que determinan el estilo particular del comunicador.

La elaboración del mensaje

Es la etapa cuando elaboramos una estructura de ideas para ordenarlas y visualizar su organización. En esta fase, el comunicador necesitará cumplir con cuatro características básicas: 1. tener secuencia lógica; 2. contar con un formato; 3. tener paralelismo en su redacción, y 4. lograr equilibrio en sus contenidos.

La elaboración de un mensaje incluye cuatro partes principales:

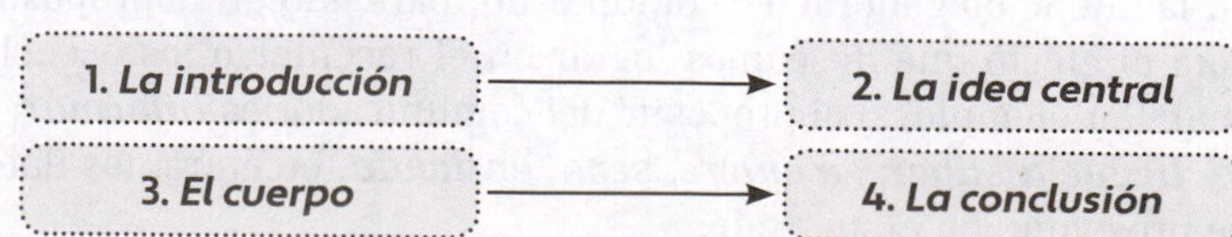

Estructura de ideas

El primer paso de la elaboración será detectar las ideas que forman el cuerpo del discurso; ordenar las ideas principales, estableciendo entre ellas una coordinación o secuencia para estar seguros de que llevarán el contenido con claridad a los receptores. Para ello, será necesario escribir las ideas en una estructura. Gronbeck, McKerrow, Monroe y Ehninger (1985:208) señalan dos tipos: el de **oración completa** y el de **frase**.

Estas estructuras de ideas se forman de acuerdo con la manera en que el comunicador redacta las ideas para darles un orden. Por ejemplo, en el esquema de *frase* cada idea principal se expresa sin ningún verbo:

Estructura de frase

1. La industria automotriz y la tecnología.
2. Las innovaciones en los automóviles.
3. Las innovaciones en los componentes de seguridad.

Esta estructura se utiliza básicamente para ordenar las ideas principales, pero también es posible incluir las subordinadas, si así lo desea el comunicador, para ir visualizando los puntos de desarrollo de cada una.

Como en el siguiente ejemplo:

1. La industria automotriz y la tecnología.
   a) En el diseño. *b*) En la producción. *c*) En el ensamblado.
2. Las innovaciones en los automóviles.
   a) Sistemas de seguridad. *b*) Sistemas de seguridad en los interiores.
3. Las innovaciones en los componentes de seguridad.
   a) Barras frontales. *b*) Barras laterales. *c*) Bolsa de aire.

En la estructura de ***oración completa***, las ideas se escriben con oraciones, las cuales, para ser completas, necesitan un sujeto, un verbo y un complemento.

Estructura de oración

1. La industria automotriz utiliza en la fabricación de automóviles tecnología que ha traído grandes innovaciones en todas las áreas.
   a) En el diseño, se han sustituido los cálculos manuales por cálculos automatizados.
   b) En la producción, la fabricación de partes se ha hecho más rápida y precisa.
   c) En el ensamblado del motor y del chasis se están utilizando nuevas técnicas.
2. Las innovaciones más importantes en los automóviles se han dado en los sistemas de seguridad.
   a) Se han implantado sistemas de seguridad en el exterior para fortalecer las partes.
   b) Se han cambiado los sistemas de seguridad en los interiores, en el tablero, en las puertas y en los asientos.

3. Las innovaciones en los componentes de seguridad representan beneficios para el automóvil y más para los pasajeros.
   a) Las barras frontales sirven para proteger el motor y el chasis.
   b) Las barras laterales protegen a los pasajeros que viajan junto a las puertas.
   c) Las bolsas de aire protegen al conductor y al copiloto, ya que se encuentran en el tablero y en las puertas del auto.

El formato de ideas

Las ideas siguen un formato alfanumérico que indica la jerarquía de ideas principales y subordinadas. Las ideas pertenecientes al mismo nivel serán ideas coordinadas, lo cual indicará que pertenecen a la misma jerarquía. La norma en la subdivisión de ideas es que *para cada idea que se divide debe haber al menos dos subdivisiones* (Lucas, Stephen 1983:191 y Vasile y Mintz 1986:125).

I. Primera idea principal (*eje del tema*).
   A. Ideas principales complementarias (*desarrollan el tema*).
   B.
      1. Ideas secundarias (*sirven de apoyo a las principales*).
      2.
         a. Ideas subordinadas (*sirven de apoyo a las secundarias*).
         b.
            i. Ideas dependientes (*sólo tienen sentido junto a otras subordinadas*).
            ii.
II. Segunda idea principal (*eje del tema*)...

En este formato ***alfanumérico*** vemos cómo las letras y los números señalan la jerarquía o los niveles de importancia de las ideas: los ***números romanos I y II indican las ideas que sirven como eje del contenido del tema***. Las ***letras mayúsculas muestran las ideas principales, pero complementarias***, es decir, las que sirven para desarrollar las principales o los ejes. Los ***números arábigos se usan para las ideas secundarias*** que sirven como apoyo de las principales complementarias. Las ***letras minúsculas indican las ideas subordinadas***, que sirven para apoyar a las secundarias. Otro nivel se anotaría con ***números romanos en minúscula, el cual sería un nivel de ideas dependientes***, que por sí solas carecen de sentido o son incompletas.

Ordenar las ideas en un formato nos sirve para visualizar dos aspectos importantes: la ***coordinación***, es decir, la relación directa que guardan entre sí las ideas, y la ***subordinación***, es decir, los niveles de importancia o estatus de las ideas (Lucas, Stephen E. 1983:192).

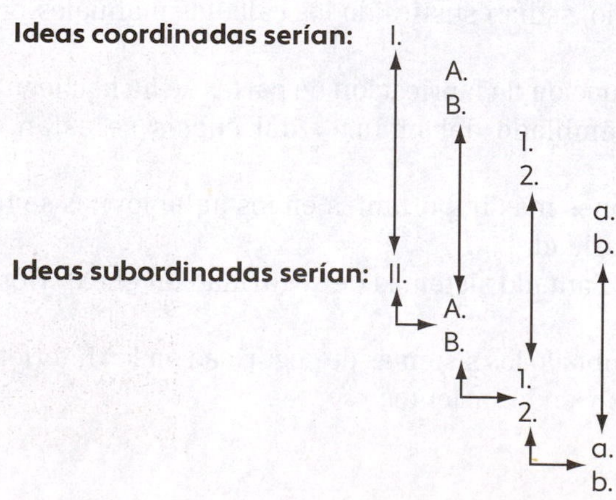

El principal error en la división de ideas es no seguir la norma de que al dividir una idea deben, al menos, resultar dos. Es muy frecuente que nos encontremos esquemas así:

I. Los componentes de seguridad en automóviles
  A. Bolsas de aire en el tablero.
  II. Los métodos de producción de los sistemas...

En este caso, la idea principal no se ha dividido en dos niveles, sino que la segunda es parte de la primera, y no hay idea subordinada.

I. Las bolsas de aire en el tablero como componentes de seguridad en los automóviles.

Este error, que se presenta comúnmente en la estructuración de ideas, se debe a la falta de habilidad para realizar procesos de clasificación y estratificación. Puede corregirse por medio del aprendizaje y la práctica de habilidades de pensamiento para observar, clasificar y categorizar.

Paralelismo en la redacción de ideas

Se refiere a la utilización de formas gramaticales semejantes al redactar las ideas, para demostrar y visualizar los niveles de coordinación y subordinación (Gronbeck, Monroe y Ehninger, 1985:205). Existe un error de redacción cuando no hay coherencia entre las ideas coordinadas; por ejemplo:

I. Utilizan en la fabricación de partes de la industria... (*verbo, preposición, artículo*).
  A. En el diseño (*preposición, artículo*).
  B. Producen (*verbo*).
  C. Para el ensamblado (*preposición, artículo*).
II. Las innovaciones más recientes en los automóviles... (*artículo, sustantivo*).
  A. Sistemas de seguridad en el exterior (*sustantivo, preposición*).
  B. En los interiores, los sistemas son... (*preposición, artículo, sustantivo*).

I. La industria automotriz utiliza en la fabricación... (*artículo, sustantivo*).
  A. En el diseño (*preposición, artículo*).
  B. En la producción (*preposición, artículo*).
  C. En el ensamblado (*preposición, artículo*).
II. Las innovaciones más recientes en los automóviles... (*artículo, sustantivo*).
  A. Sistemas de seguridad en el exterior (*sustantivo*).
  B. Sistemas de seguridad en los interiores (*sustantivo*), etcétera.

Equilibrio de ideas

Las ideas deben reflejar un equilibrio, con respecto a la cantidad de información que cada una presenta cuando las comparamos entre sí. Este equilibrio sirve para asegurar que el comunicador asigne más o menos el mismo tiempo de exposición a cada una durante la presentación (Lucas, Stephen 1983:199-203).

Ejemplo: Estructura con equilibrio de ideas

I. La industria automotriz utiliza en la fabricación de automóviles nueva tecnología.
   A. En el diseño.
   B. En la producción.
   C. En el ensamblado.
II. Las innovaciones más recientes en los automóviles se han dado en los sistemas de seguridad.
   A. Sistemas de seguridad en el exterior.
   B. Sistemas de seguridad en los interiores.
III. Las innovaciones en los componentes de seguridad representan beneficios para el automóvil, y más para los pasajeros.
   A. Barras frontales.
   B. Barras laterales.
   C. Bolsas de aire.

Estructura sin equilibrio de ideas

I. La industria automotriz utiliza en la fabricación de automóviles nueva tecnología.
   A. En el diseño.
   B. En la producción.
   C. En el ensamblado.
   D. En el acabado.
   E. En la transportación.
II. Las innovaciones más recientes en los automóviles se han dado en los sistemas de seguridad.
   A. Sistemas de seguridad en el exterior.
   B. Sistemas de seguridad en los interiores.
III. Las innovaciones en los componentes de seguridad representan beneficios para el automóvil y los pasajeros.
   A. Barras frontales.

Secuencia de ideas

Ordenar las ideas es importante para verificar que entre ellas exista un seguimiento, un orden o una secuencia. Entre las formas más comunes utilizadas para organizar ideas están: **1. tiempo; 2. espacio; 3. problema y solución; 4. causa y efecto; 5. división del tema; 6. general a específica y específica a general** (Hanna y Gibson, 1987:128).

Tiempo

Las ideas organizadas por tiempo tienen un seguimiento de acuerdo con espacios temporales ligados con las ideas, que pueden ser segundos, minutos, horas, días, semanas, años, etcétera. Esta organización también es posible que tenga un orden cronológico, según la ocurrencia de los hechos en el tiempo.

1. La clase de las 9:00 hrs.
2. La clase de las 11:00 hrs.
3. La clase de las 14:30 hrs.

1. La pintura en el siglo XV.
2. La pintura en el siglo XVIII.
3. La pintura en el siglo XX.

Espacio

Con esta organización, las ideas se ordenan de acuerdo con el principio de distribución espacial, es decir, los espacios físicos, los lugares o las regiones.

1. La biblioteca en su primer piso.
2. La biblioteca en su segundo piso.
3. La biblioteca en su tercer piso.

1. Los ríos del norte.
2. Los ríos del sur.
3. Los ríos del este.
4. Los ríos del oeste.

Problema y solución

Con esta organización, las ideas se ordenan empezando por las que denotan un problema, a las que seguirán las que ofrecen soluciones.

1. El deterioro de los monumentos.
2. La restauración de los monumentos.
3. El cuidado de los monumentos.

Causa y efecto

Organización en la cual las primeras ideas que se ordenan tienen en su contenido las causas de que ocurra algo. Las ideas que seguirán el orden se referirán a las consecuencias originadas por dichas causas.

1. El consumo de grasas.
2. El aumento del colesterol.

1. Aprender el idioma inglés.
2. Conseguir trabajo en Estados Unidos.

División del tema

Se refiere a la organización de ideas en la que el tema se puede dividir casi “naturalmente” por aspectos, áreas o conceptos dados por la propia naturaleza del tema.

1. Los aspectos sociales de México.
2. Los aspectos económicos de México.
3. Los aspectos políticos de México.

General a específica y específica a general

Es la organización en la cual las ideas más generales se ordenan en primer lugar, seguidas por las ideas secundarias o subordinadas. En la organización específica general es donde se organizan las ideas empezando por las específicas y continuando por las más generales.

General a específica
1. Las bellas artes.
2. La literatura.
3. La literatura contemporánea.

Específica a general
1. Danza del venado.
2. Danzas del Norte de México.
3. Danzas folclóricas de México.

Entre los tipos de material verbal que más usamos como apoyo al hablar tenemos: explicaciones, descripciones, definiciones, analogías, ilustraciones, casos específicos, estadísticas, testimonios y repeticiones.

(Ehninger, Monroe y Gronbeck, 1978: 103-113).

Desarrollo verbal de ideas

Cuando hemos determinado todos los pasos de la etapa de preparación, lo siguiente será usar nuestras habilidades de redacción para elaborar las ideas subordinadas con su respectivo desarrollo verbal, para que extiendan y concreten el mensaje.

Veamos cuándo se usa cada uno de ellos, con un ejemplo en donde aparece primero la idea principal que se va a desarrollar y en seguida el apoyo verbal que representa una idea subordinada.

- ***Explicación***: se utiliza para describir los pasos o las etapas de un proceso, ya sea natural o artificial.

(Idea principal) El ahumado es un procedimiento de conservación de carnes y pescados. (Apoyo) En los procedimientos industriales de ahumado se colocan las carnes en un baño de salmuera aderezado con vinagre y enebro. Una vez limpias y secas, las carnes se cuelgan en salas especiales llamadas ahumaderos, en donde penetra el humo procedente de un fuego que combuste a base de aserrín de maderas especiales. Finalmente, el humo produce una desecación progresiva de la carne y a la vez proporciona un sabor muy particular.

- ***Descripción***: es un apoyo que se utiliza para crear una imagen de las cosas en las personas. En ocasiones es necesario reforzar una idea haciendo que las personas, al escuchar, visualicen en su imaginación las características principales de algún objeto, persona, lugar o acontecimiento.

(Idea principal) El libro Casos de ética *no me gusta traerlo a la clase. (Apoyo) Es un libro que pesa 3.5 kg, tiene pasta dura y forrada de piel café. Mide unos 30 cm. de largo por 25 de ancho, y su título aparece con letras doradas. Es un ejemplar único, muy bonito, pero muy pesado.*

- ***Definición***: el apoyo de definición es el que aporta el significado de un concepto, su interpretación en cierto contexto y/o grupo. Un concepto o algún objeto se puede definir de varias formas: utilizando el origen del término o su etimología, haciendo la referencia a la función del objeto o concepto, y a través de la negación de lo que no es lo que intentamos definir.

(Idea principal) Para redactar correctamente es necesario comenzar por saber escribir correctamente un párrafo. (Apoyo) El párrafo es la unidad básica de un escrito en el que está contenida una idea principal y sus ideas complementarias. El párrafo sirve para conformar textos en forma completa.

- ***Analogía***: el orador intenta clarificar un concepto, desconocido por el público, usando un ejemplo más sencillo que él considera que sí es conocido.

(Idea principal) Conocer el alma de una mujer puede ser simple o complejo, pero siempre es sorprendente. (Apoyo) Es como conocer el mar; en su superficie parece de un color y puede estar tranquilo, agitado o incontrolable, pero a medida que nos adentramos en él, vamos descubriendo un sinfín de cosas que no imaginábamos.

- ***Ilustración***: es un ejemplo explicado con detalle y presentado en forma narrativa. Se usa para insistir en un punto o aspecto importante.

(Idea principal) En los últimos años se han hecho estudios importantes sobre el amor a través del contacto corporal en la relación madre e hijo. (Apoyo) En sus experimentos colocaban gorilas recién nacidos junto a dos "madres" artificiales, una era de armazón de alambre con cara de madera y con un biberón a la altura del pecho. La otra era más o menos lo mismo, pero toda revestida de felpa suave. A medida que crecían los gorilas, pasaban mucho más tiempo con la madre de felpa suave; si oían algún ruido o veían acercarse a alguien, corrían de inmediato a refugiarse en la mamá de tela; si se les llevaba a otro cuarto, primero se aferraban a ella antes de explorar el lugar. Este experimento demostró la importancia que tienen el contacto corporal y la sensación de calor que necesitan los pequeños para aprender a sentir el amor.

- ***Caso específico***: es un ejemplo que no se desarrolla con detalles narrativos. Sólo se cita a una persona, un lugar, un objeto o un suceso para concretar y ejemplificar la idea principal.

(Idea principal) Las organizaciones actuales deben capacitar a su gente en el manejo de nuevas tecnologías, (Apoyo) como el correo electrónico.

- ***Testimonio***: es cuando se expresa o expone una idea o un pensamiento propio acerca de algo. Si la persona goza de prestigio o buena reputación, su opinión, que incluso otros repiten, se reconoce como testimonio.

(Idea principal) El siglo xx se le considera como el comienzo de la era de la información. (Apoyo) Pienso que realmente apenas estamos entrando en una era en la que la información será el recurso o mecanismo de poder político, económico y social. (Si esta opinión la diera Bill Gates, presidente ejecutivo de Microsoft Corporation y reconocido experto en informática, con su justificación, sería un testimonio).

- ***Cita***: se refiere a una frase, idea o pensamiento expresado por una persona reconocida. La cita escrita es más formal y puede estar contenida en textos, libros, objetos o cualquier medio escrito. La cita oral puede utilizarse, de preferencia, cuando el autor tenga credibilidad o prestigio.

(Idea principal) El presidente de la compañía es un comunicador directo y dinámico. (Apoyo) Cuando llegó a la planta, inmediatamente se dirigió a los trabajadores y les dijo: "¡Ustedes son los que saben, por eso aquí ustedes mandan!".

- ***Estadística***: el orador cita estadísticas para especificar la idea principal. Se menciona también la fuente de información de donde proviene la estadística.

(Idea principal) La crisis económica del país ocasionó que las personas no vacacionaran este verano. (Apoyo) De acuerdo con las investigaciones realizadas por el periódico El Norte, *en la ciudad de Monterrey, Nuevo León, en el verano de 1995 sólo el 21% de los ciudadanos del área metropolitana salieron de vacaciones a diversos lugares del país o del extranjero durante junio-agosto de 1996. Un 68% de las personas encuestadas que afirmaron no poder ir de vacaciones, mencionaron como principal causa la falta de recursos económicos.*

- ***Repetición***: el orador repite alguna frase o palabra para dar mayor fuerza o impacto a la idea, generalmente con fines persuasivos.

(Idea principal) Los jóvenes de hoy necesitamos dejar a un lado la guerra y hablar más de paz. (Apoyo) Hablar más de paz en el mundo. Hablar más de paz en nuestra familia. Hablar más de paz en la escuela. Hablar siempre de la paz con nuestros amigos. Porque si hablamos de paz, estoy seguro de que tendremos un mejor mañana en Sarajevo.

Con la selección y elaboración de los apoyos verbales, para concretar las ideas principales, termina la etapa de preparación del esquema, que será la parte medular o el ***cuerpo del discurso***, al que integraremos un principio o una ***introducción*** y un final o una ***conclusión***.

Principio y final de un discurso

Cuando Aristóteles dijo que eran necesarias una introducción y una conclusión en un discurso, por la pobre naturaleza de las audiencias, no estaba denigrando al género humano, más bien sabía que en toda situación comunicativa los oyentes tienen ciertas demandas o expectativas sobre el orador y su mensaje. Asimismo, el orador debe hacer ajustes y adaptaciones de acuerdo con tales expectativas para ganar credibilidad y prestigio. Estas consideraciones marcaron la importancia de las introducciones y conclusiones en la elaboración de un discurso.

Al comenzar, los escuchas forman un juicio inicial del comunicador. Al concluir, tienen ya una impresión final. Si la introducción crea una pobre imagen del comunicador, es posible que escuchen prejuiciadamente el discurso. También puede suceder que, después de formar una buena imagen durante el discurso, al final la conclusión deje una mala impresión y con ello se borre el impacto positivo anterior. Tanto las introducciones como las conclusiones llegan a aumentar la credibilidad del comunicador, o bien, disminuirla o eliminarla, razones muy válidas para que sean preparadas con cuidado y bien presentadas.

La introducción

El reto principal del orador al iniciar su discurso es llamar la atención del público para que lo escuche. Generalmente los públicos necesitan estímulos que los motiven a prestar atención al mensaje, o sencillamente necesitan unos minutos para identificar al comunicador y ubicarse en su temática, de ahí que las funciones de la introducción estén dirigidas a 1. captar la atención del público; 2. justificar o presentar el tema del que se va a hablar, y 3. lograr la credibilidad del mensaje y del comunicador (Ehninger, Monroe y Gronbeck, 1978:189).

Entre las introducciones que el orador puede emplear para captar la atención del público, de acuerdo con las que citan Ehninger, Monroe y Gronbeck (1978:189-195), están:

- **Referencias al tema o problema.** Se hace una breve referencia a las ideas principales que serán tratadas en el mensaje.

México está viviendo procesos de cambio democrático. México se está abriendo a la participación política de todos. Es por eso que hoy vengo a tratar de que ustedes, compañeros, entren a participar en las actividades políticas de la planilla roja, así como que también se inscriban para realizar foros de discusión con la gente de las colonias. Hoy, estoy aquí para animarlos y darles la información que necesiten...

- **Referencia a la ocasión o el evento.** Se dice algo referente al evento o la situación que se está viviendo en el momento de la exposición del mensaje.

Buenos días. Me siento muy complacido por la oportunidad que me han brindado para venir a hablar sobre el uso de los medios masivos en la educación durante este XX Simposio de comunicación, ante ustedes, estudiantes y maestros de este prestigiado Instituto Tecnológico y de Estudios Superiores de Monterrey...

Justificación del tema: Por su invitación, sé que ustedes tienen interés en conocer cómo se está utilizando en la actualidad la tecnología de los medios masivos en la educación...

Enlace con el cuerpo del discurso: ...Empezaremos por definir cómo es un medio masivo hoy...

- **Referencia personal.** El comunicador cuenta algo referente a su persona, profesión, trabajo, vida, etcétera, para mejorar o incrementar su credibilidad.

Muy buenos días. Soy el licenciado Mario Hernández y trabajo como profesor de planta en el Departamento de Comunicación, impartiendo clases de Medios Masivos. Tengo cinco años desempeñando el cargo y obtuve el grado de maestría en Comunicación en la Universidad de Texas, Estados Unidos.

Justificación del tema: Por la experiencia que hasta la fecha he acumulado en varias investigaciones en esta área del conocimiento, fui seleccionado por el propio Departamento para venir a hablar hoy sobre la forma en que los medios masivos están influyendo en las actitudes de las personas...

Enlace con el cuerpo del discurso: Comenzaremos por explicar las cualidades que la gente otorga a los medios...

- **Pregunta retórica.** El comunicador lanza varias preguntas que no están dirigidas a responderse, sino que llevan la intención de hacer reflexionar a quienes escuchan.

¿Alguna vez han visitado algún lugar muy antiguo de México? ¿Conocen monumentos curiosos o extraños de otras épocas? ¿Han estado en alguna ciudad sagrada de civilizaciones muy remotas? ¿Creen en la magia que tienen esas ruinas prehispánicas tan hermosas de nuestro país?

Justificación del tema: Nuestro país es tan rico en ruinas prehispánicas, en monumentos edificados por culturas indígenas muy antiguas, que, cuando visitamos los lugares en donde se encuentran, despiertan nuestra admiración, a la vez que nos parecen extraños pero interesantes...

Enlace con el cuerpo del discurso: Esta mañana les hablaré un poco de las ruinas de Chichen Itzá, en Yucatán, un lugar que refleja la magia de la cultura maya...

- **Citas o testimonios.** Se menciona a personas con alta credibilidad para los escuchas; se dice alguna frase famosa de algún personaje, de un libro, etcétera.

Somos lo que hacemos día con día, de modo que la excelencia no es un acto, sino un hábito, dice un proverbio. Siembra un pensamiento y cosecha un hábito, siembra un hábito y cosecha un carácter, Aristóteles.

Justificación del tema: Los hábitos son factores poderosos en nuestras vidas, dado que son pautas de conductas coherentes, cotidianas, que expresan el carácter de la persona; por eso es importante reflexionar en ellos y conocerlos bien.

Enlace con el cuerpo del discurso: Esta tarde hablaremos de las características de una persona **proactiva**, que se adquieren con principios o hábitos que, a la larga, se convierten en las bases del carácter de esa persona.

- **Contar el hecho o la opinión.** Se cuenta algún hecho interesante para la audiencia, que sea relevante en el momento del mensaje, o bien, se dice la opinión de alguien en relación con el tema.

Esta mañana, en la avenida Constitución, murieron cuatro estudiantes. La causa fue el exceso de velocidad y de alcohol. Creo que en los últimos meses hemos visto cómo se han incrementado los accidentes automovilísticos por esta razón. Los padres de familia han externado su preocupación, así como las autoridades y los grupos de ayuda. Pensamos que estos hechos no deben ocurrir; es por eso que hoy...

- **Anécdotas reales, hipotéticas y humorísticas.** Se cuenta lo sucedido al comunicador en alguna circunstancia. Esta narración puede ser imaginaria (en forma de generalización) o también darle un matiz de humor o sátira.

Estaba un día en el salón de clases, donde recibía la clase de geografía, cuando el maestro nos dio la lista de todos los países, con sus capitales, tanto de América como de Asia. Nos dijo que teníamos cinco días para memorizar todo. Un amigo me comentó que él sabía cómo nos podríamos aprender todos los nombres rápidamente; entonces inventó una canción. Cuando llegó el día del examen a la semana siguiente, se nos hizo muy fácil responder todas las preguntas, porque recordamos la canción que mi amigo había inventado.

Justificación del tema: Éste es un ejemplo de un método de memorización que puede ayudar para el aprendizaje de datos o nombres.

Enlace con el cuerpo del discurso: La memoria funciona como un archivo, en tanto que las formas que conocemos de utilizar ese archivo para guardar información son lo que llamamos métodos de memorización.

- **Ilustración.** Se narra con detalle alguna historia relacionada con el tema. Se cuenta algún suceso, que puede ser real o inventado especialmente para el mensaje.

Hace muchos años vino a esta región un grupo de hombres valientes y emprendedores que decidieron fundar aquí su ciudad y luchar por sobrevivir ante las inclemencias del tiempo. Poco tiempo después esos hombres fueron despojados de sus tierras y emigraron a otras tierras no muy lejanas de aquí, en donde lograron hacer una gran ciudad. Ahí sí los acompañó la suerte y estuvo de su lado el espíritu creador.

Justificación del tema: Sí, me estoy refiriendo a la ciudad de Saltillo, cuna de hombres ilustres y capaces de luchar por su patria.

Enlace con el cuerpo del discurso: Por eso en esta ocasión quiero hablarles de dos hombres que dieron su vida por hacer crecer nuestra ciudad, por hacerla digna de los habitantes de hoy...

- **Combinaciones de métodos.** Se usan varios tipos de introducciones, pero tratando de que guarden estrecha relación entre sí y con el tema.

¿Cómo están, amigos? ¿Se han puesto a pensar en la gran cantidad de aves que nos rodean? ¿Conocen la variedad de pájaros que cada mañana cantan alrededor de nuestras casas? Seguramente no. Pues en esta ocasión en que estamos conmemorando los 10 años del Grupo Fauna y Flora, quiero hablarles un poco de las aves de México. Precisamente ayer, cuando me dirigía a casa, una señora me detuvo y me preguntó que si era yo el que salía en el programa "Cuidemos nuestro entorno", y cuando le contesté que sí, me hizo una pregunta: "¿Me podría decir cuántos tipos de aves tenemos aquí en nuestro país?". Y fue así como nació en mí la idea de investigar este hermoso tema.

Al elaborar una introducción debemos cuidar que tenga las tres partes principales que la constituyen: 1. *el llamado a la atención del público,* 2. *la justificación del tema y el establecimiento de credibilidad* y 3. *el enlace con el cuerpo del discurso o la unión con la primera idea principal.*

Asimismo, para lograr captar la atención del público y mantener su interés en el mensaje, podemos seguir algunas de las siguientes recomendaciones al elaborar las introducciones:

- *Dedicar tiempo suficiente para preparar y presentar la introducción.*
- *Iniciar con confianza y mantener la seguridad.*
- *Ofrecer información relevante.*
- *Tratar de mantener siempre la atención de los oyentes.*

La conclusión

La misión principal de la parte final, o conclusión, es fijar la atención del auditorio en el tema central y el propósito específico de la charla. Otra función es la de poner al auditorio en un estado de ánimo determinado (tranquilidad para reflexionar, entusiasmo para actuar, calidez para obtener simpatía, etcétera). Por último, diremos que una buena ***conclusión*** es la que produce la impresión de que el mensaje ha terminado completamente, pues los principales errores al concluir son:

1. Finalizar las ideas del discurso con una nueva idea que no se alcanza a desarrollar;
2. Cortar abruptamente, sin haber creado la impresión de terminar. El público advierte que ha concluido el discurso sólo porque el comunicador se ha callado.

Entre los tipos más empleados de conclusiones para cerrar un discurso que nos señalan Ehninger, Monroe y Gronbeck (1978:197) encontramos:

Recordatorio del objetivo
Tipo de discurso: Informativo

Todas las técnicas que he expuesto ante ustedes tuvieron como finalidad reconocer que el arte del pirograbado es muy nuestro y que consideren que los precios de venta de estas artesanías indican no sólo el valor material con que están hechos, sino también la delicadeza, el tiempo y el esfuerzo que invirtió la persona que las realizó.

Resumen de puntos o ideas
Tipo de discurso: Informativo

Entonces, para recordar el proceso de elaboración del mole, diremos que necesitamos obtener chiles de calidad, molerlos junto con todos los ingredientes mencionados, luego mezclar muy bien la pasta para después freírla; para darle consistencia le añadiremos caldo de pollo o de carne. Al servirlo, se adornará con hojas de lechuga, rodajas de cebolla y semillas de ajonjolí.

Intención personal de hacer algo
Tipo de discurso: Persuasivo

Todos podemos ayudar a limpiar la ciudad. Acude a pedir tu escoba y únete a la campaña Escoba Activa, en donde estaré personalmente para dirigir a todos los barredores estrellas. Te espero, coopera con nosotros.

Pregunta oportuna o de reflexión
Tipo de discurso: Persuasivo o de entretenimiento

Así fue que, después de muchos días perdido en el desierto, pude por fin encontrar a una persona que me salvó la vida. Y les digo: ¿vale la pena todo lo sufrido por un momento de emoción descontrolada?

Ilustración
Tipo de discurso: Persuasivo

Sea cual fuere la carrera, y sea cual fuere la tarea, merece que le dediquemos lo que en nosotros hay de mejor y más admirable. Recuerdo una historia de un niño que observaba cómo un escultor trabajaba un bloque de mármol. Día tras día el niño contemplaba el trabajo del escultor. Mirando atónito al escultor, le preguntó: ¿Pero cómo supo usted que había un león ahí adentro? Saber lo que tiene dentro cada uno de nosotros y aprovechar esa fuerza derivada de nuestro interior, llamada también *convicción*, es la clave del éxito de muchos hombres que han sabido esculpir su propia personalidad.

Recordatorio de la idea central
Tipo de discurso: Conjunto de todos

Pues así es como hemos llegado a descubrir las maravillas que guarda este hermoso museo de arte colonial español. Espero que el conocimiento que hayan adquirido y las imágenes que llevan en su mente hayan sido de su agrado.

Habiendo seleccionado la conclusión más adecuada para el mensaje, entonces la etapa de elaboración se completará con todas las partes que elaboramos:

1. La selección del tema.
2. Los propósitos.
3. La idea central.
4. La introducción con sus tres partes.
5. El cuerpo del mensaje, en un formato con sus ideas principales, ideas subordinadas y material de desarrollo verbal.
6. La conclusión.

Con la conclusión termina la ***elaboración*** del mensaje, faltando solamente seleccionar las ideas que necesitarán algún tipo de material visual como apoyo para la ***presentación***, etapa que estudiaremos en el siguiente apartado. A continuación veremos un modelo que muestra todas las partes que se fueron elaborando para completar la etapa de organización del mensaje, tratando de asegurar que la presentación resulte más exitosa.

Ejemplo

Estructura y organización de ideas

TEMA: Las innovaciones tecnológicas en la industria automotriz
PROPÓSITO GENERAL: Informar
PROPÓSITO ESPECÍFICO Y DECLARACIÓN DE LA IDEA CENTRAL: Que el público conozca la nueva tecnología automatizada de la industria automotriz, que ha hecho posibles grandes innovaciones en los sistemas de seguridad en el automóvil, para beneficio del conductor y sus acompañantes.

Introducción

Llamada de atención: Referencia al tema
Hoy todos manejamos un automóvil; sin embargo, muy poco o nada sabemos de la industria automotriz, de la nueva tecnología que utiliza y sobre todo de las innovaciones que se han hecho en los sistemas de seguridad.
Justificación del tema:
Pienso que debemos conocer un poco más de este tema, debido a que existe una gran demanda de vehículos y que, sin embargo, cada día hay más accidentes en los que muchas personas pierden la vida por falta de sistemas de seguridad.
Enlace con el cuerpo del discurso:
En la actualidad, cada industria está fabricando un promedio de 2,000 vehículos al día y precisamente las innovaciones tecnológicas en los sistemas de seguridad se han incrementado, trayendo beneficios para el automóvil, pero sobre todo para los usuarios.

Cuerpo o desarrollo de ideas

I. La industria automotriz utiliza en la fabricación de automóviles nueva tecnología, que ha traído grandes innovaciones en todas las áreas.

A. En el diseño, se han sustituido los cálculos manuales por cálculos automatizados ***(apoyos: descripción y ejemplos)***.

B. En la producción, la fabricación de partes se ha hecho más rápida y precisa ***(apoyos: explicación, casos y descripción)***.

C. En el ensamblado del motor y del chasis se están utilizando nuevas técnicas ***(apoyos: explicación, descripción y casos)***.

II. Las innovaciones más importantes en los automóviles se han dado en los sistemas de seguridad.

A. Se han implantado sistemas de seguridad en el exterior del automóvil para fortalecer las partes ***(apoyos: descripción, comparaciones)***.

B. Se han cambiado los sistemas de seguridad en los interiores, en el tablero, puertas y asientos ***(apoyos: descripción, clasificación y casos)***.

Conclusión

Resumen: Espero que con esta información hayan conocido algunas de las principales innovaciones en los componentes de seguridad de un automóvil, así como las ventajas que trae contar con la tecnología en la industria automotriz.

Fuentes de información:
Selección de Automotive Engineering, vol. 102, No. 6, pp. 13-15, Estados Unidos, junio de 1998.
Mingot Galiana, *Larousse de ciencias y técnicas*, Larousse, México, 1998:126-127.

La presentación

Una presentación efectiva requiere una buena preparación, organización del mensaje y elaboración de materiales verbales, pero también visuales. Gran parte del éxito de la comunicación depende de la forma como sean presentadas las ideas visualmente. Un buen material visual se considera *un medio que sirve de estímulo al sentido de la vista*.

• Los apoyos visuales

Los materiales visuales elaborados y empleados correctamente llegan a convertir a una persona en un comunicador eficiente, pues le brindan mayor interés a su mensaje o aumentan la atención del público; sin embargo, por muchas ventajas que tengamos al usarlos, no debemos verlos como recursos casi mágicos que producen efectos notables en el público. Un material visual debe ser siempre un ***auxiliar***; un ***apoyo*** mediante el cual se pueden reforzar las ideas, y no un medio para evitar o sustituir la palabra oral por imágenes, acetatos o videos destinados a llamar la atención de alguna forma, evitando parcialmente la interacción, esencia de la comunicación oral.

• Funciones de los apoyos visuales:

El uso de los apoyos visuales es variado; entre sus principales funciones están tres relacionadas con los propósitos del mensaje (Gronbeck, Ehninger y Monroe, 1978:242-243):

1. ***Reforzar el contenido del mensaje*** (finalidad informativa).
2. ***Causar un efecto en el público*** (finalidad persuasiva).
3. ***Provocar identificación con el público*** (finalidad social).

Otras funciones importantes son:

4. ***Comprimir el tiempo de exposición de ideas complejas o extensas.***
5. ***Recordar datos o información difícil.***
6. ***Provocar la participación del público.***
7. ***Desviar del comunicador la atención del público.***

Tipos de materiales visuales

Clasificaremos los diversos tipos de materiales visuales, con el propósito de seleccionar los más adecuados para el cumplimiento de nuestros objetivos de comunicación:

1. Los materiales proyectados, electrónicos y tecnológicos.
2. Los materiales con imágenes impresas.
3. Los materiales escritos.
4. Los materiales tridimensionales.

En la siguiente tabla veremos los diferentes tipos de materiales visuales que pertenecen a cada una de las categorías establecidas:

Proyecciones	Imágenes impresas	Escritos	Tridimensionales
Acetatos	Gráficas de línea	Texto	Objetos:
Diapositivas	Gráficas de barra	Documentos	– Modelos
Transparencias	Gráficas de pastel	Folletos	– Maquetas
Filmes	Folletos y carteles	Volantes	– Ejemplares
Videos	Diagramas		
Presentaciones en computadora	Esquemas		
	Dibujos		
	Fotografías		
	Pinturas		
	Collages		
	Símbolos		
	Signos		

Algunas reglas para la presentación de materiales visuales son (Gronbeck, Ehninger y Monroe, 1978:264-266):

1. Hacerlos visibles a todo el público.
2. Usarlos sólo cuando se necesite.
3. Hablar siempre a la gente y no al apoyo visual.
4. No exagerar (en número, tamaño, colores, signos, etcétera).
5. Pasarlos al público corriendo el riesgo de perder tiempo, atención, etcétera.
6. Utilizarlos correctamente, en el momento preciso y con precaución.
7. Practicar el manejo de los aparatos electrónicos o de proyección.
8. Considerar el tiempo dedicado a la utilización del apoyo como parte del discurso.
9. Organizar los equipos electrónicos, técnicos o mecánicos previamente a la presentación.

Criterios para seleccionar los materiales visuales

Un comunicador puede emplear diferentes tipos de materiales, pero debe tener cuidado de elegir los más adecuados para su presentación, lo cual hará atendiendo a cuatro criterios: 1. la propia personalidad; 2. el propósito del mensaje; 3. el potencial y los límites del mismo material visual, y 4. la naturaleza de la audiencia y de la ocasión (Gronbeck, Ehninger y Monroe, 1978:263).

Considerar los materiales de apoyo visual que sirvan para reforzar las ideas de nuestro discurso es el último proceso de la etapa de presentación. Posteriormente, durante el desarrollo de la presentación, será responsabilidad del comunicador utilizar en forma adecuada sus habilidades y conocimientos para comunicarse con sus receptores y lograr sus objetivos.

Como hemos visto hasta aquí, la comunicación estratégica implica estar consciente de todos los procesos y las etapas para crear una ***estructura*** sólida de ideas, que se reflejará posteriormente en la ***forma*** de hacer la presentación oral. El siguiente cuadro resume el proceso general que hemos seguido en este capítulo para elaborar la ***estrategia*** para cualquier situación en la que se requiera hablar de manera estructurada:

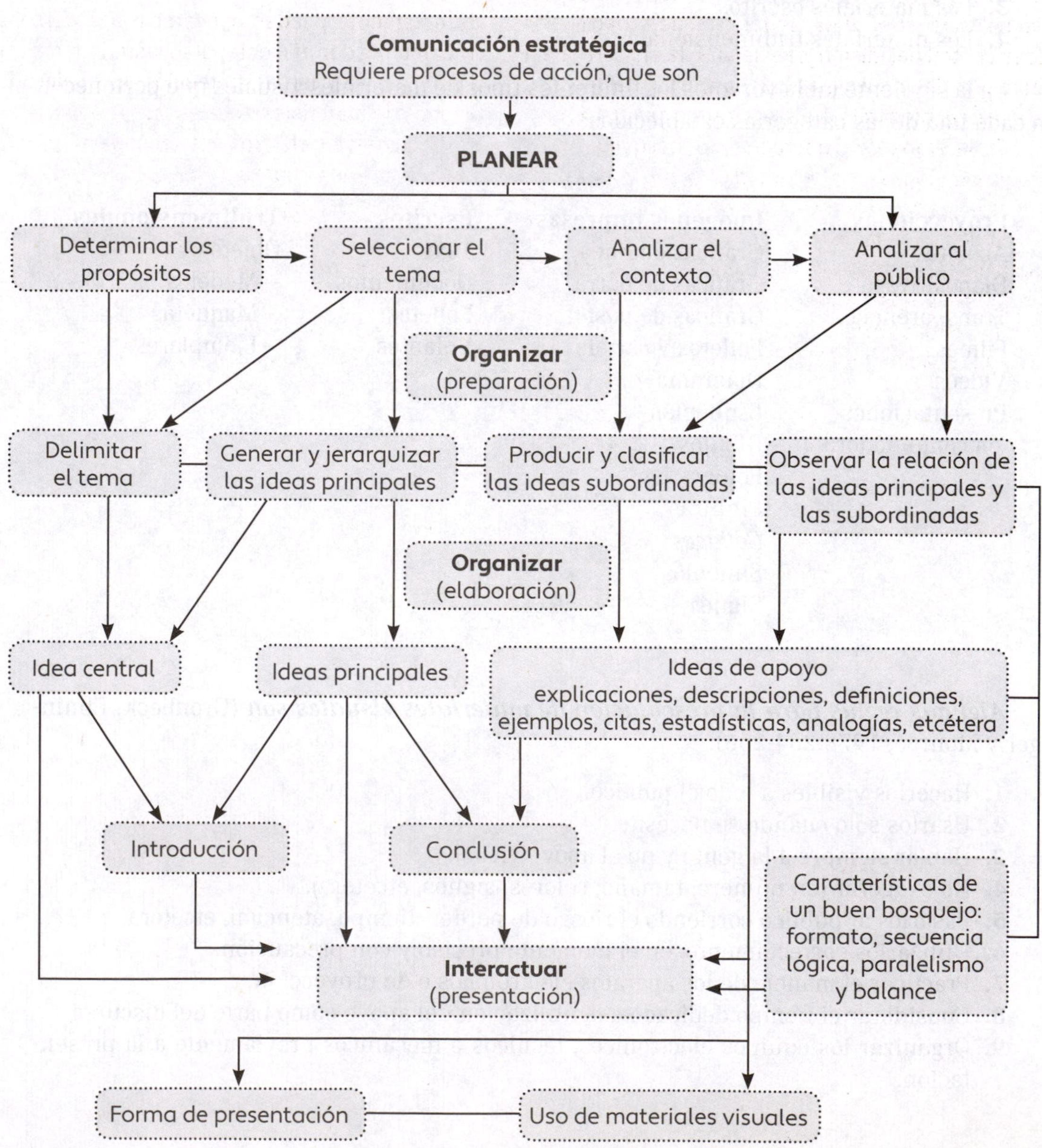

Resumen

El comunicador, luego de concluir la etapa de planeación, debe saber organizar las ideas con que desarrollará el tema seleccionado, así como elaborar las diferentes partes que componen todo el mensaje, desde el principio hasta el final, haciendo las adaptaciones necesarias al contenido del mensaje, de acuerdo con las características de los receptores.

Responder a la pregunta "¿Cómo voy a organizar mi mensaje?" es una de las tareas más operativas del proceso de comunicación, puesto que se tienen que realizar procesos simples y complejos de creación y organización.

La organización comienza con una preparación para ser creativos y generar un tema que sea del gusto y la preferencia del público receptor. Después de seleccionar el tema, se tendrá que especificar la idea central del mismo, que servirá de eje para la elaboración del mensaje. A la idea central del mensaje se unirá el propósito del emisor para comunicarse.

En la etapa de elaboración, se bosqueja un esquema de ideas para ordenarlas, visualizarlas y generar la introducción y la conclusión.

Ordenar las ideas en un esquema es importante para notar con claridad su secuencia; el formato que se dé a las ideas sirve para visualizar su jerarquía y también las divisiones y subdivisiones del tema. Esta ordenación de ideas, al elaborarse, debe guardar una coherencia y un equilibrio en la cantidad de información.

Una vez que se ordenaron las ideas, el siguiente paso es el desarrollo verbal de las mismas, a través de material de apoyo que es útil para ayudar a elaborar el mensaje y conformar lo que llamamos "cuerpo del discurso".

El principio y final de un discurso son partes que deben ser llamativas para los receptores, por lo que existe una diversidad de formas de lograr el propósito de lacomunicación. Los esquemas completos en donde se visualizan los discursos son importantes, pues allíse verán la organización parte por parte y la forma en que fue elaborada.

Los materiales visuales elaborados y empleados correctamente pueden convertir a una persona en un comunicador eficiente, al inyectarle más interés al mensaje y aumentar la atención del público. Entre los tipos de materiales visuales más usados están las proyecciones, los electrónicos y tecnológicos, los que tienen imágenes impresas, los escritos, los objetos, los modelos, las maquetas y los ejemplares.

Como se observa en este capítulo, la comunicación estratégica implica estar consciente de todos los procesos y las etapas que hay que seguir para crear una estructura sólida de ideas, así como una forma agradable y atractiva para el receptor.

140 caracteres

En no más de 140 caracteres, defina los siguientes conceptos.

- #Organización estratégica del mensaje
- #Idea central
- #Elaboración del mensaje
- #Estructura de ideas
- #Formato de ideas
- #Equilibrio de ideas
- #Introducción
- #Desarrollo

- #Conclusión

___

___

___

- #Apoyos visuales

___

___

___

Leer es un placer

Lea y analice el siguiente texto y responda las preguntas que aparecen al final.

PowerPoint, evítalo y mira a tu público

Megan Hustad (junio 14 de 2012)

http://www.cnnexpansion.com/mi-carrera/2012/06/13/como-evitar-el-abuso-del-powerpoint

Pocas piezas de software son tan conocidas y criticadas como PowerPoint. Microsoft no hace un seguimiento de las cifras de uso de PowerPoint, pero un portavoz confirmó que Office –el paquete de software que contiene el programa– es utilizado por 1,000 millones de personas en todo el mundo.

Pero no todos están felices por ello. En un artículo para el *New York Times*, la periodista Elisabeth Bumiller describió la consternación de líderes militares por la forma en que el programa se había infiltrado en el esfuerzo bélico en Afganistán.

"PowerPoint nos hace estúpidos", dijo el general James N. Mattis de la Infantería de Marina. Otros manifestaron su impresión de que PowerPoint sofocaba las discusiones, desalentaba las preguntas y generalmente transmitía menos análisis y menos persuasión que el mismo contenido transmitido vía oral. También absorbía horas-hombre. Según el *Times*, cuando Company Command preguntó al teniente Sam Nuxoll qué hacía la mayor parte del día, Nuxoll respondió: "Hacer diapositivas de PowerPoint". Y no estaba bromeando.

Algunos líderes empresariales están reaccionando a estas quejas tratando de restringir su uso. Están estipulando la eliminación total de las presentaciones o limitando el número de diapositivas permitidas. Es una buena idea, dice Warren Berger, experto en diseño y autor de *Glimmer*, pero quizás está fuera de lugar.

El problema no es PowerPoint, y ni siquiera cuánto tiempo se dedica a la preparación de las diapositivas, sino cómo se usa, dice Berger. Lo más difícil con cualquier presentación es mirar a tu audiencia directo a los ojos; y eso es precisamente lo que el software de presentaciones te permite evitar.

"La gente está usando PowerPoint como una manera de limitar su compromiso con el público. Independientemente de si se dan cuenta o no, lo están usando de esa manera", dijo Berger cuando hablé con él por teléfono.

De acuerdo con Terri Sjodin, orador y autor de "Small Message, Big Impact", la gente usa PowerPoint, porque "es la mejor muleta y la más aceptada socialmente". Nadie aspira a ofrecer una presentación aburrida que sea pesada en información y ligera en persuasión, señala. Pero la presión grupal y el miedo ancestral a hablar en público tienden a llevarse lo mejor de nosotros.

Esto apunta a una posibilidad interesante: que recurrimos a un software de presentación con la esperanza subconsciente de desviar el escrutinio y juicio de la audiencia desde nosotros a nuestras diapositivas.

"Quita los ojos de la gente de ti", dice Berger. "Así que, básicamente, puedes estar involucrado con tus diapositivas en lugar de dedicarte a la audiencia; del mismo modo que el público puede estar involucrado con las diapositivas en vez de contigo".

Por extraño que parezca, Richard Saul Wurman, fundador de la conferencia Tecnología, entretenimiento y diseño (TED, por sus siglas en inglés) –definitivamente una de las culpables de popularizar los discursos respaldados con PowerPoint– insistió en eliminar los podios para el orador, precisamente con el fin de intensificar la sensación incómoda de tener demasiada atención puesta sobre ti. Como él mismo dijo: "Quería que (el orador) se sintiera más vulnerable".

Por su parte, Peter Arvai, presidente ejecutivo de Prezi, un reciente desafío a la corona de PowerPoint, es muy franco acerca de la incapacidad del software de presentaciones para organizar argumentos mal estructurados. Es el trabajo de un desarrollador ampliar las opciones de un usuario de software. Pero la persuasión, enfatizó, es un problema social. Y "no es nuestro papel resolver los problemas sociales", dijo Arvai.

Arvai explica el éxito de Prezi –desde su lanzamiento en abril de 2009, ha registrado más de 10 millones de usuarios– señalando que las diapositivas de Prezi pueden ser organizadas no sólo una tras otra, sino por encima y por debajo de las otras, y el presentador puede subir o bajar, acercarlas y alejarlas.

Dejando las advertencias sobre la persuasión a un lado, "esto permite a la gente disfrutarlas más, entenderlas más a fondo y recordarlas mejor", dice Arvai. "Nuestros cerebros están diseñados para pensar espacialmente".

O, como Berger refuta, Prezi es "un PowerPoint con vértigo". Berger sugiere usar diapositivas cargadas de imágenes para un rápido alivio cómico, o visualizaciones de datos más elegantes que dejen en vergüenza los gráficos de barras SmartArt.

¿Viñetas? Evítalas. Las viñetas no cuentan historias, dice Sjodin. "Cada punto que aparece es como otro latigazo", dice Berger. También hacen que sea difícil distinguir entre los conflictos reales y los problemas simples, o cómo se relacionan los elementos en una lista. ¿Acaso una viñeta es la causa de la siguiente, o son fenómenos completamente ajenos? La mayoría de las diapositivas no lo deja claro.

Me inclino a pensar que lo que hace convincente a una presentación es precisamente el trabajo duro de hacer esas distinciones y, en esencia, decir a la audiencia: "Sí, creo que esto provoca esta otra cosa, y he aquí el por qué".

Por lo tanto, todo se reduce a las habilidades no tecnológicas. En una plática en la Escuela de Artes Tisch de la Universidad de Nueva York (NYU), los creadores de *South Park* y *The Book of Mormon*, Trey Park y Matt Stone, dieron un consejo a los estudiantes de guionismo sobre cómo asegurarse de no escatimar en el duro trabajo de crear conexiones.

Los productores hablaron acerca de dividir un pizarrón blanco grande en tres actos (principio - medio-final) y garabatear los puntos de la trama a través de él. Cada pedazo de acción en *South Park*, o lo que ellos llaman "latidos de la historia", son anotados.

Entonces, Parker dice en este video: "Podemos tomar estos latidos, que son básicamente los latidos de tu esquema, y si las palabras 'y luego' permanecen entre esos latidos, básicamente estás mal. Tienes algo bastante aburrido. Lo que debe ocurrir entre cada latido que has escrito son las palabras 'por lo tanto' o 'pero'. Para que no sea: Esto sucede y luego esto sucede. Y que, en cambio, sea: Esto sucede, por lo tanto esto sucede. O esto sucede, pero también esto sucede, por lo tanto, sucede algo más".

Es de notar que Parker dio este consejo sin diapositivas y sin un podio, mirando directamente a su público.

Preguntas

1. ¿Las personas entrevistadas están a favor o en contra del uso de PowerPoint? ¿Por qué?

2. ¿Por qué algunos líderes empresariales están a favor de restringir su uso?

3. ¿Qué significa la frase: "es la mejor muleta y la más aceptada socialmente"?

4. ¿Qué opinión tienen de Prezi, las personas entrevistadas?

5. ¿Cuál es la propuesta de "latidos de la historia"?

El supercódigo

Abra el siguiente código; lea y analice el texto: "Cien años de alivio" el cual aborda la historia de la aspirina; o consulte un texto similar.

Después identifique cada párrafo, según su contenido. Para ello, tome en cuenta la información del punto "Desarrollo verbal de las ideas" donde se explica cómo, a partir de la idea principal, se seleccionan ideas subordinadas que la apoyen.

Párrafos	Texto Tipo de estrategia utilizada en cada párrafo
Párrafo 1	
Párrafo 2	

(Continuación)

Párrafos	Texto Tipo de estrategia utilizada en cada párrafo
Párrafo 3	
Párrafo 4	
Párrafo 5	
Párrafo 6	
Párrafo 7	
Párrafo 8	
Párrafo 9	
Párrafo 10	
Párrafo 11	

Lo que sé (y lo que no)

Responda las siguientes preguntas, luego evalúe si sus respuestas son correctas.

Pregunta	Sí	No	¿Por qué?
1. ¿Es posible realizar un buen discurso saltándose alguno de los pasos de la organización estratégica?			
2. ¿La idea central se ve reflejada en las tres secciones de un texto: introducción, cuerpo y conclusión?			

3. ¿Todas las ideas dentro de un texto poseen el mismo valor?			
4. ¿La intención de cada párrafo va a determinar qué tipo de ellos se va a utilizar?			
5. ¿Se puede prescindir de los apoyos visuales?			
6. ¿Todas las ideas que se utilizan dentro de un texto poseen la misma estructura?			

Compare sus respuestas, con las que aparecen a continuación:

Respuestas: 1. No 2. Sí 3. No 4. Sí 5. No 6. No

Y a la final

Tomando en cuenta la siguiente tabla, redacte un texto académico (el tema es libre) seleccionando un tipo de introducción, tres tipos de párrafo de cuerpo y uno de conclusión. Cuando lo tenga listo preséntelo a sus compañeros.

Utilice como guía la siguiente tabla, en donde aparecen representados las diferentes estrategias para desarrollar las ideas en un texto.

Introducción	Cuerpo	Conclusión
Referencias al tema o problema Referencias a la ocasión o al evento Referencia personal Pregunta retórica Citas o testimonios Anécdotas Ilustración Combinación	Explicación Descripción Definición Analogía Ilustración Caso específico Testimonio Cita Estadística Repetición	Recordatorio del objetivo Resumen de puntos o ideas Intención personal Pregunta oportuna o de reflexión Ilustración Recordatorio de la idea central

(Continúa)

(Continuación)

Tome en cuenta la siguiente rúbrica, con la que será evaluado.

Criterio	Sobresaliente 5	Satisfactorio 3	No satisfactorio 1	TOTAL
Tipo de introducción	El tipo de introducción seleccionado se desarrolla con calidad y precisión.	El tipo de introducción seleccionado se desarrolla con calidad, aunque con algunas fallas en la precisión.	El tipo de introducción seleccionado se desarrolla con graves fallas en la precisión.	
Párrafos del cuerpo del texto	Los párrafos seleccionados para el cuerpo del trabajo se presentan con calidad y precisión. Y son acorde con el tema escogido.	Los párrafos seleccionados para el cuerpo del trabajo se presentan con calidad y precisión aunque con algunas fallas o no son acorde al tema escogido.	Los párrafos seleccionados para el cuerpo del trabajo se presentan con graves fallas en la calidad y precisión o no son acorde al tema escogido.	
Conclusión	El tipo de conclusión seleccionado se desarrolla con calidad y precisión.	El tipo de conclusión seleccionado se desarrolla con calidad aunque con algunas fallas en la precisión.	El tipo de conclusión seleccionado se desarrolla con graves fallas en la calidad	
Ortografía y gramática	NO se presentan errores ortográficos o de redacción.	Se presentan entre 1 y 4 errores ortográficos o de redacción.	Se presentan 5 o más errores ortográficos o de redacción.	

Para conocer más

Abra uno de los siguientes códigos, los cuales representan periódicos nacionales. Luego, identifique, en cualquiera de sus distintas secciones, las estrategias de desarrollo de ideas que aprendió en este capítulo.

Seleccione al menos 2 tipos de cada sección (introducción, cuerpo, conclusión). Páselas a su cuaderno y compártalas con los compañeros.

CAPÍTULO

7

Comunicación en público. Estrategia para informar

El hombre digno de ser escuchado es aquel que sólo se sirve de la palabra y del pensamiento para lo verdadero y lo virtuoso.

Fenelón

La comunicación en público

La comunicación en público se ha estudiado de muy distintas maneras. Para algunos es un arte práctico, una herramienta en las organizaciones para mejorar la productividad y un medio de control social; otros la han considerado como una de las bellas artes, puesto que la palabra embellecida brinda placer, estabilidad y visión interior a las experiencias humanas.

Sin duda, la comunicación en público se ha practicado en diversos estilos durante años, pero hoy se considera indispensable para el desarrollo de los sistemas, las instituciones y los países democráticos, ya que proporciona el ambiente adecuado para que la gente se exprese con libertad, hable de sus ideas y sus problemas y, en consecuencia, exista pluralidad de opiniones y se formen grupos que actúen para el logro de sus metas e ideales.

Al correr de la historia, la función de hablar ante público ha experimentado cambios. El filósofo griego Aristóteles (384-322 a.C.) vio el arte de hablar en público –la retórica– como un medio para persuadir, "considerando ilícito usar la palabra para fines inmorales, pues la retórica debía perfeccionar al hombre, no pervertirlo" (Fernández, 1991:14). Al igual que entonces, ahora la siguen practicando políticos y hombres de negocios: sin embargo, durante este siglo se han producido modificaciones en su forma, debido a que los oradores tienen que capacitarse para saber manejar la tecnología y los medios de comunicación, al igual que la palabra. En un mundo de comunicaciones instantáneas, en donde la persuación, la información, el entretenimiento y todo tipo de mensajes vienen y van por supercarreteras de información, así como donde la opinión pública se forma bajo la influencia de imágenes y diálogos a través de medios masivos, correos electrónicos y monitores de computadora o de televisión, resulta lógico que el discurso largo, pausado, con la imagen casi estática del orador, se perciba como cansado o aburrido.

Un político encontraba, años atrás, práctico y útil convencer a un auditorio mediante su discurso de dos horas, exaltar las virtudes de su partido y obtener el voto de los ciudadanos que se encontraban reunidos en un lugar. Hoy, prefiere poner una página en Internet o dar un mensaje de un minuto por televisión para llegar rápidamente a todas las regiones de un país o del mundo entero, lograr su objetivo en poco tiempo y ganar la credibilidad de la gente, quien conoce y atiende cada vez más a los candidatos que hacen sus propuestas a través de los medios de comunicación masiva.

Tradicionalmente, el estudio de la oratoria giraba en torno a la elocuencia de la palabra y al embellecimiento del lenguaje, cuya función primordial era convencer; en la actualidad, la comunicación oral en público, con sus diversas funciones, formas y efectos, destaca y señala, como antes, la ***interacción*** entre el orador y su auditorio; aunque ahora las nuevas tecnologías de la información proporcionan un marco diferente para estudiar y practicar la comunicación en público, ya que el orador habla con muchos públicos desconocidos o "invisibles", en forma asincrónica. Por eso el término ***orador***; "persona que ejerce el arte de la oratoria" (Fernández, 1991:16), fue sustituido por el de ***comunicador***; "persona que se comunica" en un contexto de intercambio que usa medios masivos de información, pero que sigue siendo interpersonal y, por lo tanto, afectivo y recíproco, en el cual los valores culturales y éticos juegan un papel muy importante en el ejercicio profesional.

En este marco, el discurso público tradicional evoluciona, cambia, se vuelve menos retórico ("arte de bien hablar o una ciencia de hablar con prudencia y adorno")[1] y adquiere un estilo de "conversación"; aunque, como se ha visto a lo largo de la historia, sigue impactando a diferentes tipos de auditorios, manifestándose en grandes salones de conferencias, influyendo en las mentalidades y motivando con elocuencia, por lo cual nunca dejará de ser vital en las culturas y sociedades, pues, como dice Ferrer en su libro *El lenguaje de la publicidad* (1994:39):

[1] Luis de Granada, citado en Alberto Vicente Fernández, *Arte de la persuasión oral,* Astrea, Buenos Aires, 1991.

Aunque McLuhan haya proclamado que la computadora promete estados de gracia, de comprensión y unidad universales, el lenguaje como articulación cultural del hombre permanece y sobrevivirá con el tiempo. El chip y el bit, palabras clave de la tecnología de la informática, representan nuevos instrumentos a su servicio para perfeccionar la comunicación. La palabra es un invento del hombre que las máquinas clasifican e incluso traducen, pero que no pueden sustituir. Menos en un mundo en que el nombre plural de las cosas es inseparable de la diversidad plural de las palabras. En la vasta geografía del progreso histórico abundan puntos referenciales como el Valle del Silicio. Ninguno podrá alterar –sí enriquecer– la Carta Magna de la Comunicación, suma humana de vecindades e identidades.

Proceso de comunicación en público

En el proceso de comunicación oral en público hay elementos que lo identifican y nos ayudan a entenderlo:

1. ***El comunicador*** plantea y envía el mensaje con el propósito específico de provocar una respuesta precisa en el público. Aunque la fuente (el comunicador) puede estar formada por dos personas o por un grupo, sigue conservando la característica común de hablar ante un conjunto de individuos o un público.
2. ***El mensaje*** es el elemento de mayor importancia y se le llama *discurso*, “pieza oratoria, más o menos extensa, compuesta de partes bien organizadas, dichas en lenguaje claro y hasta elegante, en la cual se desenvuelve un asunto o tema” (Salinas, 1961:8).
3. ***El discurso público*** siempre conserva un propósito específico; ha sido preparado por el comunicador y está fuertemente ligado a su personalidad. El impacto del mensaje depende de la impresión que cause la actuación del comunicador. Sin duda, el éxito de la comunicación en público se debe al ***comunicador*** y al ***mensaje*** en conjunto, pues son elementos prácticamente inseparables en la percepción del público cuando éste otorga su credibilidad.
4. ***El público*** es un grupo de personas con ciertas características que lo identifican como tal; por ejemplo, estudiantes, ciudadanos, amas de casa, comerciantes, votantes, consumidores, trabajadores, etcétera. Generalmente el público es desconocido para el comunicador, por lo cual éste tiene que investigar y hacer deducciones para saber cómo lograr una mejor recepción de su mensaje, ya que la retroalimentación es casi nula o está limitada a la comunicación no verbal. Si el auditorio aprueba el mensaje, es probable que ría o aplauda; si lo desaprueba, permanecerá en silencio, hará bullicio o abandonará la sala.
5. ***La retroalimentación*** es muy poca o casi nula para que el comunicador se entere de si el mensaje ha tenido el efecto planeado; se pueden hacer algunas inferencias al observar las reacciones del público (comunicación no verbal) durante la presentación o al escuchar las preguntas que surjan durante la exposición o al final.
6. ***La ocasión*** en la que se da es siempre específica y planeada. Casi nunca aparece espontáneamente. Puede ser informal, como es el caso de una clase en la escuela o una conferencia en un club de amigos; otras veces la ocasión llega a ser formal, como en la inauguración de un evento, en el nombramiento de algún cargo o en una graduación; pero, sin lugar a dudas, nunca hablamos en público sin haber motivo u ocasión para ello. El conocimiento de estas características principales nos lleva a entender el proceso y la estrategia que nos permitirá ser más efectivos en las presentaciones en público.

La presentación en público

En cada interacción con otros, el comunicador debe utilizar los recursos físicos, intelectuales y morales con los que cuenta, para ser versátil y manejar los diferentes medios de comunicación que se presenten de acuerdo con los contextos y las situaciones cambiantes. La manera en que el comunicador emplea su lenguaje, sus movimientos, su vestuario, su voz, sus apoyos visuales, etcétera, es lo que finalmente causa el efecto de aprobación o rechazo en el momento de la comunicación en público.

Formas de presentación

El comunicador puede presentar su discurso de varias maneras, según su forma de ser, la ocasión y el contexto: **1.** leído; **2.** memorizado; **3.** improvisado; **4.** extemporáneo (Vasile y Mintz, 1986:152-161).

1. ***Leído***. Se redacta en un documento y el comunicador lee el texto directamente. La habilidad de leer con eficacia resulta lo más importante en este tipo de discurso, pues se debe hacer la transición de la tonalidad vocal de *leer* a *conversar*, aunque, por mucha práctica que tenga el comunicador para este cambio, siempre perderá con la lectura del texto gran parte de la espontaneidad fundamental de la comunicación oral.
2. ***Memorizado***. Como su nombre lo dice, este discurso se redacta completo y luego se memoriza. Existen pocas personas que utilizan tal método con eficacia, ya que normalmente la memorización lleva al comunicador a dar un discurso "acartonado" y poco flexible, por no poder hacer cambios o modificaciones durante la presentación, dado que la concentración del comunicador está en cada palabra que va enunciando y no precisamente en la retroalimentación del público.
3. ***Improvisado***. Este discurso es pronunciado bajo la inspiración del momento; no se requiere preparación, ya que el orador confía plenamente en sus habilidades y en sus conocimientos sobre el tema. Puede resultar útil en una emergencia, aunque siempre causará gran desgaste mental al comunicador. Para evitar algún error se aconseja, siempre que sea posible, hacer un esquema de ideas y seguirlo.
4. ***Extemporáneo***. Se prepara y estructura en todos sus detalles. Se organizan los materiales y se redacta un bosquejo de la totalidad del discurso, pero el orador no confía sólo en la memoria, sino que practica el discurso en voz alta, siguiendo el plan trazado, pero expresándose con ligeras diferencias al pronunciarlo. Emplea el esquema para fijar las ideas en su mente siguiendo un orden determinado, lo cual contribuye a la exactitud, concisión y flexibilidad de expresión. Cuando no se sigue debidamente el esquema de ideas, se corre el riesgo de que parezca un discurso improvisado y de presentarse confusión entre estos dos tipos de discursos.

El estilo propio del comunicador para expresar su mensaje puede, en algunos casos, ser un obstáculo para la comunicación efectiva del tema; vea, por ejemplo, los siguientes tipos:[2]

- ***El creativo o imaginativo***: produce ideas que se apartan de la estructura planeada del tema; entonces el receptor puede interpretar erróneamente la idea central del mensaje o confundir la finalidad de la comunicación.
- ***El hablador***: genera muchas ideas (apoyos verbales) para desarrollar el tema; tantas, que satura de información al receptor e incluso llegará a distraerlo de la idea central del tema.
- ***El sintético***: comprime tanto la información para evitar la pérdida de tiempo que comunicará en forma incompleta las ideas o con falta de claridad, por la ausencia de apoyos verbales suficientes para desarrollarlas.

---

[2] Ezequiel Ander-Egg y María José Aguilar, *Técnicas de comunicación oral*, 1985:74-76.

- ***El repetitivo***: repite las mismas ideas tratando de hacer el tema más interesante o que se cumpla un tiempo en su totalidad; termina por dar muchas vueltas al mismo asunto, haciendo que el receptor no capte la idea central, obligándolo a reconstruir todas las ideas que escuchó como en un rompecabezas para entender el mensaje.

Credibilidad y nerviosismo

Se dice que todos tenemos la capacidad para comunicarnos ante un público, pero por alguna razón no todos queremos o logramos hacerlo; muchos no obtienen la eficacia deseada; otros se comunican sólo cuando es muy necesario y algunos más evitan totalmente enfrentar esa situación. Así que la primera reflexión que haremos sobre la comunicación estratégica para informar se refiere a la seguridad en nosotros mismos, en las habilidades con las que contamos para comunicarnos y en el prestigio que nos hemos ganado, o bien, en la credibilidad que lograremos de cualquier público, si nos esforzamos en ello.

La ***credibilidad*** se puede definir como *un sentimiento de confianza que otorgan los públicos al comunicador con base en sus percepciones y filtros de prejuicios.* De esta afirmación se desprenden varios principios que toda persona debe conocer, en su papel de comunicador, antes de enfrentar a un público.

Principios de credibilidad

1. ***La credibilidad de cualquier comunicador está sujeta a la percepción de la audiencia.*** La percepción selectiva de la audiencia es la que determina el éxito o fracaso del comunicador en su discurso. La audiencia otorga credibilidad –un sentimiento de confianza hacia el comunicador– con base en las cualidades de éste, que pueden ser muchas y muy variables; pero, sin duda, un factor de influencia notable en el público es el carácter honesto, sincero y auténtico que manifiesta al compartir su discurso. La credibilidad la otorga el público en la medida en que perciba virtudes en el comunicador y verdad en su discurso. El comunicador logrará establecer credibilidad en tres momentos distintos: antes, durante y después del discurso.
   - ***Antes del discurso***: la credibilidad se establece con las referencias que el público posee del comunicador, gracias a la información que recibe de otras personas que lo han escuchado y de medios de comunicación como el periódico, las revistas, la radio, la televisión, Internet, etcétera; pero también es posible que el público tenga impresiones del comunicador con base en los grupos formales e informales a los que pertenece (político, educativo, económico, empresarial, etcétera). Por ejemplo, si un individuo de la audiencia sabe que el comunicador es un reconocido jugador de futbol y otro sabe que pertenece a algún partido político, los dos esperarán algo distinto del comunicador de acuerdo con las impresiones que se hayan formado a causa de los grupos a los que pertenece el comunicador. El conocimiento previo también llega a estar basado en la apariencia física del comunicador y en su personalidad. El público ve, observa y emite ciertos juicios del comunicador por la forma en que está vestido, peinado, etcétera. Si en su apariencia la gente lo aprueba, seguramente le dará credibilidad durante la presentación. En caso contrario, la imagen o personalidad del comunicador, percibida antes del discurso, servirá para emitir juicios negativos y quitará deseos de oír el discurso.
   - ***Durante el discurso***: la credibilidad puede ser creada por la elección del tema, la manera de expresarlo y la identificación con el público por sus ideas y estímulos presentados. El dinamismo de la presentación está determinado por el estilo y la personalidad del comunicador, pero su *prestancia* es lo más relevante en la percepción del público, de aquí que el comunicador de éxito es aquel que demuestra ser un "modelo" que admiran sus oyentes.

- ***Después del discurso***: la credibilidad normalmente seguirá si se ha creado antes y durante el discurso. Si el comunicador logró la identificación con el público y fue percibido con cualidades suficientes para ser digno de credibilidad, habrá conseguido el éxito. De no ser así, deberá examinarse a sí mismo, a su mensaje y los elementos del contexto, que posiblemente funcionaron en esa ocasión como obstáculos o bloqueadores de la credibilidad y posiblemente también de la comunicación.

2. ***La credibilidad del comunicador está sujeta a los prejuicios y las actitudes que el público tenga hacia la ocasión, el mensaje en sí y, por supuesto, hacia el comunicador.*** Todos estos factores actúan de manera recíproca en el momento de la interacción. Es posible que un comunicador gane fácilmente mucha credibilidad en un público, y en otro, ninguna. Una preparación casi cuidadosa ayudará a los comunicadores a mejorar. Recordemos que la comunicación, al igual que la credibilidad, es dinámica y variable –no fija–; esta naturaleza cambiante es la que nos da la esperanza de lograr la eficacia deseada en otra ocasión o con otros públicos.
3. ***La credibilidad del comunicador también está sujeta al control de su tensión o nerviosismo en el momento de la presentación.*** Imaginemos que usted está conversando con varias personas antes de entrar en una conferencia. La conversación está animada y todos platican, cuentan chistes, se ríen, etcétera. Una de ellas, con la que conversaba momentos antes, ahora es quien tiene que pasar al estrado a dictar la conferencia. Comienza a hablar y parece otra, por la manera tan "acartonada", los movimientos calculados y fríos y la voz sin convicción ni sentimiento, casi una máquina que sólo repite palabras. ¿Qué hizo que cambiara quien minutos antes era todo animación y entusiasmo? Es muy probable que la respuesta sea: la tensión. El comunicador ha perdido su control, su autodominio. Responde de manera mecánica y quizá no le importe nada el efecto que consiga con su discurso; en esos momentos piensa sólo en terminar lo más pronto posible.

Tensión y nerviosismo

La tensión y el nerviosismo que se producen al hablar en público hacen que todos respondamos a este hecho con alguna manifestación física: el corazón late a un ritmo más acelerado, las palmas de las manos comienzan a sudar, la boca se seca y las rodillas tiemblan. A pesar de que el público parece no darse cuenta de ello, sí observa la conducta del orador cuando juega con la pluma, el lápiz, las notas o cualquier objeto que caiga en sus manos; si su cara se pone roja, comienza a sudar en exceso y su voz se hace temblorosa. A esta manifestación se le llama ***ansiedad situacional***,[3] debido a que se presenta sólo en situaciones importantes, de alto riesgo o de gran responsabilidad, en las que tenemos que hablar públicamente; la ansiedad desaparece al finalizar la situación que la había provocado.

La ansiedad es una sensación muy común entre quienes ejecutan alguna acción peligrosa o importante, y se considera completamente normal.

Algunos corredores de autos al comenzar una competencia se tornan violentos; algunas actrices de teatro, en noche de estreno, sienten que se paralizan o que no pueden recordar sus parlamentos; ciertos empresarios, en la noche anterior al día de la asamblea anual en la que rinden su informe, no logran conciliar el sueño, y otros llegan a despertar bañados en sudor. Las biografías y autobiografías de actores, pilotos, empresarios, líderes políticos, profesores, etcétera, están llenas de relatos de este tipo, pues

[3] Michael Hanna y James W. Gibson, *Public Speaking for Personal Success*, Library of Congress Catalog Card Number 88-0705d24, 1987:20-22.

nadie escapa a esa sensación de ansiedad, tensión o nerviosismo cuando tiene que hablar ante un público, por lo que se considera un fenómeno hasta cierto punto normal. Desafortunadamente no existe ningún método para resolver o eliminar el problema. Sin embargo, sí hay técnicas y recomendaciones para reducirlo o controlarlo:

- La primera recomendación es: ***reconozcamos que sentimos tensión, nerviosismo o ansiedad***, pues mucha gente considera la ansiedad como algo que debe esconderse. Si admitimos que somos nerviosos, que nos sentimos ansiosos e intentamos hablar de ello con otras personas, iremos mejorando y descubriremos que hay muchos que sienten como nosotros; aunque este descubrimiento no elimine la ansiedad, nos ayudará a controlarla.
- La segunda recomendación es: ***preparemos bien el discurso***; muchas personas dejan de preparar bien su mensaje debido a que se sienten ansiosas, pero luego estarán mucho más nerviosas porque no se prepararon. No caigamos en esa trampa; esforcémonos por prepararnos. Recordemos que si encontramos un buen tema y elaboramos materiales de calidad, nos sentiremos confiados y la ansiedad disminuirá. Planeemos hacerlo para un día determinado. Cuando encuentre una razón para retrasarlo, pregúntese si es legítima para evadir la situación, pues desatender o posponer su discurso hará que aumente cada vez más su ansiedad.

El discurso informativo

Para elaborar un discurso informativo debemos seguir los pasos fundamentales que aprendimos en el capítulo anterior, así como los procesos de ejecución analizados en cada una de las partes que conforman la estructura de la estrategia de comunicación, los cuales sintetizamos en los siguientes esquemas:

1. PLANEACIÓN
- Identificar propósitos
- Idear y seleccionar el tema
- Analizar la situación o el contexto social
- Analizar a los receptores

2. ORGANIZACIÓN
- Seleccionar y delimitar el tema
- Organizar las ideas
- Estructurar el mensaje, introducciones y conclusiones

3. ELABORACIÓN
- Generar materiales de apoyo verbales y visuales
- Seleccionar y elaborar introducciones y conclusiones

4. PRESENTACIÓN O INTERACCIÓN
- Aplicación de los conocimientos, las habilidades, las actitudes y los valores en las diversas formas de presentaciones interpersonales, en grupo y en público.

Si seguimos paso por paso cada uno de los procesos señalados, elaboraremos ordenadamente buenos discursos informativos como los modelos que a continuación veremos. En el ejemplo siguiente analizaremos la estructura de un discurso informativo. Veamos cómo se estructuran los detalles que se agrupan en ideas secundarias con su desarrollo verbal. El desarrollo de las ideas se ha omitido casi en su totalidad para visualizar con mayor exactitud la estructura.

Modelo

Estructura de un discurso informativo

Título____

Propósito general:__________________________________

Declaración del propósito específico del orador y la idea central del discurso:

____

____

____

____

____

____

____

Introducción

I. (Enunciado inicial y llamado de atención a la audiencia)
II. (Justificación e importancia del tema)
III. (Presentación de puntos importantes y breve entrada al tema)

Cuerpo o desarrollo del discurso

I. Presentación de la primera idea principal o información inicial del tema
- **A.** (Primera idea secundaria con material de apoyo verbal)
- **B.** (Segunda idea secundaria con material de apoyo verbal)
- **C.** (Tercera idea secundaria con material de apoyo verbal)

II. Presentación de la segunda idea principal o información central del tema
- **A.** (Primera idea secundaria con material de apoyo verbal)
- **B.** (Segunda idea secundaria con material de apoyo verbal)
- **C.** (Tercera idea secundaria con material de apoyo verbal)

III. Presentación de la tercera idea principal o información final del tema, etcétera...

Conclusión

I. (Enunciado del resumen de puntos o el recordatorio del objetivo)
II. (Recomendación final o cierre)

Fuentes de información o bibliografía

Apellido y nombre del autor, título del libro, editorial, lugar, año y número de páginas.

Tipos de discursos informativos

Un discurso informativo es *aquel que se presenta a un público con la idea de informarle sobre algún área del conocimiento, pero dejándolo en libertad de que sea él quien saque sus propias conclusiones o algún aprendizaje.*

La función principal de este tipo de discurso *es dar a conocer objetivamente todos los factores de un problema o del tema que motivó la comunicación, con la finalidad de establecer una visión clara al respecto*. El comunicador tiene que presentar información con ejemplos, datos, hechos, comparaciones, analogías, estadísticas, etcétera, que permitan enriquecer al auditorio con un conocimiento que antes no poseía (Ander-Egg, 1985:44).

Las habilidades de pensamiento ayudan a distinguir el tipo de información que generamos y comunicamos en un proceso lógico, que va desde que percibimos el entorno hasta que expresamos oralmente las ideas que hemos procesado. Rudolph F. Verderber (1999:415-419) señala cuatro formas que utilizamos para elaborar mensajes informativos:

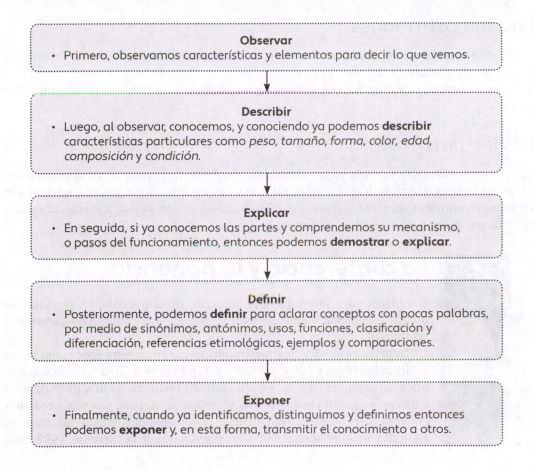

Observar

- Primero, observamos características y elementos para decir lo que vemos.

↓

Describir

- Luego, al observar, conocemos, y conociendo ya podemos **describir** características particulares como *peso, tamaño, forma, color, edad, composición* y *condición*.

↓

Explicar

- En seguida, si ya conocemos las partes y comprendemos su mecanismo, o pasos del funcionamiento, entonces podemos **demostrar** o **explicar**.

↓

Definir

- Posteriormente, podemos **definir** para aclarar conceptos con pocas palabras, por medio de sinónimos, antónimos, usos, funciones, clasificación y diferenciación, referencias etimológicas, ejemplos y comparaciones.

↓

Exponer

- Finalmente, cuando ya identificamos, distinguimos y definimos entonces podemos **exponer** y, en esta forma, transmitir el conocimiento a otros.

Otros métodos para informar

Aunque los discursos informativos adoptan muchas variantes, en general existen cuatro métodos cuyo propósito específico es comunicar conocimientos: 1. **informes**; 2. **instrucciones**; 3. **demostraciones**, y 4. **lecturas**.

Los informes

Son el recurso de que se valen con frecuencia científicos, investigadores, comisionados especiales y administradores. Los expertos dedicados a una investigación determinada informan sobre sus hallazgos; las comisiones llevan a cabo encuestas y presentan informes de los resultados a la organización de la que forman parte; académicos, políticos, ejecutivos y hombres de negocios asisten a congresos, convenciones y asambleas en donde se presenta la información que otros o ellos mismos han logrado reunir.

Las instrucciones

Van encaminadas a dirigir los esfuerzos de un grupo determinado para alcanzar una meta y un objetivo. Las instrucciones juegan un papel muy importante para la difusión del conocimiento. Un profesor instruye a los estudiantes sobre cómo hacer determinada tarea; un jefe da instrucciones sobre procedimientos a sus empleados; un supervisor, a sus operarios, etcétera. Estas instrucciones, aunque en general se expongan oralmente, en muchos casos van acompañadas de textos (manuales, folletos o instructivos) como complemento de lo expresado oralmente.

Las demostraciones

Se refieren a eventos comunicativos en donde se demuestra el funcionamiento de una máquina, de una cámara, la elaboración de algún platillo, etcétera. Es la modalidad informativa a la que recurre el orador cuando la palabra es insuficiente y se necesita demostrar algún proceso.

Las lecturas

Son complementos que se usan en las exposiciones informativas para llevar al público textos profesionales que apoyen el discurso oral, como sucede en seminarios, radio, televisión, reuniones políticas y de clubes, entre otros. Las lecturas llevan al público conocimiento y apreciación de un hecho o suceso en particular.

La conferencia y la ponencia

Los discursos o mensajes que entregan un conocimiento, producto de una investigación o búsqueda de información, se llaman ***conferencia*** y ***ponencia***.

La primera es una disertación muy usual en nuestra época, con la que se difunden ideas y conocimientos, sobre todo en el área científico-académica. La segunda es una tesis (o también resumen de una investigación o un conocimiento) que se presenta ante un congreso, una mesa redonda, etcétera, para llegar a conclusiones y recomendaciones, realizando un análisis y una deliberación previos (Fernández de la Torrente, 1992:103).

La conferencia

Aunque pertenece a la oratoria académica, la conferencia queda también comprendida dentro de la comunicación individual en público. La conferencia tiene la misma estructura que los modelos anteriores: ***una introducción***, ***un cuerpo del discurso*** y ***una conclusión***. Sin embargo, el cuerpo de la conferencia se divide en dos partes, para cumplir mejor su objetivo informativo, quedando estructurada en la siguiente forma.

Estructura de la conferencia

1. Introducción
2. Proposición
3. Confirmación
4. Conclusión

1. ***La introducción.*** Debe ser aprovechada por el comunicador para presentarse. (Si no es conocido, debe hacer una breve referencia a su persona, puesto, área de trabajo o investigación, etcétera). También sirve para elaborar una llamada de atención que realmente despierte el interés del público hacia el tema o asunto que se va a tratar, el cual regularmente se hace explícito en la idea central del discurso que tendrá que exponerse al final de la introducción, como una breve entrada al tema, o bien, al comenzar la primera idea principal.
2. ***La proposición.*** Aunque el tema o asunto se anunció previamente, el conferenciante aprovecha esta parte para hacer una exposición más amplia del asunto o tema, lo precisa con más detalle e informa de sus diversas partes y puntos más importantes.
3. ***La confirmación.*** Aquí el conferenciante debe hacer varias cosas: analizar el tema o asunto que expone; apoyar sus ideas; señalar las opiniones encontradas como adversas o equivocadas; dejar claramente asentada su propia manera de pensar y sus conclusiones, y promover la inquietud intelectual y emocional del público. En esta parte es donde el comunicador desarrolla todas sus habilidades y técnicas como comunicador para demostrar su conocimiento, convicción y entusiasmo por su tema, para avalar precisamente el saber que entrega al público.
4. ***La conclusión.*** Como parte final de la conferencia, la conclusión debe ser aprovechada por el comunicador para hacer una síntesis del conocimiento expuesto y ofrecer un final lógico, como consecuencia del propio mensaje, no un parche o añadido. El resumen de contenido es el tipo de conclusión más utilizado en el discurso informativo, puesto que el conferenciante deja en la mente del público un extracto del conocimiento, libre de las palabras introductorias y de apoyos de ideas. Esto lo aprovecha el público, el cual en esta forma observa más claramente las ideas que fueron expuestas y el conocimiento que esperaba; puede también recapitular sobre todo lo expuesto en la conferencia y así prepararse para formular preguntas.

Modelo

Estructura y elaboración de una conferencia

Tema: Los sismos

Título de la conferencia: **Sismos: sus orígenes y causas**

Propósito general: **Informar**

Declaración del propósito específico del orador y la idea central del discurso:

Exponer información sobre los sismos de falla para que el público conozca las teorías más aceptadas sobre la formación de los terremotos, así como la explicación que dan los expertos sobre los fenómenos que los producen.

Introducción

Llamada de atención al público: *Saludo de presentación e ilustración.*
Buenas tardes. Soy capitalino, vivo en la Ciudad de México desde que nací y, seguramente como a muchos de ustedes, me ha tocado presenciar un fenómeno natural al que casi todos tememos: los terremotos. Todavía recuerdo el que sufrimos en 1985, que provocó grandes desgracias y destrozos. Este terremoto fue de 5 grados en la escala de Richter en las zonas duras y alejadas del Distrito Federal, mientras que en las partes blandas, como el centro de la ciudad, alcanzó los 9 grados. En esa ocasión, a todos los habitantes de la Ciudad de México “se nos cayó el mundo”.

Mucha gente murió y muchos otros pensamos que íbamos a morir; la ciudad se oscureció con tanto polvo y yeso, se desprendieron árboles y se derrumbaron edificios, y al final miles de construcciones quedaron destruidas, así como las personas que perdieron a sus seres queridos.

Justificación del tema

A. Un terremoto también se denomina "sismo"; desde tiempos muy remotos se guarda memoria de un gran número de sismos destructivos; sin embargo, la ciencia que se dedica a su estudio sistemático, llamada sismología, es bastante reciente. Por medio de la sismología hoy podemos conocer un poco más de estos fenómenos naturales para predecirlos y estar preparados cuando uno de ellos llegue a ocurrir.

Enlace con el cuerpo del discurso

B. Los sismos, como hemos visto, en ocasiones son causantes de catástrofes devastadoras para el ser humano y para el medio ambiente, dependiendo de su tipo e intensidad.

Cuerpo o desarrollo del discurso

Proposición

Pero ¿qué hace que se formen estos fenómenos tan temibles? ¿Qué elementos intervienen en su formación? ¿Cuáles son las causas que los producen? ¿Las podemos llegar a conocer? Estas preguntas se las ha hecho el hombre de todos los tiempos, y por la dificultad de su respuesta ha buscado múltiples formas de responderlas y justificarlas.

Presentación de la primera idea principal

I. En la Antigüedad y hasta la Edad Media, a los sismos, así como a todos aquellos fenómenos cuyas causas eran desconocidas por el hombre, se les dio una explicación mítica.

Primer apoyo verbal: *casos específicos*

A. Los japoneses creían que en el centro de la Tierra vivía un enorme bagre (pez gato) que causaba los sismos cada vez que se sacudía. En Siberia, los hombres atribuían los terremotos al paso de un dios cuyo trineo se desplazaba rápidamente por debajo de la tierra. Los maoríes creían que un dios, enterrado accidentalmente por su madre, gruñía enojado, causando los terremotos.

Segundo apoyo verbal: *ilustración*

B. Los filósofos de la antigua Grecia fueron los primeros en asignar causas naturales a los sismos, pero en la Edad Media estas explicaciones físicas fueron percibidas como herejías, por lo cual se prohibieron las discusiones en este sentido, afirmando que la única causa posible de que ocurrieran los terremotos era la cólera divina. Fue en el siglo XVII cuando se retomaron las teorías acerca de causas naturales, hasta que H. Reid hizo un estudio con el cual elaboró un primer modelo mecánico de la fuente sísmica.

Confirmación

Presentación de la segunda idea principal

II. El modelo heurístico dice, en términos muy generales, que los sismos ocurren cuando la roca no soporta los esfuerzos a los que está sometida y se rompe súbitamente, liberando energía elástica en forma de ondas sísmicas.

Primer apoyo verbal: *definición (etimológica).*

A. La palabra sismo viene del griego *seiem*, que significa "mover"; para comprender cómo se da este movimiento, debemos explicar ciertos conceptos.

***Segundo apoyo verbal:** explicación*

B. Cuando aplicamos una fuerza a un cuerpo en reposo, cada punto de éste cambia de lugar con respecto a donde se encontraba, es decir, se desplaza completamente; pero hay ocasiones en que cada punto de dicho cuerpo se desplaza en distinta dirección, es decir, unos puntos se mueven para una parte y otros para otra: a esto se le llama ***deformación***.

Cuando dejamos de aplicar la fuerza a ese cuerpo deformado, puede ser que éste recupere su forma original, porque sea elástico, o que éste no vuelva a recuperar su forma, por ser plástico. Un cuerpo elástico tiene la capacidad de almacenar energía hasta cierto punto. Un cuerpo sin elasticidad no posee la capacidad de almacenar la energía. Por lo tanto, para definir la fuerza aplicada a una roca, no nos referimos sólo al tamaño de la fuerza aplicada a ésta, sino también a su dirección de aplicación. Cuando las fuerzas que actúan sobre una roca se incrementan, ésta llega a comportarse plásticamente o deformarse, o bien, si las fuerzas aplicadas son tan grandes que la roca no logra soportarlas, se deforman elásticamente hasta el punto de falla, es decir, cuando se rompe de súbito.

***Tercer apoyo verbal:** ejemplo y explicación*

Para explicar cómo la falla del terreno puede ser la causa de un terremoto, citaremos el caso de San Francisco, Estados Unidos, donde se propuso el modelo del rebote elástico, el cual ilustramos aquí...

** Utilización de apoyo visual que muestra un pedazo de terreno antes de ser deformado por las fuerzas de un terremoto.*

La siguiente figura muestra cómo la línea de la carretera se deforma cuando lo hace el terreno. La línea inferior representa una nueva carretera construida sobre el terreno deformado. Finalmente, cuando el terreno ya no soporta los esfuerzos, se rompe a lo largo de un plano representado en esta figura...

**Utilización de un apoyo visual que muestra el llamado "plano de falla".*

La carretera antigua entonces recobra su forma recta, pero con una discontinuidad sobre el plano de falla, mientras que la carretera nueva ha quedado deformada en la cercanía de dicho plano.

Conclusión

Resumen del contenido

Existen varios tipos de fallas, pero el principio de todos ellos es el mismo. En otras palabras, el sismo es provocado por una falla de liberación de energía plástica almacenada mientras el terreno se deforma, hasta que se llega a su ruptura.

Síntesis del conocimiento

Resumiendo, cuando un terreno se ***deforma***, almacena energía que es liberada cuando se llega al límite del esfuerzo soportable por dicho terreno y éste se rompe, liberando la energía en forma de ondas sísmicas.

Como hemos visto, un terremoto no tiene nada de mágico ni de divino, sino que es originado por diversas perturbaciones en el interior de la Tierra; para entender esas perturbaciones hay que desarrollar más conocimiento que nos ayude a predecirlas y controlarlas, para evitar las catástrofes que tanto nos duelen.

Fuentes de información o bibliografía

Enciclopedia Hispánica, *Terremotos*, Enciclopedia Británica, vol. 14, México, 1990:12-13.
Nava, Alejandro, *Terremotos*, La ciencia, vol. 34, México, 1997:11-31.

La ponencia

Aunque no se considera exclusiva de los ambientes científico y académico, la ponencia, al igual que la conferencia, debe aceptarse, ante todo, como un discurso que promueve o favorece el conocimiento. Además, como refuerzo a esta consideración, hay que recordar que la ponencia se presenta ante un público que concurre a congresos específicamente para adquirir conocimientos, expresando muchas veces sus opiniones de acuerdo con su saber, en un ambiente deliberativo, para llegar a recomendaciones, conclusiones y resultados aprovechables.

Las diferencias que encontramos entre la conferencia y la ponencia son las siguientes: mientras que la conferencia es un conocimiento que se imparte y está sujeta a preguntas y explicaciones para ampliar la información, que puede o no satisfacer al público, la ponencia es una propuesta a modo de tesis, sobre un tema concreto, que se somete a la examinación y resolución de una asamblea, generalmente un congreso o una mesa redonda.

La estructura de una ponencia comprende cinco partes: **1.** ***antecedentes***; **2.** ***proposición***; **3.** ***confirmación***; **4.** ***recomendaciones***, y **5.** ***conclusiones***.

1. ***Antecedentes.*** El ponente o sustentante de la tesis –la cual no necesariamente es original en todo, pero sí debe fundamentar, mantener y defender sus ideas con datos y razones– aprovecha esta parte para hacer una síntesis o recapitulación sobre todo cuando se ha dicho, hecho, investigado, estudiado, etcétera, sobre el particular. El ponente se apoya en esta parte para introducirse en su proposición, pero debe hacerlo en forma sensible, con secuencia lógica, bien concatenada y evitando un salto brusco, aunque las partes se separen por el nombre.
2. ***Proposición.*** En esta parte el sustentante establece claramente su proposición, dejando ver los beneficios que aportan los conceptos con que prepara al público para la comprensión de ideas y razones que habrá de exponer a continuación.
3. ***Confirmación.*** Ésta es la parte medular del trabajo, pues aquí el ponente, como el conferenciante, analiza su tesis, la afirma, la defiende, introduce las opiniones adversas y equivocadas, y las rebate con argumentos, razones y ejemplos, si es posible. Defiende su proposición con adecuados y sólidos apoyos verbales, que deben ser expuestos con claridad, fuerza y entusiasmo, dando primacía a las ideas principales que han de reforzarse con ideas de menos fuerza demostrativa o con elementos visuales.
4. ***Recomendaciones.*** Como consecuencia lógica de sus ideas y del ritmo emocional con que se ha entregado a la confirmación, el ponente recomienda lo que considera pertinente para consolidar su propuesta y para inclinar a su favor la opinión última de quienes han de participar en la aprobación, la aceptación o el rechazo de su ponencia.
5. ***Conclusiones.*** El ponente se apoya en las recomendaciones que considera relevantes para el público, para concluir generalmente con ideas semejantes a las que ha seleccionado para titular su ponencia.

Lectura de ponencias. Este trabajo puede ser leído, si el ponente así lo prefiere. La lectura debe hacerse con claridad, estableciendo contacto visual frecuentemente con los participantes, usando gráficos, diapositivas, acetatos, cartulinas, etcétera, si son necesarios para complementar las ideas expuestas.

Algunos consejos para realizar una buena ponencia. Al finalizar la ponencia, es usual que el ponente enfrente preguntas o críticas, producto del análisis de un público especializado, preparado y profundamente interesado en la tesis propuesta. De ahí que, además de demostrar tener los conocimientos suficientes, el ponente debe tener en mente ideas, razones y ejemplos adicionales, así como prontas explicaciones para solventar con dignidad su categoría de auténtico ponente, y no dejar la imagen de ser un improvisado que aprovecha la ocasión sólo para incrementar su currículum o ganar prestigio.

Hay ciertas cualidades indispensables que el comunicador debe reunir para exponer una conferencia, una ponencia y todo tipo de discurso informativo con efectividad; éstas son:

1. Tener conocimiento profundo del tema; **2.** ser claro; **3.** ser concreto; **4.** ser coherente y **5.** tener convicción. De aquí la fórmula de ***las cinco c*** para el éxito del discurso informativo: ***conocimiento***, ***claridad***, ***concreción***, ***coherencia*** y ***convicción.***

Cualidades del comunicador para informar:	***Fórmula del éxito para el discurso informativo: las cinco c***
Tener conocimiento profundo	*CONOCIMIENTO*
Ser claro	*CLARIDAD*
Ser concreto	*CONCRECIÓN*
Ser coherente	*COHERENCIA*
Tener convicción en sus ideas	*CONVICCIÓN*

1. ***Conocimiento profundo del tema*** se refiere a la responsabilidad que tiene el comunicador de conocer profundamente su tema y dominarlo. Por lo general, las personas que asisten a una conferencia van con la expectativa de encontrar un conocimiento, una enseñanza que desean asimilar en un tiempo mínimo y casi sin esfuerzo. Si el comunicador no domina el tema, puede caer en el ridículo ante preguntas difíciles o las opiniones que le expresen.
2. ***Claridad*** significa que debe haber pensamiento diáfano, conceptos bien digeridos, exposición limpia; es decir, con sintaxis correcta y vocabulario al alcance de las mayorías. Ser claro consiste en saber utilizar el lenguaje sencillo, natural, el que entienda el público que nos escucha. El vocabulario tiene que ser preciso para indicar la significación exacta de lo que queremos expresar. La construcción de las frases debe responder a un orden lógico y las palabras no tienen que ser rebuscadas. Un comunicador es claro cuando su pensamiento penetra sin esfuerzo en la mente del público receptor.
3. ***Concreción*** es la cualidad de saber emplear las palabras que sean absolutamente precisas para expresar lo que queremos. ***El discurso concreto es aquel en el que cada línea, cada palabra o cada frase, está llena de sentido***, a diferencia del estilo del comunicador vago, impreciso, lleno de palabras vacías o pleno de *retórica*. La concreción es cuestión de trabajo y práctica. Es preciso limpiar el estilo, quitarle la paja, clarificarlo y endurecerlo, afianzarlo, hasta que se hayan tirado todos los sobrantes. Como afirmaba Albalat: *Lo que es preciso evitar es lo superfluo, la verborrea, el añadido de ideas secundarias que no añaden nada a la idea matriz, sino que más bien la debilitan* (citado en Vivaldi, 1980:260).
4. ***La coherencia*** se deriva del enlace correcto de todas las palabras que expresamos. Al hablar nos referimos a un sujeto; usamos verbos para denotar acciones y agregamos complementos para completar lo que decimos de ese sujeto. Es muy común que al comunicar nuestras ideas construyamos frases incoherentes, sobre todo cuando tenemos varios sujetos o complementos. ***El comunicador coherente está consciente de la ilación de las ideas para asegurar la coherencia del significado***, ya que la falta de coherencia trae como resultado inmediato la falta de claridad.

5. ***La convicción de ideas*** en una conferencia o ponencia no es leer o hablar tras la cubierta del atril, no es repetir datos y llenar al público de palabras frías sacadas de hojas y hojas con minucias sin contenido.

El expositor puede tener al frente su conferencia y leerla, pero debe hacerlo hacia el público, estableciendo contacto visual con él frecuentemente, reforzando su lectura con movimientos y ademanes adecuados, así como con una voz que denote entusiasmo y viveza, que destaque las pausas y los ritmos propios de la conversación y no de la lectura. Cuando deba exponer datos, podrá recurrir a cartulinas, acetatos o gráficas, pero con los señalamientos adecuados, para que su postura, al pararse, sentarse, moverse, caminar lentamente, etcétera, tenga significado, de tal manera que el público quede convencido de su experiencia como conferenciante o ponente.

Cuando pronunciemos un discurso informativo debemos tener siempre presentes estas cinco cualidades, así como desarrollar los medios dirigidos a conseguirlas mediante la práctica y exposición constante ante diversos públicos.

Resumen

En toda sociedad, el discurso público es importante para la expresión libre de los individuos y para la democracia. La comunicación pública se ha estudiado a lo largo de la historia y ha experimentado pocos cambios en cuanto a los elementos que participan en el proceso comunicador-mensaje-público. Pero en cuanto a su dinámica, sí ha sufrido transformaciones debido al impacto de las nuevas tecnologías de comunicación y la informática. En la actualidad, el término orador se cambió por el de comunicador, dado el contexto de intercomunicación y la diversidad de medios de comunicación utilizados para llegar hasta diferentes públicos.

Las características que distinguen este proceso se centran en la importancia de los tres elementos que interactúan: el comunicador, el mensaje y el público, destacando la importancia del conjunto comunicador-mensaje para la credibilidad que otorga la audiencia. El hecho de que ésta acepte o no el mensaje depende de la percepción que tenga del mensaje y del comunicador antes, durante y después de la presentación.

Los tipos de discursos públicos se pueden clasificar en tres categorías principales, de acuerdo con el propósito que se tenga para comunicarse: informar, persuadir y entretener, de los cuales se derivan tipos de discursos con propósitos más específicos para cada situación o según las intenciones del comunicador.

Entre los tipos de discursos informativos destaca la conferencia, que sirve para transmitir conocimientos, experiencias, investigaciones, etcétera, a públicos interesados. Al preparar una conferencia, el orador debe encontrar una base común con las actitudes, los valores, las creencias y las metas de la audiencia. Cuando las actitudes del orador difieren de las de la audiencia, tiene que intentar reducirlas al mínimo para lograr credibilidad de su parte. Es necesario elegir un tema que resulte interesante, tanto para el orador como para la audiencia. Una vez que se ha hecho la elección del tema, el orador debe buscar la información en su propia experiencia, en la comunidad y en las bibliotecas.

Cuando prepara la conferencia, el orador debe considerar la estructura, que consiste en una introducción, una proposición o una tesis, la confirmación y una conclusión. Tiene que elegir el lenguaje que empleará para que sea una expresión clara, concreta, coherente, con conocimiento y convicción. Una vez terminada la conferencia, el orador puede aprender recibiendo preguntas y aceptando críticas de expertos en el tema. Cuanto más se capacite el comunicador para desarrollar sus habilidades, y más aprenda de sus propios errores y aciertos, mayores serán las posibilidades de que su próxima conferencia constituya un éxito.

140 caracteres

En no más de 140 caracteres, defina los siguientes conceptos.

- #Presentación en público

____

____

____

- #Formas de presentación

____

____

____

- #Estilo del comunicador

____

____

____

- #Credibilidad

____

____

____

- #Discurso informativo

____

____

____

- #Informes

____

____

____

- #Conferencia

____

____

____

- #Ponencia

____

____

____

- #Instrucciones

____

____

____

- #Demostraciones

____

____

____

Leer es un placer

Lea y analice el siguiente texto y responda las preguntas que aparecen al final.

Informar y comunicar son dos cosas distintas

Luis Hidalgo (noviembre 26 de 2009)

http://cultura.elpais.com/cultura/2009/11/26/actualidad/1259190004_850215.html

La revista musical *Rockdelux* alcanza sus 25 años de historia en una situación de profundos cambios en el mundo de la comunicación. La irrupción de las nuevas tecnologías ha variado la fisonomía de la música y de la información a ella ligada, y en este contexto *Rockdelux* reivindica un papel "que está más ligado a la información contrastada y argumentada que a la mera comunicación de hechos informativos o novedosos", asegura Santi Carrillo, director editorial de la publicación.

Las descargas gratuitas y los nuevos modos de consumo musical dados por plataformas como *Spotify* son otros elementos con los que ha de lidiar, la que pasa por ser la más exquisita revista musical de las publicadas en Europa relacionada con el mundo del rock. ¿Qué puede ofrecer *Rockdelux* ahora que todo el mundo puede tener un punto de vista propio tras escuchar la música al mismo tiempo que el periodista especializado?, cabría preguntarse. Santi responde: "en Internet hay muchas fuentes pero no se sabe si están contrastadas o a qué intereses responden. Se ha perdido lo que podríamos llamar un espíritu científico, una forma de trabajar más cultivada, elaborada y contrastada. Lo que intentamos preservar es ese espíritu y garantizar una buena información fundamentada en la experiencia, criterio e intuición que nos hace apostar por determinados temas o artistas. Nos hemos de adaptar a los nuevos tiempos pero sin perder nuestra identidad".

Precisamente la proliferación de puntos de vista, la horizontalidad con la que discurre la información hoy en día "hace aún más necesario alguien que filtre lo que se encuentra en la red, esas informaciones sobre cuyo trasfondo se ignora todo", asegura Carrillo. A esta situación novedosa y cambiante se ha de sumar el paulatino alejamiento de la lectura en general de los más jóvenes, lo que añade una dificultad más a la revista "en efecto, la porción del pastel mercantil se reduce porque las nuevas generaciones están acostumbradas a ver las cosas a otro ritmo y en general no consideran leer ni diarios, ni libros, ni revistas. Éste es un problema que no sólo tenemos las revistas musicales, sino todos los medios de comunicación escritos".

¿Qué hacer entonces? "Pues seguir pensando en un público curioso que desea consumir fuentes fiables de información cuyas opiniones sabe de dónde vienen y por qué se mantienen. Lo nuestro es hablar de cosas que no resultan obvias y no están al alcance de todos porque las cosas más interesantes y atrevidas acostumbran estar sumergidas. Lo interesante suele ser marginal, raro, oculto o *underground*. Seguir así es la mejor manera de afrontar los cambios impuestos por los tiempos", afirma Santi Carrillo.

Otra de las formas mediante las cuales *Rockdelux* encara los cambios viene expresada por el mismo contenido de su número especial de 25 aniversario, un resumen de lo mejor de la década que incluye además de música, literatura, comics, series de televisión y cine. En palabras de Carrillo: "somos una revista de música, pero siempre hemos querido aumentar la panorámica pop al cine, los comic y la literatura, siendo también una respuesta a los cambios de comportamiento del público y de sus hábitos de consumo. Por ejemplo el fenómeno de las series de televisión ha sido uno de los más importantes de la década, y creemos importante reflexionar sobre ello sin que signifique que los perfiles de una revista musical se desdibujan".

Por último, Juan Cervera, director de redacción de la revista, responde a cómo los cambios tecnológicos alterarán la estética de la música actual "cualquier pelagatos de Oklahoma puede escuchar fácilmente música de pigmeos o gamelán de Java, por lo que su música será cada vez más híbrida. Es lo que ya pasa hoy en día, que en un minuto de música de grupos como *Animal Collective* puedes rastrear decenas de influencias. El pop actual y el del futuro inmediato será cada vez, más híbrido".

Preguntas

1. En el contexto editorial del artículo, ¿cuál es la diferencia entre informar y comunicar?

2. ¿Cuál ha sido el impacto de las descargas gratuitas en las ventas de la revista?

3. ¿Cómo garantiza la revista, ofrecer información certera y de calidad?

4. ¿Cómo supera la revista la situación actual de los jóvenes, quienes no están interesados en la lectura?

5. ¿En el contexto musical, cuál sería una fuente confiable de información?

El supercódigo

Para complementar su aprendizaje, abra el siguiente código para ver la conferencia de Ken Robinson, titulada "Las escuelas matan la creatividad"; o alguna similar que resulte de su interés. Obsérvela con detalle y complete la información que se pide en la siguiente tabla.

Párrafos	Conferencia Ken Robinson
Tema	
Título de la conferencia	
Propósito general	
Introducción (Estrategias presentadas para llamar la atención e introducir el tema)	
Cuerpo (Orden y estrategias para presentar las ideas, que apoyan su idea principal)	
Apoyos visuales utilizados	
Conclusión (Resumen del contenido, síntesis del conocimiento)	

Lo que sé (y lo que no)

Responda las siguientes preguntas, luego evalúe si sus respuestas son correctas.

Pregunta	Sí	No	¿Por qué?
1. ¿La posibilidad de demostrar nerviosismo influye en la credibilidad del discurso?			
2. ¿La forma de hacer la presentación está vinculada con el público asistente al evento?			
3. ¿El discurso informativo sigue los mismos pasos que otros procesos de comunicación oral?			
4. ¿El contenido de los diversos tipos de discursos informativos está en función del propósito de cada uno de ellos?			
5. ¿Existen diferencias fundamentales entre una ponencia y una conferencia?			
6. ¿Los apoyos visuales pueden no estar presentes en los distintos tipos de discurso informativo?			

Compare sus respuestas con las que aparecen a continuación:

Respuestas: 1. Sí 2. No 3. Sí 4. Sí 5. Sí 6. No

Y a la final

Elabore un discurso informativo, específicamente una conferencia, sobre cualquier tema relacionado con su carrera. Tome en cuenta que no debe pasar de 10 minutos.

Considere la rúbrica que aparece a continuación, así como la lista de cotejo que se anexa, de tal manera que pueda prever todos los detalles.

Criterio	Sobresaliente 5	Satisfactorio 3	No satisfactorio 1	TOTAL
Introducción Llamada de atención al público.	La introducción es muy adecuada y precisa para atraer la atención del público.	La introducción es adecuada y precisa para atraer la atención del público, aunque presenta algunos errores de estructura o selección.	La introducción es inadecuada y poco precisa para atraer la atención del público.	
Cuerpo o desarrollo del discurso Presentación de las ideas y apoyo verbal a la idea principal.	Se analiza el tema con profundidad. La información presentada apoya la idea central del discurso.	Se analiza el tema, pero no con la profundidad necesaria. La información presentada no siempre apoya la idea central del discurso.	No se analiza el tema con profundidad. Y la información presentada no apoya la idea central del discurso.	

(Continúa)

(Continuación)

Criterio	Sobresaliente 5	Satisfactorio 3	No satisfactorio 1	TOTAL
Conclusión Estrategias de cierre de la conferencia	La conferencia presenta un excelente final.	La conferencia presenta un final aceptable	El final de la conferencia es inadecuado o no hubo un espacio de cierre.	
Organización de las ideas Coherencia y cohesión de las ideas	Las ideas se presentan en excelente orden, mantienen relación entre sí y la información que contienen se expresa de forma completa.	Las ideas se presentan en orden, mantienen relación entre sí y la información que contienen se expresa de forma bastante completa.	Las ideas no se presentan en orden, no mantienen relación entre sí y la información que contienen se expresa de forma incompleta.	
Apoyos visuales utilizados Calidad de los apoyos visuales utilizados.	Los apoyos visuales utilizados son excelentes y apoyan la información presentada.	Los apoyos visuales utilizados en la mayoría de los casos son buenos y apoyan la información presentada.	Los apoyos visuales utilizados son deficientes y/o no apoyan la información presentada.	
Comunicación no verbal Gestos, movimientos, contacto visual	La comunicación no verbal acompaña el discurso, potencializándolo y en ningún caso entorpeciéndolo.	La comunicación no verbal acompaña el discurso, pero en algunos casos lo entorpece.	La comunicación no verbal es deficiente, convirtiéndose en ruido en la fluidez del mensaje.	
Conocimiento del tema Preparación y desarrollo del tema	El conferencista demuestra total dominio del tema durante la presentación y en la sección de preguntas.	El conferencista demuestra dominio del tema. Durante la presentación y en la sección de preguntas.	El conferencista no demuestra dominio del tema.	

Para conocer más

Para practicar lo aprendido le sugerimos abrir los siguientes códigos y convertir los textos literarios del escritor Julio Cortázar en textos informativos, del tipo INSTRUCCIONES.

Los tres textos del escritor: *Instrucciones para llorar*, *Instrucciones para subir una escalera* e *Instrucciones para dar cuerda a un reloj*, son una especie de juego literario, en donde el autor juega con la instrucción de cosas, aparentemente sencillas.

Conviértalos en textos informativos, asumiendo que el lector debe comprender cómo realizar dichas acciones.

Comunicación en público. Estrategia para persuadir

Puede decirse que orador es el que puede abrir alguna de las cuatro puertas que hay en el hombre: la del corazón, para motivarlo; la de la voluntad, para persuadirlo; la de la inteligencia, para convencerlo, y la de la imaginación, para enaltecerlo.

Antonio Miguel Saad

Persuasión y comunicación

Uno de los mayores poderes de la comunicación es su capacidad de influir y provocar cambios en la gente para que ésta aprenda de esos cambios en diversos ámbitos:

- El padre de familia que asiste a una conferencia sobre relaciones interpersonales y siente que ésta ha representado un cambio para la comunicación con sus hijos.
- El supervisor que sabe dirigir a su grupo de obreros, y con su influencia logra que mejoren su calidad de vida y la productividad de su empresa.
- El maestro que, con su cátedra diaria, va haciendo que sus alumnos se interesen en el tema, hasta que disfruten su aprendizaje.
- El médico que, con sus consejos, va logrando que el paciente incremente sus deseos de recuperarse.

La influencia de la comunicación está presente en todas nuestras actividades cotidianas, pero destaca la trascendencia que han logrado los grandes líderes con sus ideas, decisión y convencimiento, que cambiaron las formas de pensar y de actuar de muchos hombres y mujeres, favoreciendo así el progreso social, político y económico de las naciones, y la vida de la humanidad. Ese poder de la comunicación para ***influir*** en la vida de las personas y las sociedades es lo que llamamos *persuasión*.

Importancia de la persuasión

Necesitamos de la comunicación (como vimos en el capítulo 1) para vivir en grupos y sociedades. Mediante la persuasión podemos facilitar el crecimiento de los otros o destruirlos.[1] Como seres sociales, necesitamos saber manejar la persuasión para reforzar el aprecio de quienes consideramos significativos en nuestra vida. Las palabras que usamos para describir nuestras relaciones lograrían fortalecer o devastar egos; recordemos la frase: *las palabras pueden herir más que las armas*. Mediante la persuasión tejemos la trama de significación que define nuestro propio yo mediante la identificación con el otro; aprendemos a quiénes hemos de confrontar y a qué posiciones es posible aspirar. Aprendemos a quiénes admirar y, al hacerlo, les damos el poder de hacernos sentir importantes o insignificantes. De esa manera, la comunicación persuasiva es algo más que la transmisión de ideas de una persona a otra: es el medio a través del cual aprendemos nuestra realidad; quiénes somos y quiénes llegaríamos a ser. Además, es nuestro vehículo para demostrar cómo hemos ajustado nuestros anteriores modos de conducta, inapropiados, para dar con las pautas del presente (Reardon, 1991:28).

La comunicación persuasiva tiene la intención de influir en las actitudes, creencias o conductas de los receptores.

(Hanna y Gibson, 1987:314).

Dados el poder y la influencia que tienen los otros sobre la definición de uno mismo, es fácil comprender por qué la gente trata de establecer alguna confianza en su capacidad para comunicarse usando la persuasión. La confianza y la credibilidad dependen en gran parte de aprender lo que se puede esperar de los demás; por eso, algunos *teóricos de la comunicación*,[2] al describirla, hacen hincapié en su carácter de descubrimiento. George Kelly (1955) nos dice que las personas "se dedican a la predicción". La teoría de la reducción de incertidumbre (Berger y Calabrese, 1975:100) propone que, "cuando dos extraños se

[1] George Gerbner alude a la posibilidad de destruir uno a otro como forma de "aniquilamiento simbólico", pues las palabras que usan los demás para describir nuestras relaciones con ellos pueden fortalecer o devastar nuestro ego. Citado en Kathleen K. Reardon, *La persuasión en la comunicación*, Paidós Comunicación, México, 1991:28.

[2] Todos los teóricos mencionados afirman en sus concepciones que en la comunicación intervienen, en gran medida, una planeación y una ejecución conscientes. *Ídem.*

encuentran, su principal preocupación es reducir la incertidumbre y acrecentar la predictibilidad de sus propias conductas y de las de los demás durante la interacción". Otros, como Pearce y Cronen (1978), Cushman (1977), Reardon-Boynton (1979) y Shimanoff (1980), han propuesto que la gente desarrolla esquemas cognitivos que prescriben o describen lo que "debería" ocurrir en sus interacciones. Todas estas teorías implican que en nuestra comunicación intervienen, en gran medida, una ***planeación y una ejecución conscientes*** para la interacción. Desde este punto de vista, diríamos que todo acto de comunicación es persuasivo y que la comunicación siempre tiene la finalidad de influir en la conducta de otros. Sin embargo, teóricos como Kathleen Reardon (1981:27-29) han modificado tal concepción reconociendo la influencia de los contextos en que interactuamos, ya que éstos nos permiten comportarnos la mayor parte del tiempo con escasa conciencia de nuestros procesos comunicativos debido al conocimiento de las normas o los papeles establecidos. De esta manera, la comunicación no se limita a un solo modo de conducirnos; por el contrario, tenemos una diversidad de formas aplicables a cada situación de acuerdo con las variables del contexto social particular en el que vamos aprendiendo normas de conducta.

La relación entre la comunicación y la persuasión estriba en que ambas son medios de enseñanza y aprendizaje de conductas, pero la distinción más importante entre ellas es que la persuasión es siempre un ***proceso de comunicación consciente***. No se puede negar que alguien en su comunicación influya en otros sin proponérselo, ya sea porque agrade o conmueva de algún modo, pero la persuasión, en su concepción más básica, implica utilizar intencionalmente recursos, habilidades, técnicas, actitudes, etcétera, con la finalidad de influir en otros. Por eso la persuasión, a diferencia de la comunicación, siempre entraña una intención consciente o planeada.

En la comunicación oral, el hablante usa la persuasión cuando intenta influir en los actos, las creencias, las actitudes y los valores de otros (Freeley, 1990:8). Es un proceso en el que participan por lo menos dos personas, cuya interacción mutua determina el resultado y la influencia. Así pues, al igual que la comunicación, la persuasión tiene una naturaleza recíproca, ya que, al persuadir, la influencia no se ejerce de una persona ***a otra***, sino de manera recíproca.

El empleo de los términos "persuasor" (*el que tiene intención de influir*) y "persuadido" (*el que se deja influir*) no significa que la persuasión opere en un solo sentido, pues muy rara vez una persona puede modificar el pensamiento o la conducta de otra sin alterar, en el proceso comunicativo, algo de sus propias normas de conducta, o de su forma de pensar o de sentir.

Concluimos que, para lograr persuadir, se necesita predecir el efecto que nuestro mensaje va a tener en el receptor, por lo que la comunicación es intencional: al planear usarla, debemos analizar los tres elementos principales que intervienen en este proceso: ***el persuasor***; ***el mensaje*** y ***el público***.

Definiciones de persuasión

Sabemos que la comunicación en la que una persona o un grupo tratan de influir sobre otros para cambiar ideas, actitudes o comportamientos, a través de diversos medios, se llama **persuasión** (Bettinghaus, 1973:7).

La palabra "persuadir" viene de *suadere*, *suadvis*, y estos vocablos, del remoto *suados*, que significa *atraer el alma de quien escucha*. Persuadir es "aplicar una fuerza de atracción por medios psicológicos, pues se convence a la razón y se persuade moviendo la voluntad, consiguiendo una adhesión entusiasta y afectiva a la propia opinión" (Hugo Blair, 1804, citado en Fernández, 1991:16). Algunas definiciones que han aportado estudiosos de la persuasión son las siguientes:

- **Bettinghaus (1973:10).** *La persuasión es un intento consciente de un individuo de cambiar las actitudes, creencias o conductas de otro individuo o grupo de individuos por medio de la transmisión de un mensaje.*
- **Brembeck (1976:19).** *La persuasión es comunicación con la intención de influir en la selección de alternativas. Es un proceso que trata de identificar una preferencia para una opinión, sin controlar o forzar el abandono de otras posibilidades.*
- **Lerbinger (1979:1).** *La persuasión es la manipulación de símbolos para producir acciones en otras personas. Apela al intelecto y al sentimiento para obtener algún tipo de consentimiento psicológico del individuo al cual se persuade.*
- **Charles Larson (1986:7).** *La creación de un estado de identificación entre una fuente y un receptor que resulta de la utilización de símbolos.*

Estas definiciones tienen en común la idea de que la persuasión es un tipo de comunicación intencional porque existe ***la intención del emisor de influir sobre el receptor***; permitiendo opiniones ante alternativas y dejando en libertad al receptor de seleccionar conscientemente entre tales alternativas.

Las definiciones de Lerbinger y Bettinghaus ponen énfasis en el aspecto simbólico de la persuasión al decir que "se logra por medio del ***mensaje*** que contiene llamados al intelecto y a las emociones; argumentos racionales y argumentos dirigidos a causar algún efecto, con base en marcos de referencia de las personas o formas particulares de ver las cosas".

Brembeck también apunta a la importancia del ***receptor*** en el proceso de comunicación persuasiva al recordarnos que "la significación de una palabra o de un gesto no está en el símbolo mismo, sino en la interpretación que hace el individuo que lo percibe". La implicación de este hecho es que, si alguien es persuadido, lo que le persuade en realidad es su propio pensamiento o mensaje interno. Esta observación de Brembeck sobre la importancia del receptor en el proceso de persuadir es lo que justifica realizar un análisis del público en la comunicación persuasiva.

Por último, la definición de Charles Larson, a diferencia de las otras, pone énfasis en el proceso persuasivo como una cooperación entre la fuente y el receptor, lo cual implica un grado de ***identificación o empatía entre emisor y receptor*** provocado por la interpretación común del significado del mensaje.

Los estudios sobre persuasión provienen principalmente de cuatro disciplinas: **1.** La retórica tradicional; **2.** Las teorías de la comunicación; **3.** La psicología; **4.** La psicología social (Lerbinger, 1979).

- *La retórica tradicional* ha contribuido con información sobre la elaboración, organización y presentación del mensaje y el énfasis en el hablante; considera factores de influencia la credibilidad y el estilo del emisor, así como su lenguaje y la organización que dé a sus ideas.
- *Las teorías de la comunicación* han contribuido con la información sobre el proceso de comunicación humana y sus elementos, apuntando a las causas de la comunicación inefectiva (ruido) y algunas formas de superarlas, así como al uso de metodologías y procedimientos científicos para la investigación de la comunicación en diferentes contextos.
- *La psicología y la psicología social* han contribuido al estudio persuasivo, específicamente con información respecto de la motivación del hombre y de los grupos como sociedades. Otras disciplinas provenientes de la psicología y la psicología social también han aportado aplicaciones específicas, como la psicología industrial, la pedagogía y la psicoterapia.

Estrategia de comunicación persuasiva

La persuasión se considera la forma de comunicación más importante para el desarrollo de la vida democrática de toda sociedad civilizada, porque provee, a las personas que la conforman, del medio más adecuado –el lenguaje– para expresar opiniones y juicios de valor sobre las diversas situaciones que componen la vida diaria. Saber formular estrategias persuasivas implica recordar los elementos básicos que intervienen en el proceso de comunicación, en este caso persuasiva:

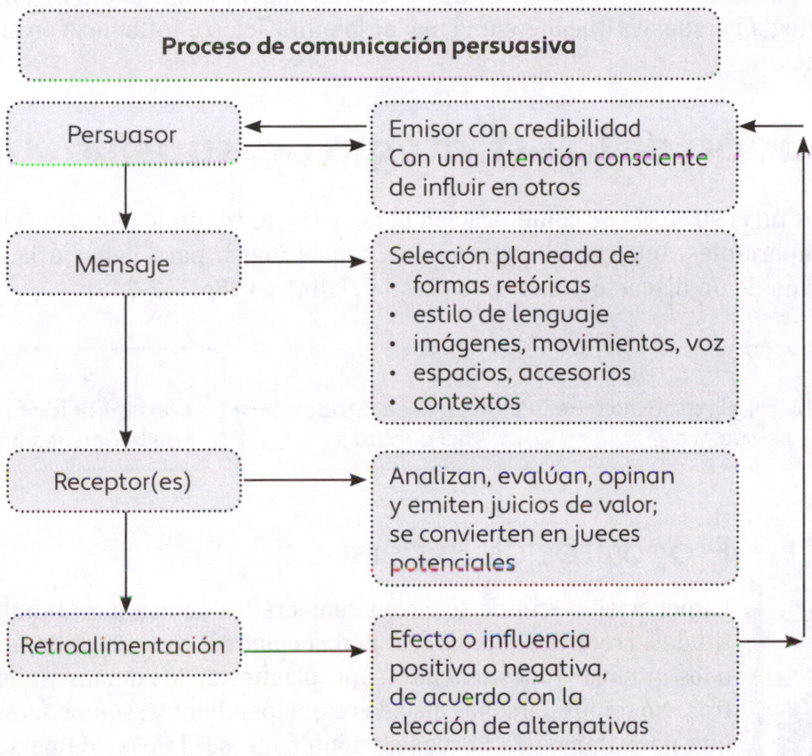

- ***El persuasor***: todo ***comunicador*** con el propósito de ***persuadir*** intenta producir una influencia o un cambio en otras personas; aun si fracasa en ello, sigue involucrado en el proceso de persuasión, debido a su *intención*. Por ello, Cicerón afirmó que "el orador conservará su título aunque fracasare, si empleó los mejores procedimientos, pues no siempre puede vencer la dureza del corazón humano". La persuasión puede darse gracias a la credibilidad de la persona, que es percibida por otros como alguien de confianza, honesto, creíble, veraz; en este caso, el propio comunicador es el *medio* para persuadir. Aristóteles pide moral en el orador y, juzgando ilícito usar la palabra para fines inmorales, dice que la persuasión servidora de lo bueno y lo justo debe perfeccionar al hombre, no pervertirlo (citado en Fernández, 1991:14).
- ***El mensaje***: la persuasión también puede producirse con el ***mensaje***, ya que sus elementos están destinados a influir en la conducta del receptor o el público. La intención del comunicador de persuadir o los elementos persuasivos que puedan incluirse en su mensaje no garantizan por sí solos que la influencia tenga lugar. Al igual que ocurre con las otras formas de comunicación, el éxito de ésta debe ser planeado, calculando lo que ocurrirá en el receptor. El comunicador emplea símbolos e ideas que son familiares al oyente, variedad en su comunicación no verbal, razonamientos y argumentos con pruebas, a la vez que aclara las ideas y justifica los hechos con evidencias nuevas, con la finalidad de incrementar las probabilidades de lograr su objetivo persuasivo.

- ***El receptor o público***: el comunicador se limita a proporcionar estímulos suficientes que animen al ***receptor*** a efectuar el cambio por sí mismo, en su interior. Por ello, el persuasor finalmente viene siendo el mismo receptor y su motivación interna, cuando una vez que ha escuchado racional y emocionalmente los elementos del mensaje, evalúa y emite juicios conforme a sus valores, para decidir con libertad si aceptará la proposición indicada por el persuasor.
- ***La retroalimentación***: la respuesta que da el receptor o público puede ser positiva o negativa, dependiendo del efecto que tuvieron el mensaje y el persuasor como elementos persuasivos. Si la persuasión se dio, significa que el persuasor cumplió total o parcialmente su objetivo; si no se dio, entonces el persuasor tendrá que diseñar otra estrategia persuasiva que logre una mayor identificación e influencia en el receptor o público.

Planeación de la estrategia persuasiva

Para planear una estrategia de comunicación persuasiva, el comunicador debe ejecutar tres procesos importantes, que constituyen una secuencia lógica para llegar a la realización o presentación de un discurso persuasivo (Vasile y Mintz, 1986:242-243):

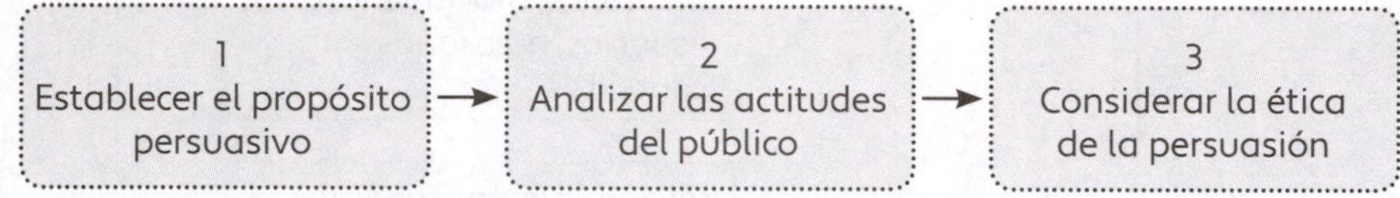

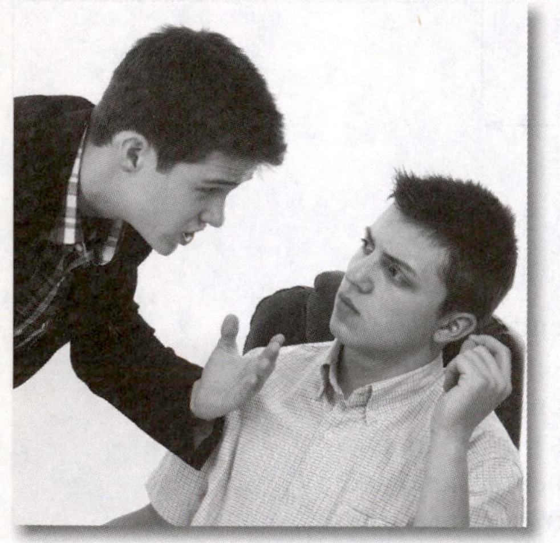

Propósitos de la persuasión

La persuasión en una sociedad democrática se usa para influir sobre actitudes, creencias, opiniones, percepciones o conductas de las personas o los grupos.[3] Todos tenemos concepciones de los demás y ellos de nosotros. No somos personas aisladas e independientes: somos seres humanos que necesitamos de la cooperación de otros. El deseo de persuadir y ser persuadido varía entre los individuos. La naturaleza y la dignidad humanas requieren que cada uno seamos capaces de persuadir, por lo menos en algún momento. En una sociedad como la actual, con pluralidad de creencias y opiniones, la persuasión se usa como un medio racional para influir en las personas, así como para obtener privilegios y desarrollo sociocultural.

El comunicador que intenta influir en un público, mediante la persuasión como ***propósito general***, reflejará una de las ***tres funciones esenciales de la persuasión*** (McEntee, 1991:62-72):

- Con el ***propósito de motivar***; el comunicador conmoverá al público, estimulando los hilos de sus emociones y de su voluntad, para que se persuada en cierta forma y realice la acción recomendada.
- Con el ***propósito de convencer***; ya sea para ***formar***, ***cambiar*** o ***reforzar actitudes***, el comunicador llamará al intelecto y la psicología por medio de argumentos racionales y afectivos para lograr que el público piense de cierta manera.
- Con el ***propósito de refutar***; el comunicador tratará de convencer al público por medio de argumentos lógicos y emocionales para que niegue, desapruebe o rechace alguna proposición de cambio.

---

[3] Brembeck, Howell, Larson, Bettinghaus, citados en Lerbinger, 1979.

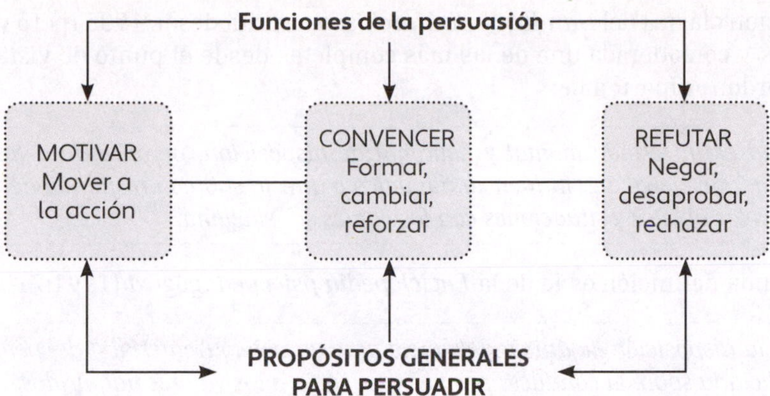

Conviene precisar que la persuasión, en un sentido general, dirige a la voluntad para obligarla a una acción externa; he aquí la diferencia clara entre el propósito general de ***convencer*** y el propósito de ***motivar***; ya que el conocimiento tratará de obligar al entendimiento a ***reconocer*** y aceptar una verdad; una vez que la verdad es comprendida o entendida, el sentir interno es el que verdaderamente motiva o conmueve al receptor para actuar por elección propia (Hanna y Gibson, 1989:100-104).

Ligados a los propósitos básicos, existen tres medios para persuadir:[4] **1.** el ***logos***: el razonamiento sólido con evidencia segura o pruebas; **2.** el ***phatos***: las emociones, la psicología y las actitudes del oyente, y **3.** el ***ethos***: la buena voluntad, el juicio y el carácter ético del comunicador (Hanna y Gibson, 1987:316).

En suma, la comunicación oral utiliza, como medios para persuadir, los argumentos racionales y emocionales que en conjunto "mueven" la conciencia y el entendimiento de las personas hacia la voluntad de acción.

PROPÓSITOS PERSUASIVOS

CONVENCER MOTIVAR

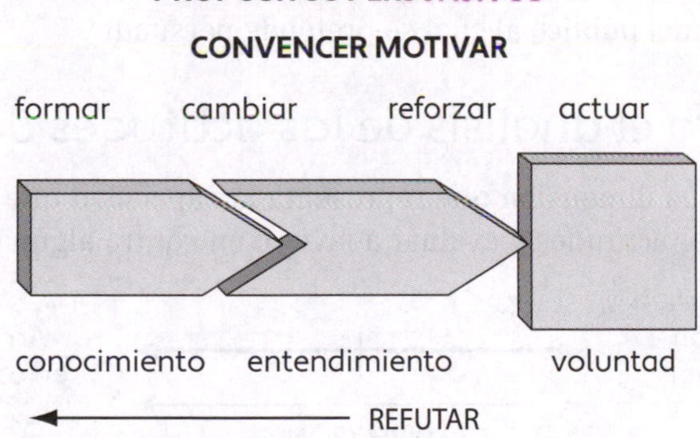

Análisis de actitudes del público

Siendo el propósito de un discurso persuasivo influir utilizando la convicción y la motivación, hacer un *análisis de actitudes* antes del momento de la comunicación es recomendable para precisar cuál de los propósitos es el más adecuado para el público, dependiendo de sus actitudes. Para analizar las actitudes de las personas se debe aprender a reconocerlas: examinar sus atributos o propiedades, dimensiones y funciones, y saber distinguirlas a partir de conceptos muy relacionados, tales como opiniones, creencias y valores.

---

[4] Según Aristóteles, la retórica es el arte de hallar en cada caso los medios más aptos para persuadir: la reputación o credibilidad del orador, el *ethos*; el uso de argumentos lógicos dirigidos a la razón, el **logos**; y apelaciones a las emociones o sentimiento, el *pathos* (citado en Larson, 1986:7).

La definición clásica del *Handbook de Murchison*, escrita desde 1935 (pero vigente hasta nuestros días y considerada una de las más completas desde el punto de vista de la psicología) por Gordon Allport[5] dice:

Una actitud es un estado mental y neuronal de disposición, organizado a través de la experiencia, que ejerce una influencia dinámica o directa sobre la respuesta del individuo hacia todos los objetos y situaciones con los cuales se relaciona.

Una segunda definición es la de la *Enciclopedia psicopedagógica* (1991:715).

Actitud es la disposición de ánimo del sujeto ante un objeto (material o del pensamiento) concreto dictada sobre la conducta por la experiencia o los valores adquiridos.

Las actitudes de las personas se mueven dentro de un marco muy dinámico de procesos perceptuales selectivos, que determinan el razonamiento de las personas y sus emociones, inclinándose a favor o en contra de todo lo que las rodea. Las actitudes, por su naturaleza, tienen ciertas propiedades o características que es importante considerar al hablar de persuasión.

Características de las actitudes

(Lerbinger, 1979:44-45)

- *Relacionan a las personas con los objetos, las situaciones, los eventos, etcétera, y se forman a través del contacto de la persona con su ambiente o entorno.*
- *No son permanentes; son un estado de disponibilidad más o menos durable.*
- *Tienen tres propiedades: dirección, posición e intensidad.*

Investigar las actitudes del público, para usar la persuasión, ayudará al comunicador a seleccionar con más precisión el propósito persuasivo adecuado para generar su discurso persuasivo. Para observar cómo funcionan las actitudes en el marco conceptual y emocional de las personas, representaremos en los siguientes esquemas cómo se dan las actitudes, de acuerdo con las tres características mencionadas que pueden ayudar para realizar el análisis psicológico del público al cual se pretende persuadir.

Esquemas para el análisis de las actitudes del público

1. ***Dirección***: es una dimensión que representa la capacidad que tienen todas las personas de generar actitudes y evaluar a favor o en contra algún objeto o evento.

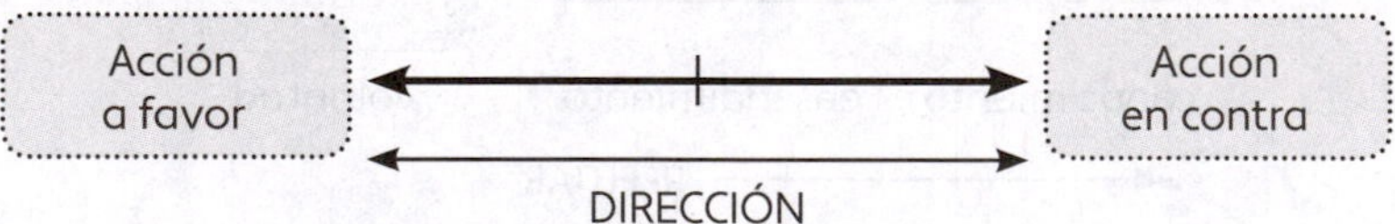

2. ***Posición***: es la característica que representa el lugar en donde ubicamos la actitud, o bien, la fuerza de la convicción de una persona sobre algún objeto o evento, ya sea a favor o en contra.

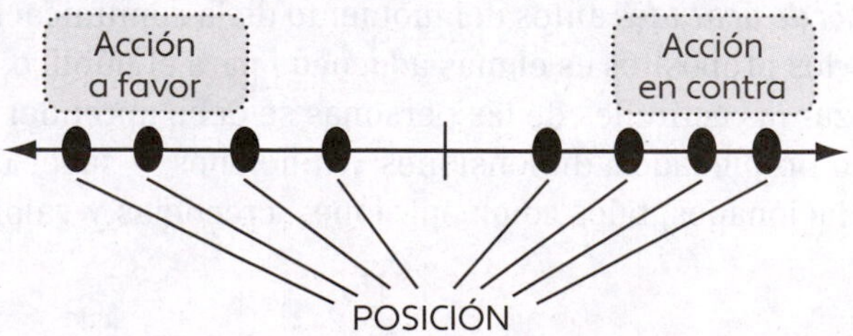

[5] D. Krech, R. S. Cratchfield, citado en Lerbinger, 1979:34.

3. ***Intensidad***: es la fuerza del sentimiento, la convicción o el compromiso de una persona a favor o en contra de algún objeto o evento, que ocupa una posición de acuerdo con una escala de medición establecida.

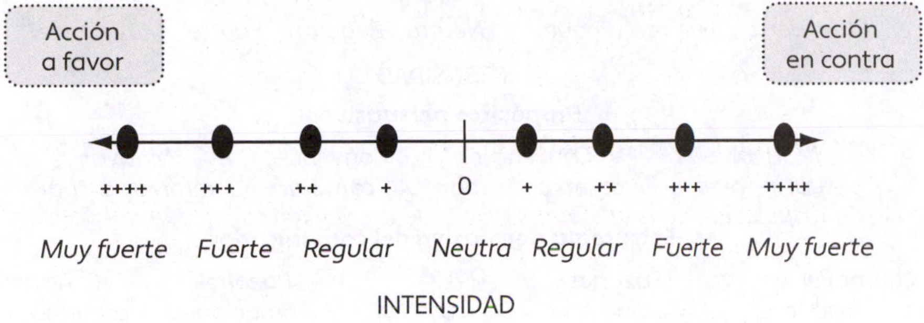

Si integramos los tres esquemas de las dimensiones de las actitudes con los propósitos persuasivos del comunicador y el esfuerzo que tiene que hacer para persuadir con su palabra, el esquema general quedaría de la siguiente manera:

Esquema general de las actitudes del público, los propósitos del discurso y la estrategia persuasiva

La estrategia persuasiva del comunicador consistirá en mover ***gradualmente*** las actitudes del público de una posición a otra, en dirección siempre hacia el propósito deseado de persuasión, porque la influencia o el cambio no se producen con un solo mensaje, ni con un solo esfuerzo de comunicación; la persuasión funciona lentamente, a largo plazo, a medida que el público vaya convenciéndose de las propuestas o afirmaciones del persuasor.

Dependiendo de la dirección, posición e intensidad de sus actitudes, hacer una clasificación de los tipos de público ayudará al persuasor en la tarea de fijar el propósito más adecuado para dirigir el mensaje, pues con base también en sus actitudes, respecto del propósito persuasivo del comunicador, podemos tener diferentes tipos de personas que conforman, en su conjunto, diversos tipos de públicos (Nothstine, William, 1992:12-13).

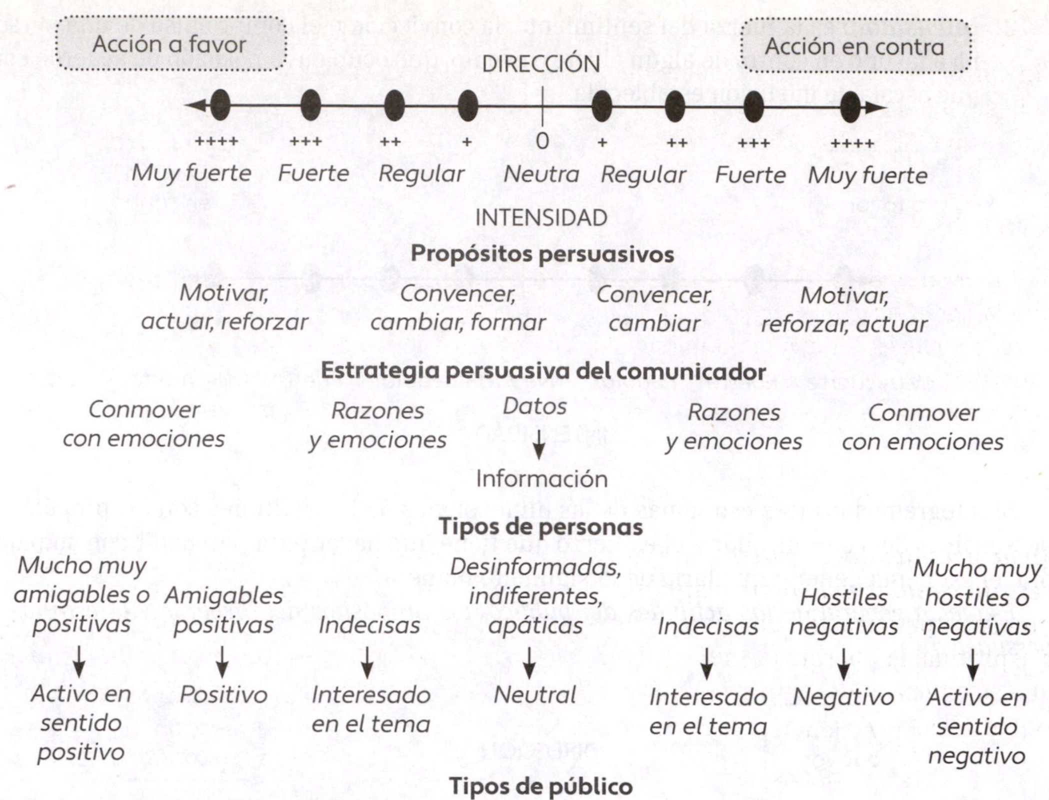

La ética en la persuasión

Hablando de ética, Quintiliano afirmaba que la finalidad de la oratoria consistía en el bien decir; además, señalaba a la virtud como condición de la elocuencia. Por ello, definió al orador como *un hombre de bien que sabe hablar*.[6] Esta definición la invocan quienes ven en la moral y la verdad los fines de la oratoria, sin las cuales no se debe persuadir, pues, si se persuadiera, sería perjudicial.

Como medio, la oratoria sirve a la verdad y también a la moral, haciéndolas más persuasivas y propagándolas; pero la oratoria es neutra al valor. “Sólo el hombre pertenece al mundo de los valores, al mundo de los fines; sólo él es moral o inmoral, veraz o falso, justo o injusto, bueno o malo” (Fernández, 1991:11). Toda comunicación o discurso deben tener bases morales, ya que la moralidad nace de los valores de los pueblos y de su cultura, y la ética como un sistema atiende a las demandas de esos valores (Larroyo, 1971:227-228).

En una visión sinóptica, afirmaremos que el hombre es necesariamente libre, creador y ético, por lo que considera a la comunicación persuasiva como posibilidades de acción. El hombre es libre, con un modo de libertad comprometida, libertad para ajustar positivamente su vida y su conducta a valores morales fundamentados en una cultura. El hombre es responsable porque puede y debe dar respuesta libre a las realidades e instancias que lo persuadan, y debe justificar su conducta, dar razón de ella.

Cuando se afirma que una transacción no es ética, es posible que se haga referencia al propósito o a la meta del emisor, a los medios o métodos usados, a la exactitud de la información facilitada en el mensaje. Normalmente se considera inmoral emplear técnicas de comunicación que vayan en sentido contrario a las demandas morales de una cultura; se cree que es injusto comunicarse con intención de dañar a alguien, o bien, para manipular a un receptor sin su consentimiento. También se considera poco ético que el persuasor presente un mensaje como verdadero cuando sabe que es falso.

---

[6] *Instituciones oratorias*, Libro XII, Cap.1, citado por Alberto V. Fernández, 1991:10.

No hay ninguna guía ética exacta que sea aplicable a todas las situaciones persuasivas; sin embargo, existen ***principios éticos*** que tanto el comunicador como el público pueden aplicar cuando se trate de evaluar la ética de la comunicación persuasiva; de éstos veremos tres principales (Brembeck y Howell, 1976:229-230):

Principio social positivo

Toda persuasión es ética cuando tiene una utilidad social positiva. Este criterio destaca que la comunicación puede orientarse a un efecto positivo o negativo para los individuos, grupos o países. El uso de la persuasión debe ser benéfico en la medida en que sea útil y satisfaga las necesidades o expectativas del mayor número de personas que conforman un sistema o una cultura, generando acciones positivas para ese grupo específico.

Principio humano

Toda persuasión es ética cuando contribuye a reconocer las reglas o los estándares universales del comportamiento humano. Este criterio nos ayuda a identificar si el propósito persuasivo cumple las metas del ser humano en un sentido moral, intelectual o espiritual: la libertad de generar expresión, conocimiento, comprensión. Es un principio que se enfoca a identificar la naturaleza humana a través del progreso o la inhibición de sus ideales.

Principio interpersonal

Toda persuasión es ética cuando contribuye al desarrollo de actitudes positivas entre los individuos de una cultura. Este criterio nos ayuda a distinguir las actitudes y los comportamientos que la gente desarrolla en una situación o cultura determinadas. Identificamos diferencias en la forma de pensar y actuar de unos frente a otros, sobre todo hablando de relaciones interculturales. La persuasión es ética, con este principio, cuando apreciamos el valor, respetamos la situación particular, aprendemos de la diversidad y valoramos conductas que desarrollan el ego individual y favorecen la interacción persona a persona.

De acuerdo con la interacción que establece el persuasor con su público, hay criterios de persuasión ética como el de Weaver (1970:222-224):

- ***El persuasor no debe anteponer sus propios intereses al bienestar del receptor***. No es ético satisfacer nuestras necesidades a expensas de los demás.
- ***El persuasor debe valorar a la persona en quien está influyendo***. Se deben respetar las decisiones de los demás. En un mundo de interacciones continuas, tenemos que ser respetuosos de las diferencias.
- ***El fin no siempre justifica los medios***. Es claramente inmoral mentir a los demás con intenciones de convencerlos para que hagan o piensen algo.
- ***La información debe ser accesible al público***. Ello implica que el comunicador esté informado, poseyendo la suficiente información sobre la idea o el tema para responder de manera inteligente a las preguntas de otras personas.

En cuestiones de ética no existe certeza para identificar las respuestas más correctas o mejores. Sin embargo, los valores, las normas o los preceptos morales y culturales son instancias que sirven al hombre para desarrollar criterios éticos y forjar una vida creadora que le dé plenitud de sentido.

Los discursos persuasivos

Una vez que se han revisado estos tres aspectos importantes para la planeación de un discurso persuasivo: **1.** los propósitos persuasivos; **2.** el análisis de actitudes del público, y **3.** la ética de la persuasión, el comunicador puede comenzar su etapa de ***organización***, eligiendo el tipo de discurso necesario para cumplir con el propósito establecido, de acuerdo con la posición de actitud en que se encuentre el público; en tal caso tenemos los discursos de motivación, de convicción y de refutación (McEntee, 1991:62-72).

1. El discurso de motivación.
2. El discurso de convicción.
3. El discurso de refutación.

El discurso de motivación

Es adecuado para un público con ***actitudes muy favorables o positivas hacia el tema o el orador***; por lo cual se supone que hará la acción que se recomienda. El comunicador formula su propósito de **persuadir para motivar a la acción**. Esta acción puede estar dirigida al interior del individuo, hacia su sentimiento, o bien, su exterior, hacia sus actos.

El discurso de convicción

Es un discurso adecuado para ***el público que tiene actitudes negativas, muy poco favorables*** hacia el tema o el comunicador, o bien, desconoce el tema. El propósito del orador será entonces ***persuadir para convencer, para formar, cambiar o reforzar las actitudes del público***. Si las actitudes son muy negativas u hostiles, cuando se presenta este tipo de discurso, puede suceder que el público rechace el tema o al comunicador; entonces la persuasión se usará para ***cambiar*** dichas actitudes en un contexto de controversia o discusión, de donde nace la refutación.

El discurso de refutación

Este tipo de discurso se presenta cuando un comunicador cuestiona, critica o rechaza los argumentos del orador que propone un cambio, porque este cambio no presenta suficientes ventajas o beneficios como para dejar lo que ya se tiene. Aquí el propósito del orador será **persuadir para refutar**.

Si recordamos que la característica principal de la persuasión es dejar en libertad para pensar, decidir y actuar, debemos reconocer que el hombre se mueve o actúa por necesidades o ***motivos***; para persuadir, el comunicador necesita encontrar tales motivos o generar otros que favorezcan la actitud del público hacia lo que se propone. El primer paso, por lo tanto, si queremos ser efectivos en la persuasión, es averiguar cuáles son los motivos que pueden oponerse al propósito establecido en la estrategia, y aquellos que servirán al público de impulsores para realizar la recomendación propuesta, ya que *a base de motivos es la forma única y posible de que un ser libre y racional acepte una idea* (Saad, 1991:77).

Los psicólogos generalmente reconocen dos tipos de motivos:

Los ***primarios*** o ***fisiológicos*** y los ***secundarios*** o ***aprendidos***.[7] Una persona tiene necesidad de comer, beber, dormir, etcétera; y en cierta etapa vivir su sexualidad. Sin embargo, cada uno aprende y se socializa por medio de la familia y la cultura, de tal forma que desarrolla preferencias: tomar cierto tipo de bebidas, comer determinados platillos y seleccionar la pareja. También se aprenden motivos ligados con sentimientos y logros, tales como lealtad, sentido de cooperación, ambición, necesidad de aprobación, poder, miedo y muchos más (Lerbinger, 1979:47).

Los psicólogos han dado a conocer varias listas de motivos humanos. Cada campo de aplicación tiene su fuente o autor favorito. La jerarquía de necesidades de Maslow ha adquirido gran aceptación académica y es una de las más populares, sobre todo en el área de las organizaciones y relaciones laborales.

Maslow propone que en todas las personas existen cinco necesidades básicas (Hanna y Gibson, 1987:320):

- Corporales: alimento, agua, aire, sueño, sexo, etcétera.
- De seguridad y protección: sentirse seguro frente a riesgos.
- De amor y pertenencia: cariño, familia, aceptación social, afiliación, etcétera.
- De suficiencia: amor propio, valoración de sí mismo, competencia.
- De realización: comprensión de las cosas, cumplimiento de metas, logros.

Uno de los mejores resúmenes sobre las necesidades motivacionales es el que exponen Ketch y Crutchfield en su libro *Introducción a la psicología*,[8] en donde señalan cuatro tipos:

1. Pertenecientes al cuerpo

Motivos de supervivencia y seguridad:

- Evitar el hambre, la sed, la falta de oxígeno, el exceso de calor y de frío, el dolor, la fatiga, la tensión muscular, la enfermedad y otros estados corporales desagradables.

Motivos de satisfacción y estimulación:

- Experiencias sensoriales agradables tales como imágenes atractivas, sabores, olores, sonidos, etcétera; placer sexual, comodidad corporal, ejercicio de los músculos, movimiento, ritmo corporal, etcétera.

2. Pertenecientes a las relaciones con el ambiente

Motivos de supervivencia y seguridad:

- Evitar objetos peligrosos y aquellos que sean horribles y produzcan contrariedad; buscar objetos que sean necesarios para la supervivencia futura y la seguridad; mantener un ambiente estable, limpio, seguro, agradable.

Motivos de satisfacción y estimulación:

- Tener posesiones que lo alegren a uno; construir e inventar objetos; entender el ambiente en donde vivimos; resolver problemas; jugar, buscar novedad y cambio, etcétera.

[7] Citado en Lerbinger, Otto, *Diseños para una comunicación persuasiva*, El Manual Moderno, México, 1979:43.

[8] *Ídem.*

3. **Pertenecientes a las relaciones con otras personas**

Motivos de supervivencia y seguridad:

- Evitar conflicto y hostilidad personal; mantener el número de miembros en el grupo, el prestigio y el estatus; ser cuidado por otros; conformarse a las normas y los valores del grupo; ganar poder y dominio sobre otros, etcétera.

Motivos de satisfacción y estimulación:

- Tener amor e identificación positiva con la gente y con los grupos; entusiasmarse con la compañía de otras personas; ayudar y entender a otros, ser independiente, etcétera.

4. **Pertenecientes al yo personal**

Motivos de supervivencia y seguridad:

- Evitar sentimientos de inferioridad y fracaso al compararse con otros o con el yo ideal; la pérdida de identidad; los sentimientos de vergüenza, culpa, miedo, ansiedad, tristeza, etcétera.

Motivos de satisfacción y estimulación:

- Tener sentimientos de respeto y confianza; expresarse uno mismo; tener sensaciones de realización y sentimiento de reto; establecer una moral y otros valores; descubrir el lugar significativo del yo en el Universo.

Las opiniones y actitudes de la gente generalmente están basadas en estos tipos de motivos; cuando las motivaciones cambian, pueden cambiar las actitudes y opiniones. Por lo tanto, en cualquier tema que preparemos para un discurso persuasivo debemos considerar que los motivos básicos predominantes en el público, en el momento de la comunicación, están fuertemente relacionados con las actitudes positivas y negativas de los oyentes a través de la asociación de ideas, y mediante una apelación directa y positiva lograremos que nuestras palabras tengan mucho mayor impacto.

El discurso de motivación es precisamente aquel que va a satisfacer alguna necesidad en particular de algún grupo o público. El planteamiento persuasivo que hace el comunicador en este tipo de discurso gira en torno al motivo que impulsa o desata una ***acción*** que vaya a solucionar o satisfacer el problema o la necesidad.

El discurso de motivación

El discurso de motivación se usa cuando el comunicador quiere que su público actúe en forma determinada, sabiendo previamente que éste se encuentra con una actitud favorable hacia la acción que recomienda,[9] porque sabe que vendrá a satisfacer la necesidad imperante, motivo que ha causado un estado de desequilibrio o tensión en el individuo o en la sociedad; por lo tanto, está dispuesto a realizar la acción por considerarla deseable, positiva o buena para preservar ciertos valores de su grupo o sociedad, para así volver al equilibrio.

Por ejemplo, no desperdiciar el agua potable atiende a una necesidad perteneciente a las relaciones con el ambiente, la cual puede ser un motivo para que muchas personas atentas a este problema quieran cuidar el líquido, así que tendrán una actitud favorable hacia la persona que les hable o les indique qué deben hacer para evitar desperdiciarlo.

---

[9] Gronbeck, McKerrow, Ehninger y Monroe, *Principles and Types of Speech Communication*, 10ª ed., 1978:333.

Otro ejemplo: ser honesto es una virtud y una necesidad (perteneciente a las relaciones del yo personal), dadas las condiciones de muchas organizaciones humanas; querer o pretender serlo es un motivo que puede satisfacer esa necesidad, y cualquier comunicador que recomiende realizar esa acción mediante un discurso tendrá respuesta favorable en quienes posean una actitud positiva hacia dicha recomendación. Generalmente nadie llega a refutar que esa acción sea deseable.

Con estos dos ejemplos vemos ***el enfoque*** que puede tener el discurso de motivación de acuerdo con la acción que se recomienda: **1.** hacia una acción externa, y **2.** hacia una acción interna (Saad, 1991).

- ***Hacia una acción interna***: mover el espíritu del individuo hacia un sentimiento. Por ejemplo, ser bondadosos, tener fe en nosotros mismos, dar amor a los demás, saber perdonar, ser prudente, ser un buen hijo, ser un buen padre, no tener prejuicios, conocerse a sí mismo, etcétera.
- ***Hacia una acción externa***: mover el comportamiento del individuo hacia conductas favorables o deseables para la sociedad. Por ejemplo, barrer las calles, registrarse en el padrón electoral e ir a votar, estudiar y capacitarse, hacer investigaciones, manejar con precaución, viajar, aprender de otras culturas, etcétera.

Cuando el comunicador tiene ya bien determinados los tres pasos fundamentales para la elaboración del discurso de motivación, que son **1.** ***el propósito específico de motivar***; **2.** ***el motivo o necesidad para hacerlo***, **3.** ***la forma de satisfacer la necesidad mediante una acción específica***, entonces ya puede pasar a elaborar el discurso, que adquirirá una estructura (semejante a la del discurso informativo) con base en esos tres pasos principales que conformarán el *cuerpo del discurso*; a ellos añadirá una *introducción* y una *conclusión*, de modo que la organización final del discurso constará de cinco partes coordinadas en una secuencia que motivará al público a realizar la acción propuesta por el comunicador, por lo que se conoce como ***secuencia motivadora*** (Monroe y Ehninger, 1973:314). Esta secuencia se define también según la secuencia de ideas, ya que se deriva del análisis del proceso de pensamiento del comunicador.

1. ***Captar la atención.***
2. ***Demostrar la necesidad.***
3. ***Describir el problema.***
4. ***Satisfacer la necesidad (presentar las soluciones y visualizar los resultados).***
5. ***Solicitar la acción o aprobación.***

Etapas de la secuencia motivadora
(Ehninger, Monroe y Gronbeck, 1978:320-323).

1ª ATENCIÓN
El comunicador dice o hace algo que atraiga la atención del público.

2ª NECESIDAD
El comunicador describe una necesidad o un problema existente en su sociedad.

3ª SATISFACCIÓN
El comunicador propone una forma de satisfacer la necesidad planteada o una solución al problema existente.

4ª VISUALIZACIÓN
El comunicador hace referencia a los resultados o efectos para el público si éste realizara la acción que se recomienda.

5ª ACCIÓN
El comunicador pide una acción específica y la aprobación del público.

Modelo de estructura de ideas principales del discurso de motivación

Tema: Valora tu vida

Propósito general: Persuadir (motivar a la acción)

Declaración del propósito específico y la idea central del tema:
Motivar a las personas a que valoren su vida para que la vivan con entusiasmo y con una visión positiva.

Introducción

1. Atención

Llamada de atención*: *Preguntas retóricas

I. ¿Alguna vez te has preguntado cómo ves tu vida? ¿La ves con un punto de vista positivo o negativo? ¿Sientes que realmente la disfrutas? ¿La aceptas o estás inconforme con ella? ¿Realmente te sientes satisfecho y agradecido por tenerla? ¿No has aprendido a valorarla?

Justificación del tema:

A. Creo que muchos de nosotros nos sentimos inconformes con nosotros mismos e insatisfechos por lo que tenemos; no hemos reflexionado en lo valiosa que puede ser nuestra vida.

Enlace con el cuerpo del discurso:

B. Es por eso que hoy quiero invitarlos a que juntos reflexionemos sobre el valor de nuestra vida.

Cuerpo del discurso

2. Necesidad o problema

I. Vemos la vida con amargura y algunas veces nosotros mismos nos amargamos la existencia.
   - **A.** Por criterios equivocados ***(apoyos verbales de explicación)***.
   - **B.** Por preocupaciones ***(apoyos verbales de caso específico y explicación)***.

II. Vemos la vida llena de problemas y nos dejamos atormentar por ellos.
   - **A.** No aceptamos nuestra realidad ***(apoyos verbales de explicación)***.
   - **B.** Nos volvemos presas, de la codicia ***(apoyos verbales de explicación y caso específico)***.

3. Satisfacción o solución

I. Veamos la vida con amor y estemos seguros de que vale la pena vivirla.
   - **A.** Vivimos sólo una vez ***(apoyos verbales de explicación y caso específico)***.
   - **B.** Pensemos que es un don valioso ***(apoyos verbales de explicación y ejemplo)***.

4. Visualización

I. Transformemos con entusiasmo todos los problemas y preocupaciones que nos hacen ver la vida negativa.
   - **A.** Hagamos las cosas con entusiasmo ***(apoyos verbales de definición y cita)***.
   - **B.** Tengamos una visión optimista ***(apoyos de caso específico y explicación)***.

Conclusión

5. Acción: *Exhortación a la acción y la cita*

Por eso los invito a sonreír a la vida, pues la vida se hace a base de pequeños triunfos, de cumplir pequeñas metas, de sentirse bien consigo mismo, de aprender a reconocer lo realmente valioso del ser humano. No hay nada más valioso que sentir el fluir de la vida. Tu vida está en tus manos, concédele su importancia, vívela, dale un valor máximo para que al final de tus días puedas decir: "Vida, nada me debes; vida, estamos en paz".

Modelo de formato y estructura del discurso de motivación

Tema: ______________________________

Propósito general: ______________________________

Declaración del propósito específico y la idea central del tema:

____

1. **Atención**

   I. Introducción (*indicar el tipo de introducción utilizado para captar la atención del público; por ejemplo: afirmación audaz y preguntas retóricas, etcétera*):

   ____

   A. Justificación del tema:

   ____

   B. Enlace con el cuerpo del discurso:

   ____

2. **Necesidad o problema**

   I. (Segunda idea principal):

   ____

   A. ______________________________

   Apoyos verbales ***(por ejemplo, explicación, analogía, etcétera)***

   B. ______________________________

   Apoyos verbales ***(por ejemplo casos, analogía, etcétera)***

3. **Satisfacción o solución**

   I. (Tercera idea principal):

   ____

   A. ______________________________

   Apoyos verbales ***(por ejemplo, explicación, ejemplo, etcétera)***

   B. ______________________________

   Apoyos verbales ***(por ejemplo explicación, analogía, etcétera)***

4. **Visualización**

   I. (Cuarta idea principal):

   ____

   A. ______________________________

   Apoyos verbales ***(por ejemplo, explicación, muestras, etcétera)***

   B. ______________________________

   Apoyos verbales ***(por ejemplo ilustración, casos, analogía, etcétera)***

5. **Acción**

   Conclusión ***(indicar el tipo de conclusión utilizado para el cierre del tema; por ejemplo, frase persuasiva, cita, etcétera)***

Modelo completo de un discurso de motivación

Tema: ***Valora tu vida***

Propósito general: Persuadir (motivar a la acción)

Declaración del propósito específico y la idea central del tema:
Motivar a las personas a que valoren su vida para que la vivan con entusiasmo y con una visión positiva.

Introducción

1. Atención
Llamada de atención: Preguntas retóricas

I. ¿Alguna vez te has preguntado cómo ves tu vida? ¿La ves con un punto de vista positivo o negativo? ¿Sientes que realmente la disfrutas? ¿La aceptas o estás inconforme con ella? ¿Realmente te sientes satisfecho y agradecido por tenerla? ¿No has aprendido a valorarla?

Justificación del tema:

A. Creo que muchos de nosotros nos sentimos inconformes con nosotros mismos, insatisfechos por lo que tenemos; no hemos reflexionado en lo valiosa que puede ser nuestra vida.

***Enlace con el cuerpo del discurso*:**

B. Es por eso que hoy quiero invitarlos a que juntos reflexionemos sobre el valor de nuestra vida.

Cuerpo del discurso

2. Necesidad o problema
***Presentación de la primera idea principal*:**

I. Vemos la vida con amargura y algunas veces nosotros mismos nos amargamos la existencia.

Primera idea subordinada: apoyos verbales de explicación

A. Caemos en un grave error cuando pensamos que valemos en función de lo que tenemos y que las demás personas deben comportarse y actuar como nosotros deseamos; que debemos callar nuestros problemas, porque a nadie le importan; que debemos ser siempre aprobados por los demás y nunca fallar. Estos criterios nos mortifican, y creemos que todo lo que nos sucede no tiene remedio y que lo merecemos.

Segunda idea subordinada: apoyos de caso específico y explicación

B. También nos preocupamos por lo que dicen y piensan los demás de nosotros y prestamos más atención al "qué dirán" que a nuestras propias convicciones. Hay quienes siempre hacen lo que otros dicen y actúan tratando de imitar a los demás, creyendo quedar bien ante la sociedad, sin ninguna reflexión ni razonamiento de tipo personal; siempre viven preocupados tratando de vivir como otros.

Presentación de la segunda idea principal

II. Vemos la vida llena de problemas y nos dejamos atormentar por ellos.

Primera idea subordinada: apoyos verbales de explicación y caso específico

A. Primero, los problemas personales causados por la insatisfacción o por la diferencia entre una condición deseada o ideal y la que realmente tenemos o vivimos. Por ejemplo, tenemos un auto pequeño y es un problema para nosotros, porque siempre hemos deseado un auto grande y no lo tenemos. Lo que sucede no es un problema, sino que no somos capaces de aceptar nuestra realidad económica. No nos conformamos con lo que poseemos.

Segunda idea subordinada: apoyos de explicación y caso específico

B. Nos volvemos presos de un amor desenfrenado hacia las cosas materiales, que representan cierto nivel o estatus, y nace en nosotros la codicia. En este mundo, el pobre desea ser rico y el rico desea más de lo que ya tiene; el enfermo desea estar sano, y el sano desea ser el más vigoroso y convertirse en un campeón. Codiciamos más y más en una carrera de ambición. Todo eso nos hace sentir presionados, tensos, inconformes, preocupados e insatisfechos con nuestra vida.

3. Satisfacción o solución

***Presentación de la tercera idea principal*:**

I. Por eso, con todas las fuerzas del alma, debemos ver la vida de otra manera y encontrar una forma de vivirla llena de entusiasmo y de amor, que sea más verdadera y auténtica, y que haga que valga la pena vivir.

Primera idea subordinada: apoyos de explicación y casos específicos

A. La vida es tiempo y sólo tenemos una oportunidad de vivir. Pensemos en todas las cosas maravillosas que nos rodean, como la naturaleza, las flores, los pájaros, que no necesitan de tantos recursos para vivir. Nosotros tenemos muchos recursos: pensamiento, habla, manos, pies, corazón; entonces, ¿por qué no utilizarlos más conscientemente para fines positivos?

Segunda idea subordinada: apoyos verbales de explicación y ejemplo

B. La vida es un don valioso porque es posible aprovecharla en actividades que nos engrandezcan, en luchar por un ideal que marque un progreso, en convivir con nuestros semejantes en armonía; podemos aprender. ¡Hay tantas cosas por las que se debe agradecer tener vida para realizarlas! Cuántos de nosotros tenemos familia, tenemos amigos, tenemos un Dios. Entonces, ¿qué nos impide valorar nuestra vida?

4. Visualización

***Presentación de la cuarta idea principal*:**

I. Pon todo de tu parte; transforma tus problemas y preocupaciones en entusiasmo, alegría y optimismo para ver tu vida positiva.

Primera idea subordinada: apoyos verbales de definición y cita

A. En todo lo que hagas pon amor, esa palabra que hace girar la vida del hombre y que ha sido interpretada de muchas formas a través de los años; esa palabra mágica que llena nuestra vida de entusiasmo. Sólo el amor hace que nazcan el entusiasmo y la alegría, dos perfectos combatientes de la depresión y del vacío. Alguien por ahí dijo: "Si hay un hueco en tu vida, llénalo de amor". Por eso, debemos amar nuestra vida; con el entusiasmo vendrá también el optimismo. Entonces verás que los problemas son retos que hay que vencer y que las depresiones logran superarse.

Segunda idea subordinada: apoyos verbales de caso específico y explicación

B. Sé optimista, pues aquella persona que bendice al sol, al viento, al agua y a todo lo que encuentra a su paso, que ve los días como una bendición, que siente la vida y la palpa, porque cada gozo arranca una sonrisa y cada tropiezo arranca una palabra de aliento, de ánimo, de empuje, es triunfadora y su vida está llena de esperanza.

Conclusión

5. Acción

Exhortación a la acción y la cita

Por eso los invito a sonreír a la vida, pues la vida se hace a base de pequeños triunfos, de cumplir pequeñas metas, de sentirse bien consigo mismo y de aprender a reconocer lo realmente valioso del ser humano. No hay nada más valioso que sentir el fluir de la vida. Tu vida está en tus manos, concédele su importancia, vívela, dale un valor máximo para que al final de tus días puedas decir: "Vida, nada me debes; vida, estamos en paz".

En la presentación del discurso de motivación se deben considerar criterios que pueden ayudar al comunicador a lograr mayor efectividad:

1. *La selección del tema.* (¿El tema refleja la necesidad existente? ¿Es adecuado para las actitudes del público?).
2. *La preparación del mensaje y el conocimiento del comunicador.* (¿El orador conoce el tema? ¿Sabe de la necesidad existente? ¿Se preparó para explicarla en forma adecuada?).
3. *La voz y el estilo del comunicador.* (¿Reflejan entusiasmo, espontaneidad y convicción? ¿Se muestra seguro al expresarse? ¿Inspira confianza y credibilidad?).
4. *La comunicación no verbal.* (¿Cómo son la imagen física del comunicador, su arreglo personal, su acción corporal, su postura, sus gestos, su contacto visual? ¿Tiene prestancia?).
5. *La creatividad y originalidad en la presentación del tema.* (¿Cómo lo dice? ¿Qué apoyos verbales utiliza? ¿Qué palabras usa, qué ejemplos, qué citas?).

El conjunto y la combinación de estos elementos siempre impactará al público en forma racional y emocional, logrando conmoverlo con una intensidad cuyo grado determinará si se motiva o no al público para realizar la acción recomendada por el comunicador.

Resumen

Uno de los mayores poderes de la comunicación es su capacidad de influir, así como de provocar cambios en la vida de las personas y de las sociedades. A la comunicación que, por medio de símbolos verbales y de conductas no verbales, influye en los demás se le conoce como persuasión.

La comunicación y la persuasión se relacionan ya que por medio de las dos aprendemos a interactuar. Por la comunicación logramos conducirnos y presentarnos a otros de muy diversas maneras, pero con la persuasión actuamos de manera consciente para modificar el pensamiento y la conducta de otras personas; por eso la palabra persuadir significa "atraer el alma de quien escucha". La persuasión convence a la razón y mueve a la voluntad. Las definiciones de diversos autores concuerdan en que la persuasión es un tipo de comunicación consciente, porque existe la intención del emisor de influir en el receptor. Supone opiniones, alternativas y selección de alternativas, sin presionar al receptor para que, racional y emocionalmente, tome una decisión.

La estrategia de comunicación persuasiva se considera la forma de comunicación más importante para el desarrollo de la vida democrática de toda sociedad civilizada, porque provee a las personas que la conforman del medio más adecuado para expresar opiniones y juicios de valor sobre las diversas situaciones de la vida diaria. Para planear la estrategia, será necesario que el comunicador lleve a cabo varias tareas; entre ellas, las más importantes son determinar el propósito persuasivo, analizar las actitudes del público y observar principios éticos inherentes a la persuasión. Las funciones de la persuasión, o propósitos generales, son motivar, convencer y refutar; conforme a ellas, surgen los discursos persuasivos de motivación, de convicción y de refutación. Ligados a los propósitos persuasivos, se encuentran también los medios para persuadir: el *logos*, el *phatos* y el *ethos*. Se logra persuadir, entonces, con los argumentos racionales y emocionales que mueven la voluntad de los individuos a la acción. El comunicador con buen juicio y carácter ético formará su imagen de credibilidad ante el público.

Siendo los propósitos persuasivos convencer y motivar, el comunicador necesitará realizar, antes de sus discursos, el análisis del público para tratar de encontrar las tres dimensiones propias de sus actitudes, que son la dirección, la posición y la intensidad, y con ello determinar el tipo de personas que tiene como público para lograr más fácilmente su propósito persuasivo. En todo discurso persuasivo es prioritario hacer ciertas consideraciones éticas, ya que se considera inmoral emplear técnicas de comunicación que se opongan a las demandas morales de una cultura; se considera injusto comunicarse con la intención de influir para dañar a alguien o para manipular al receptor; existen principios éticos sociales, humanos e interpersonales que sirven al comunicador para evaluar o juzgar su práctica persuasiva.

Una vez que se han revisado estos aspectos del propósito persuasivo, el análisis del público y la ética de la persuasión, el comunicador puede elaborar sus mensajes que, de acuerdo con su finalidad, serán de motivación, de convicción o de refutación. El mensaje de motivación es un tipo de discurso que se utiliza cuando hay actitudes favorables hacia la acción que recomienda el comunicador, porque sabe que ésta vendrá a satisfacer algún tipo de necesidad existente. El mensaje de motivación consta de cinco etapas, llamadas "secuencia motivadora", que forman la estructura del mensaje: atención, necesidad, satisfacción, visualización y acción.

140 caracteres

En no más de 140 caracteres, defina los siguientes conceptos.

- #Persuasión

- #Estrategia de comunicación persuasiva

- #Propósito persuasivo

- #Convencer

- #Refutar

- #Ética en la persuasión

- #Principio social positivo

- #Discurso de motivación

- #Discurso de convicción

____

____

____

- #Discurso de refutación

____

____

____

Leer es un placer

Lea el texto que aparece a continuación y responda las preguntas que aparecen al final.

Convicción: secreto de los innovadores

Doreen Lorenzo (octubre 19 de 2011)

http://www.cnnexpansion.com/emprendedores/2011/10/18/conviccion-motor-de-la-innovacion

En los círculos empresariales, la 'creatividad' se ha convertido en una palabra para describir un rasgo deseado entre los empleados. Se cree ampliamente que tener pensadores creativos dentro del personal aumentará los niveles generales de innovación del equipo. Sí, la creatividad puede conducir a muchas ideas originales. Pero cuando llega el momento de vender esos conceptos internamente y luego llevar esas ideas al mercado, la creatividad no es suficiente. Lo más importante es la convicción.

Observa a los líderes empresariales más admirados en la actualidad. Tienden a resistirse a los compromisos, incluso cuando se enfrentan al escepticismo o a las quejas de los clientes. Mark Zuckerberg, el joven fundador de Facebook, es conocido por la exactitud de su visión, que impulsa cada modificación de diseño o software del sitio de red social que él creó, a pesar del alboroto obligado que provoca cada cambio entre los más de 750 millones de usuarios de Facebook (cuyas propias convicciones, como debe notarse, contribuirán a impulsar los siguientes cambios en los procesos y políticas de privacidad de Facebook).

Piense en cómo el fundador de Amazon, Jeff Bezos, preguntó a la clase de graduados de la Universidad de Princeton, durante su discurso de apertura de 2010, allí: "¿Van a debilitarse bajo la crítica o van a seguir sus convicciones?". Como una alternativa eficaz a leer, una lista cursi de consejos para el éxito a una multitud ansiosa que espera seguir sus pasos, su difícil pregunta ofrece una mirada a su propio estilo de la innovación, y lo que lo condujo a crecer a Amazon desde un emprendimiento de librería en línea hasta un gigante minorista y a un posible retador del exitoso hardware de Apple, la iPad, y de su servicio iTunes.

Pero no son sólo los fundadores de empresas, presidentes ejecutivos o graduados de las mejores universidades de Estados Unidos los que pueden beneficiarse de tener un fuerte sentido de la convicción. Los nuevos datos indican que cuando los empleados persiguen una labor en la que tienen fuertes creencias, y pueden hacer avanzar sus ideas dentro de su organización, son más entusiastas y productivos.

La profesora de Harvard, Teresa Amabile y su colega Steven Kramer recopilaron 12,000 entradas de diarios electrónicos de 238 ejecutivos de siete distintas organizaciones. Los investigadores analizaron lo que motivaba a estas personas todos los días, quienes describieron su bienestar psicológico diario en el trabajo. Amabile y Kramer vieron emerger una tendencia: "Simplemente avanzar en un trabajo significativo" fue la clave para que estos trabajadores se sintieran comprometidos, escribieron Amabile y Framer en un ensayo de opinión en el diario *The New York Times*, en septiembre. Lo que muestra la investigación de Amabile es que la convicción es importante. El trabajo que apela a las profundas creencias de los empleados y que tiene un significado personal para los trabajadores, es lo que los impulsa.

La convicción es la fuerza poderosa que Google canaliza con su política de 20%, que exige a sus empleados dedicar una quinta parte de su tiempo en la oficina a perseguir un proyecto que les interese personalmente y, por lo tanto, les apasione. Esta política ha dado lugar a productos como Gmail y al software de simulador de vuelo de Google Earth. Pero más allá del alboroto que rodea al estilo de gestión de Google y a la forma en que conduce a un pensamiento creativo, es útil ver qué piensan los propios empleados de Google de este concepto, como es evidente en sus blogs y en sus propias palabras. David Burke, director de ingeniería que trabaja en el sistema operativo móvil Android de Google, describió la política en un blog de Google a principios de este año como "mi licencia para innovar".

Pero simplemente trabajar en un lugar como Google –con su comida gratis, vastos recursos, gerentes ambiciosos y talentosos compañeros de trabajo– podría no ser suficiente para provocar la innovación deseada. Una cultura donde las pasiones personales importan lo suficiente como para impulsar una política corporativa, más que una política en sí misma, es la estrategia a seguir.

Las organizaciones de todos los tamaños pueden animar a todos, desde líderes de nivel directivo hasta jóvenes principiantes, a seguir sus convicciones. Y no todo debe ser positivo. De hecho, para los gerentes puede ser útil en muchos niveles prestar atención a las respuestas apasionadas de los empleados acerca de proyectos, productos o servicios que no están funcionando.

En la firma Frog, por ejemplo, mucha gente se quejaba de una herramienta interna que se utilizaba para las revisiones de desempeño: cuán engorroso era el software y cuán tardado era el proceso para introducir texto (¿te suena familiar?). Por lo tanto, los administradores prestaron atención a estos exaltados comentarios y adoptaron el proyecto. Claramente, si tanta gente tenía opiniones tan fuertes sobre esta herramienta, tal vez algo andaba mal con ella. Fue entonces cuando sugerí que si los empleados sentían que no era la herramienta adecuada para nosotros, ¿por qué no proponer una mejora? Un diseñador tomó el desafío y creó una alternativa para el software de evaluación de desempeño en cuestión.

El ejercicio mostró a nuestros equipos que somos el tipo de empresa que escucha a los empleados, presta atención a la intensidad de sus intereses, y no tiene miedo de tomar riesgos al canalizar esa intensidad. Entonces, lo que hemos aprendido en Frog es que una política de gestión de 'empleados primero' se trata de crear una cultura que ofrezca la oportunidad de que todos expresen sus opiniones hasta llegar a los altos ejecutivos, en reuniones personales al estilo ayuntamiento, o en conferencias trimestrales con toda la compañía. De esta manera, también podemos identificar a los empleados que tienen algo que decir, que podrían ser capaces de ofrecer nuevas formas para mejorar la manera en que hacemos negocios, y cuyas opiniones están tan formadas que no tienen miedo de compartirlas ante toda la empresa.

Los pensadores impulsados por la convicción en todos los niveles de una organización, desde la alta dirección hasta los asistentes, quieren compartir sus visiones específicas más que buscar fama o poder. Ellos no sólo piensan que tienen una buena idea, sino que creen apasionadamente que vale la pena transformar su concepto en realidad. La belleza de este tipo de pensadores (y hacedores) es que pueden explicar por qué quieren desarrollar los productos que están desarrollando, y por qué quieren lanzar las iniciativas que están lanzando, tanto a nivel interno como ante el mundo. Incluso cuando sus ideas no sean las más originales (recuerda que el Kindle no fue el primer lector electrónico, el iPod no fue el primer reproductor de MP3, Google no fue el primer motor de búsqueda, y Facebook no fue la primera red social), su pasión y su visión sobre cómo mejorar el mundo o incluso de la calidad de vida cotidiana en el espacio de trabajo de su empresa probablemente estén más enfocadas.

Es probable, también, que estén comprometidos. Como resultado, pueden ser muy persuasivos. Esa mezcla de interés, compromiso y persuasión, más que la creatividad sola, es lo que lleva ideas al mercado, y también al público adecuado en el momento adecuado.

Preguntas

1. ¿Por qué la convicción es más importante que la creatividad?

2. ¿Cuál es la relación entre la productividad y la convicción?

3. ¿Por qué la convicción es una fuerza poderosa?

4. ¿Qué relación se establece entre compromiso y convicción?

5. ¿Qué semejanzas comparten las empresas exitosas, como Facebook, Google y Kindle, entre otras?

El supercódigo

Abra el siguiente código para acceder al discurso de Nick Vujicic, titulado: "Sin límites"; o bien, consulte en Internet alguno similar.

Posteriormente, identifique y escriba la información que se pide en la siguiente tabla:

Estructura persuasiva	Discurso "Sin límites" Nick Vujicic
Propósito persuasivo (motivar, convencer o refutar)	
Introducción • Llamada de atención • Justificación del tema	
Cuerpo • Necesidad o problema • Satisfacción o solución • Visualización	
Conclusión Acción o exhortación	
Ética en el discurso persuasivo	

Lo que sé (y lo que no)

Responda las siguientes preguntas, luego evalúe si sus respuestas son correctas.

Pregunta	Sí	No	¿Por qué?
1. ¿El discurso persuasivo implica siempre el convencimiento del receptor?			
2. ¿En esencia, el mensaje del discurso informativo es similar al del discurso persuasivo?			
3. ¿La motivación es uno de los propósitos de la persuasión?			
4. ¿La actitud del receptor tiene impacto en la influencia del discurso persuasivo?			
5. ¿El principio humano es el más importante en la ética de la persuasión?			
6. ¿El discurso de la refutación tiene el mismo esquema que el discurso de motivación?			

Compare sus respuestas, con las que aparecen a continuación:

Respuestas: 1. No 2. No 3. Sí 4. Sí 5. No 6. No

Y a la final

Tomando como guía la tabla que se presenta a continuación redacte un discurso persuasivo, seleccionando un tipo de introducción, tres tipos de párrafo de cuerpo y uno de conclusión, acorde al tipo de discurso que haya seleccionado.

Posteriormente preséntelo a sus compañeros. Puede tomar como base los siguientes pasos:

1. Selección del tema.
2. Definición del propósito.
3. Selección del tipo de discurso persuasivo: motivación, convicción o refutación.
4. Estructurar el discurso, tomando en cuenta la intención.
5. Considerar los argumentos a utilizar, y los posibles contraargumentos, en función de las actitudes del público.
6. Seleccionar el material de apoyo.
7. Preparar el discurso, tomando en cuenta que no debe de pasar de 10 minutos.

Tome en cuenta la rúbrica con la que será evaluado.

Criterio	Sobresaliente 5	Satisfactorio 3	No satisfactorio 1	TOTAL
Introducción (Llamado de atención)	La estrategia utilizada para captar la atención del público es excelente.	La estrategia utilizada para captar la atención del público es buena.	La estrategia utilizada para captar la atención del público es mediocre.	
Cuerpo del discurso (Estrategias para mantener la atención y convencer)	Las estrategias utilizadas para demostrar la necesidad, describir el problema y satisfacer la necesidad, son excelentes.	Las estrategias utilizadas para demostrar la necesidad, describir el problema y satisfacer la necesidad, son buenas.	Las estrategias utilizadas para demostrar la necesidad, describir el problema y satisfacer la necesidad, son mediocres.	
Conclusión (Estrategias de cierre)	La estrategia de cierre utilizada es eficiente y acorde con el tema.	La estrategia de cierre utilizada no es tan eficiente o no es acorde con el tema.	La estrategia de cierre utilizada NO es eficiente y acorde con el tema.	
Comunicación no verbal	La postura, gestos, contacto visual y acción corporal del presentador es excelente.	La postura, gestos, contacto visual y acción corporal del presentador es buena.	La postura, gestos, contacto visual y acción corporal del presentador es mediocre.	
Creatividad y originalidad en la presentación del tema	El tema es tratado de una manera muy creativa e innovadora.	El tema es tratado de una manera creativa e innovadora.	El tema es tratado de una manera muy tradicional y poco creativa.	
Principio ético	Se respetan los principios éticos, durante toda la conferencia.	Se respetan los principios éticos, durante la mayor parte de la conferencia.	No se respetan los principios éticos, durante toda la conferencia.	

Para conocer más

Abra el siguiente código y lea por lo menos uno de los discursos de Adolf Hitler. Analice su discurso desde el punto de vista ético. Tome en cuenta los tres principios:

- Principio social positivo.
- Principio humano.
- Principio interpersonal.

Después, reflexione sobre la calidad de su discurso tomando en cuenta sus argumentos y estrategias de convencimiento. Escriba una conclusión al respecto.

La palabra

La singularidad del hombre no radica en su capacidad para percibir ideas, sino para percibir que puede percibir y transferir estas percepciones a las mentes de otros hombres por medio de palabras.

Albert Einstein

Habilidades para la acentuación

División silábica

Separe en sílabas las siguientes palabras:

país	*a-dhe-rir*	airado	
ruido		aéreo	
prohibir		cometía	
lealtad		jesuita	
desenredar		Juan	
crearé		destruiríais	
pie		reiremos	
baúl		reiteración	

Observe la división silábica de las siguientes palabras:

bai-le	via-je	jau-la	gua-ya-ba	ai-re-ar
rei-no	clien-te	reu-nir	a-deu-dar	lim-pia-rí-ais
rehu-sar	re-hú-so	hue-so	boi-na	au-tó-no-mo
vio-le-ta	bo-he-mio	Cou-to	cuo-ta	coc-ción
viu-da	ta-húr	po-e-ma	con-tri-buir	des-pro-por-ción
lo-a	a-or-ta	Ra-úl	cre-o	re-fle-xión
re-a-ta	co-mí-a	ai-ra-do	cohi-bir	de-re-cho-ha-bien-te
a-ho-go	tra-e-ré	luen-go	de-sahu-cio	re-ac-cio-nar

De acuerdo con la división silábica de las palabras anteriores, ¿cuáles vocales unidas forman una sola sílaba?

____

____

¿Cuál unión de vocales forma dos sílabas?

____

____

Observe la división silábica de las siguientes palabras:

es-tu-diéis	Pa-ra-guay	fi-nan-ciáis	buey	des-truí-a	Cuauh-té-moc
a-ve-ri-güéis	o-í-as	li-cuáis	le-í-a	bo-hí-o	

¿Cuáles combinaciones de vocales permiten juntar tres de ellas?

____

____

¿En dónde está la vocal fuerte y en dónde las débiles? ¿Cómo se llama a esta combinación de vocales en una sola sílaba?

____

____

Observe la división silábica de las siguientes palabras compuestas:

trans-a-tlán-ti-co des-en-vuel-to sub-al-ter-no

Separe las siguientes palabras en sílabas.

adherir	*a-dhe-rir*	ahogado	
rey		abstraer	
ahínco		ahúma	
cohíbe		rehízo	
rueda		ensucia	
subacuático		anuncia	
recuadro		sacia	
Bilbao		licua	
lingüística		transasiático	
transoceánica		prohibición	
construirías		abuelo	
obstinado		bacalao	
experiencia		Atlántico	
teatro		Cuauhtémoc	
raído		abstracción	
exorbitante		aéreo	
rehúye		hiel	
Ruanda		excentricidad	
airado		raíz	
coartada		imbuido	
aristocracia		aurícula	
Uruguay		etéreo	
denuncia		diferencia	
anuncia		Ceilán	
financia		alinea	
negocia		cohesión	
readaptar		diríais	
aplauso		recuérdalo	
nuez		hacía	
baúl		hacia	
cuece		desincorporar	
barbacoa		contraído	
deshilar		reúne	
ahora		reíais	
Suez		reflexión	
flexionar		alinéalo	
exento		inhibir	
deambular		repercusión	
exhaustivo			

La vocal es siempre el núcleo de una sílaba (pa-re-cer).

- Las vocales abiertas son: **a**, **e**, **o**; y las vocales cerradas son: **i**, **u**.
- Forman parte de una sílaba y, por lo tanto, hacen diptongo: la combinación de una vocal abierta y una cerrada (c**au**-da), una vocal cerrada y una abierta (r**ue**-ca) y dos vocales cerradas (c**ui**-do, v**iu**-da).
- Dos vocales abiertas no forman diptongo, por lo tanto, cada una de estas vocales pertenece a una sílaba diferente (s**e**-**a**-mos, c**a**-**o**s).
- Tres vocales juntas en una sola sílaba pueden formar un triptongo cuando se combina una fuerte, o abierta, en medio de dos débiles, o cerradas (es-tu-d**iéi**s).
- Las palabras formadas por un prefijo y una palabra simple pueden separarse –según la norma culta– por el prefijo completo de la palabra (trans-a-tlán-ti-co, in-a-de-cua-do); sin embargo, la Academia también acepta la separación usual en la lengua española (tran-satlán-ti-co, i-na-de-cua-do).
- La letra **h**, como es muda, no impide la formación de diptongos (**pro**-**hi**-bir, **ahu**-mar).
- Las palabras con **h** intermedia deben separarse como si no existiera la h (i-nhi-bir). Es incorrecto separarlas así: *in-hi-bir*, y debe evitarse su separación entre un renglón y otro.
- La terminación *ción* forma siempre una sola sílaba.
- En palabras terminadas en *ción*, donde se duplica la c, la sílaba se separa acorde con la pronunciación (ac-ción, coc-ción).
- La terminación *xión* forma parte de una sola sílaba, por lo tanto la **x** se une a la vocal que le sigue (in-fle-xión, co-ne-xión) aunque su pronunciación sea como doble c = (ks).
- Hay palabras en las que una sola vocal forma sílaba, por ejemplo: **a**-**hí**, **a**-ho-ra, dí-**a**, frí-**o**, se-**a**.
- Cuando en una palabra aparecen juntas una vocal fuerte y una débil o dos débiles, pero el tono de la voz o la acentuación recae en una débil, la propia acentuación la convierte en vocal fuerte, por lo que decimos que esas vocales están en *hiato*. Ejemplo: **o-í**, **le-í**, **frí-o**, **re-ú**-ne, **bú-ho**. En este caso disolvemos el diptongo y acentuamos la vocal débil porque en ella se carga el tono de la voz o la acentuación.
- El fenómeno anterior también puede ocurrir en la unión de tres vocales que, por el hecho de ser todas fuertes, se separan para formar sílabas aparte; en este caso también se dice que las vocales están en *hiato*. Ejemplo: **le-í-a**, **o-í-a**s.
- Se llama *hiato* al encuentro de dos vocales que se pronuncian en sílabas distintas.

Acentuación

Observe cuidadosamente los siguientes grupos de palabras:

1.	ojalá	sabré	aquí	circuló	Malibú	café	sentí	Perú
2.	diván	edén	jardín	comezón	ningún	Marín	hipertensión	edecán
3.	demás	estrés	París	adiós	trolebús	vendrás	después	revés
4.	vital	cualquier	Ortiz	feroz	callar	humor	actividad	reloj

¿Qué elementos tienen en común todas estas palabras?

____

____

Todas las palabras de la primera, segunda y tercera líneas cargan el tono de la voz en la ______________ sílaba, terminan en ______________ y se llaman ______________.

¿Cuáles se acentuaron?

____

____

Todas las palabras de la cuarta línea cargan el tono de la voz en la ____________ sílaba, terminan en ____________ y se llaman ____________ ¿Cuáles de ellas se acentuaron? ____________.

¿Cuál regla de acentuación deduce de lo anterior?

____

____

Coloque el acento ortográfico en las palabras que deban llevarlo:

calor	facultad	clamor	comezon	ciclon	antifaz	actriz	capaz
vital	enseñar	floral	algun	correr	pueril	Colon	vivaz
azul	sera	mentir	vivira	ladron	racion	legal	produccion
murio	compas	ire	reloj	vertebral	Tomas	Madrid	buro
decidi	nacional	coccion	caber	recibi	igual	Julian	hara
rector	Ruben	repitio	fatal	feroz	curul	pastor	crear
a traves	balcon	Quebec	colector	contar	cafe	decid	construi

Observe cuidadosamente las siguientes palabras:

1.	Cristóbal	tórax	Fernández	cáncer	verosímil	huésped	álbum
2.	fractura	irreparable	Cali	impulso	huelga	Odisea	grave
3.	salgan	volumen	orden	canon	virgen	examen	joven
4.	diminutas	viernes	psicosis	Marcos	caracteres	apendicitis	peces

¿Qué elementos tienen en común estas palabras?

____

____

Todas las palabras de la primera línea cargan el tono de la voz en la ____________ sílaba, se llaman ____________ y se acentúan porque ____________

____

____

Todas las palabras de la segunda, tercera y cuarta líneas cargan el tono de la voz en la ____________ sílaba, se llaman ____________ y no se acentúan porque ____________

____

____

¿Cuál regla de acentuación deduce de lo anterior?

____

____

Coloque el acento ortográfico en las palabras que deban llevarlo:

rencor	actividad	laser	estrategia	celebracion	util	mujer
salmonelosis	avaro	estres	cadaver	coccion	adios	lapiz
Ulises	arbol	accion	identidad	magia	reves	juez
cancer	mausoleo	viernes	prever	ademan	hostil	asi
peticion	Perez	patron	elaborar	tambien	segun	aspid
peregrino	interes	fallecer	escueto	quizas	ahi	crater
memorandum	marmol	proveer	escepticismo	gallardo	debil	salon

Observe cuidadosamente las siguientes palabras:

1. rápido	América	malísimo	murciélago	sótano	práctico	áureo
2. periódico	orgánico	océano	régimen	análisis	síntesis	óleo
3. células	parásito	cómodo	México	económico	península	aéreo
4. ámalo	filósofo	sílaba	miércoles	química	Atlántico	físico

¿Qué tienen en común estas palabras?

___

___

___

¿Cuál regla de acentuación deduce de estas palabras?

___

___

___

Observe cuidadosamente las siguientes palabras:

1. cambiándosela	contéstamelo	respóndeselas	recuérdanoslo	cántaselo
2. dándoselo	alegrándonoslo	cuéntamelo	pídesela	envíamelo

¿Cómo están estructuradas las palabras anteriores?

___

___

___

De acuerdo con el lugar de la sílaba en donde cargan el tono de la voz esas palabras, ¿qué nombre reciben y por qué?

___

___

___

¿Cuál regla de acentuación deduces de esas palabras?

___

___

___

Excepciones a las reglas de acentuación

Observe cuidadosamente las siguientes palabras:

bíceps	tríceps	tetráceps	fórceps	trémens	aeróbics
escáners	fracs	coñacs	bráquets	cómics	módems
tráilers	pósters	fólders			

Por su acentuación, ¿qué clase de palabras son éstas?

___

___

¿Cuál regla de acentuación deduce de lo anterior?

___

___

Lea en voz alta las siguientes palabras:

maíz hacía Raúl país María
baúl rehúse construiríamos rehíce prohíbe

Ahora vuelva a leerlas quitándoles el acento.

¿Por qué debemos escribir el acento ortográfico en esas palabras?

¿Cuál regla de acentuación deduce de lo anterior?

Observe cuidadosamente las siguientes palabras:

débil-débilmente clara-claramente rápida-rápidamente
loca-locamente específica-específicamente sabia-sabiamente

¿Cómo es la acentuación de los adverbios terminados en **mente**?

¿Cuál regla de acentuación deduce de lo anterior?

Observe cuidadosamente las siguientes palabras:

Dios-adiós pie-puntapié pies-ciempiés fin-sinfín ver-prever ven-prevén

¿Qué sucede cuando un monosílabo pasa a formar la parte final de una palabra compuesta?

¿Cuál regla de acentuación deduce de lo anterior?

Observe cuidadosamente las siguientes palabras:

físico + químico = fisicoquímico
décimo + séptimo = decimoséptimo
así + mismo = asimismo
histórico + social = historicosocial
económico + político = economicopolítico

¿Qué sucede con la acentuación de estas palabras?

¿Cuál regla de acentuación deduce de lo anterior?

Coloque correctamente el acento ortográfico en las palabras que deban llevarlo.

lexico
traduccion
contemporaneo
español
Guzman
descoyuntado
lingüistico
financio
traido
observacion
acuerdo
espiritu
rapido
penultima
restalo
ceremonia
acendrado
rapidamente
Carmen
polisemico
calumnia
ventrilocuo
conformacion
hiperbole
coloquial
adherible
suspicacia
inminente
monologo
prospero
suscitar
polifacetico
gramatica
capitulo
pasion
saborealo
alinealo

dramatica
madurez
adecua
iberica
polemica
Ruiz
periodo
cornea
esplendido
peninsula
tremens
delirio
veran
politicamente
real
Victor
postrado
triceps
subito
proximo
rafaga
meditacion
buros
metafora
filosofia
herbivoro
civico
portento
homogeneizar
anonimo
exhalar
tambien
retorica
simbolos
origen
dinamico
resumen

patan
receptaculo
fuerce
ironico
escalar
Ortiz
area
solemne
biceps
moralmente
expectacion
ademan
atomo
rector
automovil
vagando
volvio
musculo
adversidad
textual
traemelo
transeuntes
linea
triangulo
antepenultimo
romantico
insignificante
transicion
Fernandez
biodinamica
llegariamos
estudialo
poetica
trasnacional
areas
monitorealo
joven

cocinar
martir
financielo
utilmente
poderio
ecologico
esteril
desafortunadamente
concavo
prodigo
sinonimo
suele
comunmente
absorber
division
Perez
solido
consul
adelantando
Michoacan
abogacia
grafico
Suarez
angel
fecundo
analogo
tacito
mediodia
erosion
descortes
sutilmente
pidenoslo
academia
sincero
formula
metastasis
volumenes

Esquema de la acentuación:

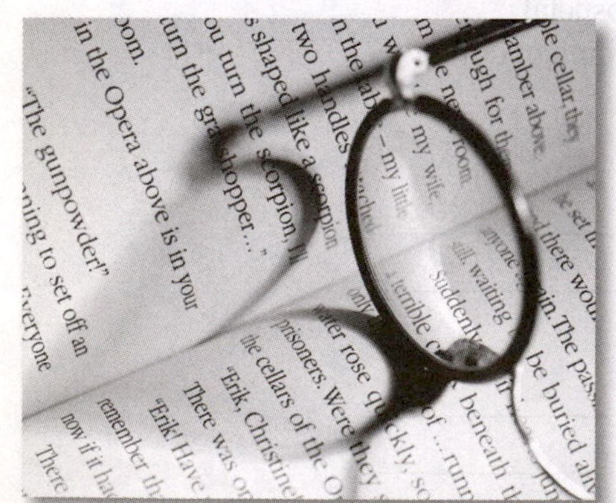

Palabra	Clase	Se acentúa
in-te-**rés**	AGUDA	Cuando termina en **n**, s o **vocal**.
ca-**rác**-ter	GRAVE	Cuando termina en **consonante**, excepto **n** y **s**.
A-**mé**-ri-ca	ESDRÚJULA	Todas.
en-**vián**-do-se-lo	SOBRESDRÚJULA	Todas.
Ma-**rí**-a Ra-**úl** re-**ú**-ne	DISOLVER EL DIPTONGO	La vocal débil donde se carga el tono de la voz, para disolver el diptongo. Es **hiato**.

(continúa)

(Continuación)

débil-débilmente clara-claramente	TERMINACIÓN EN **MENTE**	Conservando el acento ortográfico de la palabra simple.
pie, Dios, tren, luz, pez, Juan, bien, vio, dio, fue, fui, vi, ve, di, dos, tres.	MONOSÍLABOS	No se acentúan.
Dios-adiós bien-también ver-prever	COMPUESTA	La palabra compuesta aguda formada por un monosílabo.
político + religioso = politicorreligioso tío + vivo = tiovivo	YUXTAPUESTA	Sólo la segunda palabra, si ésta lleva acento.
construido	DIPTONGO **UI**	El diptongo **ui** en posición grave no se acentúa.

Coloque el acento ortográfico en donde sea necesario.

1. Hay palabras que cambian de significacion al colocarles el acento en silabas diferentes. Ejemplo: circulo, circulo, circulo.
2. Tambien hay palabras que tienen dos participios: uno regular y el otro irregular. Por ejemplo, desproveido y desprovisto, abstraido y abstracto; concluido y concluso. El primero se usa para formar verbos compuestos; el segundo, como adjetivo.
3. Los nombres y los apellidos debemos acentuarlos correctamente; por ejemplo, Benjamin Hernandez, Ramon Perez, Julian Rodriguez, Felix Lopez, Cesar Gonzalez, Raul Diaz.
4. En la Segunda Guerra Mundial, los soldados sovieticos tenian pocas perdidas en su ejercito.
5. Visitare Paris y la Peninsula Balcanica, asi como el rio Tiber y la region nordica.
6. El no necesito el automovil que le pidio prestado al señor Benitez.
7. Por el Oceano Pacifico se trasladaran muchos alimentos.
8. Los grupos de musica moderna tienen fanaticos en todo el mundo.
9. Moises presentara examenes la proxima semana.
10. El refran o la tradicion dice que debemos plantar un arbol, escribir un libro y, hasta entonces, tener un hijo.
11. En esta recamara se colocaran dos buros.
12. No es muy habil para negociar con los politicos.
13. El parrafo era muy largo e inutil.
14. La administracion britanica no otorgo la independencia a sus colonias en el siglo pasado.
15. La tradicion filosofica hindu se basa en el amor y la paz.
16. El sureste de China tiene un clima calido y humedo.
17. Comunmente, las clases se inician pacificamente.
18. El maiz es una planta graminea que reune varios nutrientes.
19. El baul estaba descompuesto y no habia quien lo arreglara.
20. La situacion economicopolitica del pais no es favorable.
21. Al automovil se le rompio el sinfin.
22. La libertad del pajaro se satisface en el vaiven de una rama.
23. Le dio un puntapie con toda intencion.
24. Suavemente el aguila inicio su vuelo.
25. La decimoseptima legislatura programo sus actividades.
26. Corria el año de 1492 cuando Cristobal Colon llego a America y entro por la region del Caribe.
27. El joven interlocutor permanecia estatico, inmovil, absorto y palido.
28. Es importante dar a conocer nuestras raices y costumbres con movimientos dancisticos y cantos tradicionales.

29. Las coordinaciones de difusion cultural promueven y difunden los valores artisticos y culturales de la poblacion estudiantil.
30. Evidentemente, no debemos olvidar nuestros legados culturales, para tener una vision integra de nuestra realidad.
31. Se necesita la colaboracion de todos los antropologos.
32. Se despidio dandole un apreton de manos.
33. Al carrusel tambien se le llama tiovivo.
34. La explosion demografica es un problema de todos los paises.
35. La realidad politica usualmente no es conocida por toda la poblacion.
36. Petroleos Mexicanos ha comprado muchos buquetanques.
37. Se inicio un puente aereo para ayudar a los damnificados.
38. El aeropuerto de Merida es muy amplio y practico.
39. Conocio el significado de la palabra aureo.
40. No satisfare sus deseos de poder.
41. El truhan se escondio entre los transeuntes.
42. En el gimnasio ejercita sus biceps.
43. Asimismo, es necesario que se estudie lo historicosocial para lograr una identificacion autentica con toda Hispanoamerica.
44. Permanecio inmovil entre los arboles.
45. Ivan es hermano de Andres y de Julian.
46. Anoto la bibliografia correctamente y realizo un buen esquema.
47. El Estado de Michoacan no ha solucionado sus problemas politicos y eso esta afectando la situacion socioeconomica.
48. Mexico ha vivido una guerra politicorreligiosa.
49. Nunca me digas adios porque es una palabra triste.
50. Habilmente evadio la conversacion, corto de raiz el problema y lo soluciono.

Acento diacrítico

Revise la acentuación de las siguientes palabras en las oraciones:

1. *Tú* me elegiste.	*Tú*	• pronombre personal
Obtuviste *tu* oportunidad.	*tu*	• adjetivo
2. Importa que *él* se comunique.	*él*	• pronombre personal
Desarrolla *el* sentido de la responsabilidad.	*el*	• adjetivo/artículo
3. Es costumbre inglesa beber *té* por la tarde.	*té*	• (bebida) sustantivo
Arturo *te* lo dijo.	*te*	• pronombre
4. Yo *sé* lo que no debo hacer.	*sé*	• verbo *saber*
Sé un buen alumno.	*sé*	• verbo *ser*
No *se* olvidó de los necesitados.	*se*	• pronombre
5. *Sí*, quiero que trabajes.	*sí*	• adverbio de afirmación
Le dio el *sí*.	*sí*	• sustantivo
Lo pensó para *sí*.	*sí*	• pronombre reflexivo
Si estudias, triunfarás.	*si*	• conjunción condicional
6. Ese regalo no es para *mí*.	*mí*	• pronombre
Mi casa es tu casa.	*mi*	• adjetivo
7. Cada día te quiero *más*.	*más*	• adverbio de cantidad
Mas no puedo estar contigo.	*mas*	• (pero) conjunción
8. Tengo mucho trabajo *aún*.	*aún*	• (todavía) conjunción
Todos cooperaron, *aun* mi hija.	*aun*	• (también, incluso, inclusive) conjunción

9.	*Dé* el premio al mejor estudiante.	*dé*	• verbo *dar*
	No sé *de* quien es el premio.	*de*	• preposición
10.	¿*Cuándo, cómo, dónde* y *por qué* lo dijiste?	*cuándo* *cómo*	• interrogativos, admirativos y exclamativos
	¡*Qué* figura más atractiva!	*dónde*	
	¿*Por qué* se fue?	*por qué*	
	Ignoro el *porqué*.	*porque*	
	¡*Cuánto* la admiro!	*cuánto*	
	¡*Cuán* grande es mi pena!	*cuán*	
	¿*Qué* hora es? –No sé *qué* hora es.	*qué*	
	¿*Quién* lo trajo? –No supe *quién*.	*quién*	
	¿*Cuál* es su mesa? –Sé *cuál* es.	*cuál*	
11.	*Cuando* la palabra *que* sale de la boca no es grata, *porque* ha sido dicha con ira, y se siente *como* una piedra que golpea a *quien* no se lo merece, en la parte del corazón en *donde* más duele, es mejor contestar en *cuanto* hayamos ordenado los pensamientos en forma generosa.	*cuando* *que* *porque* *como* *quien* *donde* *cuanto*	• nexos
12.	Dijo que *éste* no era su libro.	*éste*	• pronombres demostrativos
	Es posible que *ésa* sea suya.	*ésa*	
	Mira, *aquél* proyecta luz.	*aquél*	
	Sí, *éstos* son los míos,	*éstos*	
	pero *ésos* no.	*ésos*	
	Sé que *aquéllas* no funcionan.	*aquéllas*	
13.	En efecto, *este libro* es tuyo.	*este*	• adjetivos demostrativos
	Sí, *esa idea* sobresale.	*esa*	
	Aquella duda me trastornó.	*aquella*	
	No han sido tristes *estos días*;	*estos*	
	tampoco lo fueron *esas tardes*	*esas*	
	ni *aquellas mañanas*.	*aquellas*	

Nota: esto, eso, aquello no se acentúan.

Respecto a la palabra *solo*, la Real Academia Española de la Lengua admite que se acentúe cuando pueda provocar confusión. Por ejemplo: "Solo vine a verte" se usará así con el significado de "venir *sin compañía*", o "Sólo vine a verte" con la acepción de "*únicamente* vine a verte".

Se llama **acento diacrítico** al que sirve para dar a la letra o a la palabra un significado especial o diferente.

Coloque correctamente el acento ortográfico en las palabras que deban llevarlo.

1. La estudiante de la cual te hable gano el premio.
2. De usted la mano a esos amigos.
3. Volvio en si despues de una hora de estar inconsciente.
4. ¡Cuanto esfuerzo puso en ese proyecto!
5. Se que me odias, mas hare lo posible para evitarlo.
6. Tu tienes la obligacion de solucionar el problema con exito.
7. Observare la realidad y tratare de comprenderla.
8. ¿Por que no fue posible realizar nuestro sueño?
9. Porque el no lo deseo ni trabajo con mas entusiasmo.
10. ¿Cuando necesito mas ayuda el joven?
11. Cuando mas necesito compañia, nadie estuvo cerca de el.
12. Aquel dia el no alcanzo a pedirle lo que queria.

13. Aun no ha traido la respuesta con la solucion.
14. La solucion no es esta, sino aquella.
15. Esta tarde, mi bien, cuando te hablaba no me escuchabas.
16. Varios paises europeos vivieron lo tragico de la Segunda Guerra Mundial, mas no la Peninsula Iberica. Norteamerica participo, aun Mexico y Canada.
17. Te compre una gran bolsa de te.
18. Se siempre asi, como tu eres.
19. Si la poesia se inspira en la realidad, es logico que refleje la crisis de la sociedad.
20. Si, la poesia de vanguardia expreso mas profundamente la situacion del ser humano contemporaneo, rompiendo la forma.
21. Un deseo de renovacion artistica sacudio las raices de la expresion y del lenguaje poeticos.
22. La poesia modernista hispanoamericana recoge de sus antecesores un poco de romanticismo, de simbolismo, de lo clasico antiguo, de lo oriental, mas crea su propia forma.
23. "Donde menos lo esperas, salta la liebre".
24. ¿Donde se desarrollo el primer teatro de vanguardia?
25. Por favor, no de mas de lo que cada quien necesita.

Destrezas para el uso de las mayúsculas

Observe las siguientes oraciones y anote, en la línea que les sigue, por qué se escriben con letra mayúscula esas palabras.

1. El Dr. Jorge C. Pérez presidirá las actividades académicas.

___

2. El Consejo Nacional de Ciencia y Tecnología tiene sedes en algunas capitales del país.

___

3. Los apodos definen alguna cualidad de la persona; por ejemplo, a una actriz mexicana la llamaban la Doña; a un boxeador, la Chiquita González; a un torero, el Niño de la Capea; al genial escritor Lope de Vega, Monstruo de Naturaleza.

___

4. *Reforma* es un periódico muy conocido.

___

5. Una generación de escritores se inició en la revista *Taller*.

___

6. La exposición será inaugurada por el rector Moisés Montaño.

___

7. A la gran narrativa mexicana corresponden: *El llano en llamas*, *Pedro Páramo*, *Aura*, *Las tierras pródigas*, *El luto humano*, *Balún Canán*, *Confabulario*, *Los recuerdos del porvenir*, *Polvos de arroz*.

___

8. Un prodigioso artista del Renacimiento italiano fue Miguel Ángel. Es autor de las admirables estatuas *La Piedad*, el *Moisés*, el *David*, y los frescos de la Capilla Sixtina: *Creación del mundo* y el *Juicio final*.

___

9. En muchos lugares del mundo se escuchan cotidianamente las obras musicales de Mozart, tales como *La flauta mágica*, *Las bodas de Fígaro*, *Don Juan*, el *Réquiem*, entre otras.

___

10. El *Partenón* y el *Erecteón*, que se encuentran en la Acrópolis ateniense, son representantes máximos de la arquitectura griega.

____

11. En la pintura renacentista destacó Sandro Botticelli, quien pintó el *Nacimiento de Venus*, la *Primavera* y muchas obras más.

____

12. Varios premios internacionales ha obtenido el cine mexicano; por ejemplo, con *Rojo amanecer* y *Como agua para chocolate*.

____

13. La República Mexicana posee innumerables riquezas naturales.

____

14. El C.P. Jorge M. Remes Ripoll dirigió un Depto. académico.

____

15. Las obras dramáticas *Debiera haber obispas* de Rafael Solana y *Rosa de dos aromas* de Emilio Carballido han tenido mucho éxito.

____

16. La Revolución Mexicana fue anterior a la Primera Guerra Mundial y a la Guerra Civil Española.

____

17. Los siglos de oro de la literatura española son el XVI y el XVII; más específicamente, desde Garcilaso hasta Calderón.

____

18. El Estado, la Iglesia y el Gobierno, como todas las instituciones, deben velar por los intereses del pueblo.

____

- En español, los nombres de los meses y de los días de la semana no se escriben con mayúscula.
- Los nombres de los periódicos, revistas, discos, obras pictóricas, escultóricas, teatrales, musicales, los títulos de los libros y las películas se subrayan o se escriben en cursivas *y no van entre comillas*.

Recapitulando, podemos decir que se usan iniciales mayúsculas solamente en los siguientes casos:

1. Al inicio de todo escrito.
2. Después de punto.
3. Los nombres propios.
4. Los sobrenombres.
5. Los nombres de las instituciones.
6. Los nombres de las revistas, periódicos, boletines.
7. Los títulos de dignidad o de alta autoridad, cuando no aparece expreso el nombre propio de la persona a quien corresponde.
8. Los títulos de los libros, solamente en la primera palabra.
9. Los nombres de las obras pictóricas.
10. Los nombres de las obras musicales.
11. Las obras artísticas arquitectónicas y escultóricas.
12. Los títulos de películas.
13. Los nombres geográficos muy determinados y relevantes, solo en singular, tales como océanos, golfos, penínsulas.

14. Las abreviaturas (la mayoría).
15. Los números romanos.
16. Los hechos históricos muy relevantes.

Coloque las letras mayúsculas donde se deba y subraye las palabras donde corresponda. Cada alumno deberá leer una oración en voz alta, indicando cuáles palabras se escriben con mayúscula. Corrijan los errores.

1. el presidente de la república se entrevistó con los embajadores.
2. miguel de cervantes saavedra, el manco de lepanto, nació en alcalá de henares, españa.
3. el burlador de sevilla es una obra dramática de tirso de molina.
4. los miércoles y los jueves los dedico a las actividades culturales.
5. edipo, electra, antígona, medea, ifigenia en áulide son algunas obras de la dramaturgia griega.
6. helena, la esposa de menelao, rey de esparta, era considerada, según la ilíada de homero, la mujer más bella del mundo.
7. atenas, esparta, micenas, olimpia, delfos son algunas de las renombradas ciudades de la antigüegad griega.
8. al estado griego le interesaba que los ciudadanos jóvenes se ejercitaran en la gimnasia y en los deportes.
9. el rey craso fue quien hizo la ofrenda más rica a zeus.
10. zeus, hera, atenea, artemisa, dionisos, afrodita, hermes, hefesto y poseidón son algunos de los dioses más importantes del olimpo.
11. el mausoleo de halicarnaso y el coloso de rodas son dos de las siete maravillas del mundo.
12. las otras cinco maravillas son los jardines colgantes de babilonia, las pirámides de egipto, la estatua de júpiter olímpico –obra de fidias, en olimpia, grecia–, el templo de diana en éfeso y el faro de alejandría, el cual fue construido por ptolomeo.
13. la escultura griega evidencia el gusto por la belleza, no solo del arte, sino también de la vida diaria; ejemplos de ello son la victoria de samotracia –una mujer alada sin cabeza– y la estatua de apolo en el templo de zeus.
14. el emperador alejandro de macedonia, llamado el magno, logró la integración de un gran imperio.
15. entre las piezas musicales de los beatles, la noche de un día difícil y ayer fueron dos grandes éxitos al inicio de su carrera.
16. el príncipe de las mareas es la segunda película que dirige barbra streisand.
17. es necesario que el depto. del d.f. tome serias medidas contra la contaminación de la ciudad de méxico.
18. la península de yucatán es uno de los lugares turísticos más importantes del país.
19. el estado de veracruz tiene muchas riquezas naturales: petróleo, azúcar, café, frutas, pesca y ganadería.
20. el lago de pátzcuaro está perdiendo su volumen de agua debido a la contaminación y a la gran amenaza de los lirios acuáticos.
21. enamorada, la perla, maría candelaria, río escondido, ensayo de un crimen, los olvidados son muestra evidente de la época de oro del cine mexicano.
22. los títulos de las obras de arte, como la mona lisa, no se escriben entre comillas, sino con mayúscula y subrayados.
23. vuelta, nexos y proceso son tres revistas mexicanas con temas diferentes.
24. la universidad nacional autónoma de méxico tiene grupos de investigadores y profesores muy connotados internacionalmente.
25. le envío el documento debidamente sellado y con el vo. bo. de la autoridad competente.
26. la chiquita gonzález es un peleador mexicano de peso mosca.
27. las chivas y los tiburones rojos se enfrentan este sábado en el estadio del puerto de veracruz.
28. los reyes mueren al igual que los esclavos.
29. la esposa del zar nicolás era hija de la reina victoria de inglaterra.
30. dice baltasar gracián: “lo bueno, si breve, dos veces bueno”.

140 caracteres

En no más de 140 caracteres, defina los siguientes conceptos.

- #Sílaba
- #División silábica
- #Palabra
- #Diptongo
- #Hiato
- #Reglas de acentuación
- #Acento ortográfico
- #Acento diacrítico

- #Palabras agudas

___

___

___

- #Palabras graves

___

___

___

Leer es un placer

Lea el texto que aparece a continuación y responda a las preguntas que aparecen al final.

La tilde sentimental

Quienes hemos nacido con esos acentos ortográficos forzaremos cualquier argumento para defenderlos

Álex Grijelmo (agosto 30 de 2015)

http://elpais.com/elpais/2015/07/24/opinion/1437737781_691265.html

Nuestro idioma cuenta con el acento ortográfico, el acento prosódico, el acento tónico, el acento rítmico... y el acento sentimental. Todo hablante del castellano alberga seguramente en su interior un pequeño purista. Quien más, quien menos, cree incorrecto algo, o le suena mal, por muy abierto que se sienta a la innovación. Los cambios que se habían producido cuando nacimos no nos resultan extraños, pero sí los que se desarrollan ante nosotros. Debemos contar, por tanto, con la vinculación emocional del léxico.

Cuántas cartas manuscritas y poemas de servilleta habrán contenido el adverbio "sólo" escrito con tilde; o los pronombres "éste" y "ésta" (con tilde también)... Y en cuántas otras ocasiones nuestra lectura habrá agradecido el acento ortográfico: "Estuve en casa de Andrea y Verónica. Aquélla cocina bien pintada y arreglada..." / "Estuve en casa de Andrea y Verónica. Aquella cocina bien pintada y arreglada...". En el primer caso, "aquélla" es un pronombre que sustituye o representa a una persona (Andrea), lo cual convierte a "cocina" en un verbo. En el segundo ejemplo, "aquella" (sin tilde) es un adjetivo que acompaña a "cocina" ("aquella cocina") y transmuta este término en un sustantivo: el lugar donde se cocina.

Así, la ambigüedad de sentidos se resolvía en el texto sin necesidad de acudir al contexto; y se ganaba tiempo y esfuerzo.

La Academia permite tildar estos vocablos; pero recomienda no hacerlo. Los académicos entienden, entre otras razones más técnicas, que el contexto siempre lo aclara todo. Y arguyen también que las excepciones son tan escasas y tan rebuscadas (como las que hemos escrito en el párrafo anterior) que no ameritan esta rareza ortográfica del sistema. Tienen razón.

Sin embargo, quienes hemos nacido con esas tildes forzaremos cualquier argumento para defenderlas. Opondremos por ejemplo que se necesita ese rasgo en textos de apenas tres o cuatro palabras, como sucede en los titulares de prensa, en la publicidad o en los títulos literarios o cinematográficos. No es lo mismo Solo en casa que Sólo en casa. Si la tilde no nos ayuda, el público no entenderá de qué va la película (nunca mejor dicho).

Tras aprobarse la nueva Ortografía de 2010, el académico Salvador Gutiérrez Ordóñez aclaraba con sus acreditadas sensatez y sabiduría: "Cualquier cambio ortográfico es percibido como una agresión que afecta al hábito mismo de escribir. Provoca reacciones y debates que, una vez enfriados los ánimos, son siempre positivos". En efecto, los ánimos se enfriarán cuando todos los hispanohablantes hayan nacido con la nueva ortografía ya en vigor; cuando ya nadie pueda mantener con esa tilde una relación sentimental.

Qué pena, ¿no?

Preguntas

1. ¿Por qué el texto se llama la tilde sentimental?

2. ¿A qué se refiere la palabra purista en el primer párrafo, y según el contexto del texto?

3. ¿A qué se refiere la expresión "ambigüedad léxica" que se menciona en el texto?

4. ¿Los acentos deberían ser liquidados, porque el "contexto lo aclara todo"? Argumente su respuesta.

5. ¿Por qué razón el autor termina el texto con una frase que denota pena o congoja?

El supercódigo

Abra el siguiente código para leer la noticia: "La RAE reconoce su 'derrota' contra los acentos de 'sólo' y el demostrativo 'éste'"; o bien, busque un artículo similar sobre el tema.

Posteriormente, escriba tres argumentos que defiendan el uso de los acentos y tres que promuevan el olvido de ellos. Proporcione ejemplos precisos y contundentes que apoyen su postura y que lo libren de generar oraciones ambiguas.

Argumentos en favor del uso de los acentos	Argumentos en contra del uso de los acentos

Lo que sé (y lo que no)

Responda las siguientes preguntas, luego evalúe si sus respuestas son correctas.

Pregunta	Sí	No	¿Por qué?
1. ¿La sílaba representa la unidad mínima de cada palabra?			
2. ¿La diferencia entre vocales débiles y vocales fuertes radica en la intensidad del sonido que producen?			
3. ¿Los diptongos son aquellas sílabas que contienen una vocal y una consonante?			
4. ¿El hiato es el encuentro de dos vocales que se pronuncian en sílabas distintas?			
5. ¿Las reglas de acentuación presentan excepciones?			
6. ¿El acento diacrítico sólo afecta a las sílabas que contienen la combinación consonante – vocal – consonante?			

Compare sus respuestas, con las que aparecen a continuación:

Respuestas: 1. Sí 2. No 3. No 4. Sí 5. Sí 6. No

Y a la final

En los siguientes párrafos se han eliminado los acentos ortográficos y diacríticos. Colóquelos nuevamente siguiendo las reglas aprendidas.

11 acentos

Por eso cuando vi que llovia, pense que era mejor, porque la inclemencia exterior reforzaria automaticamente nuestra intimidad, y ninguno de los dos iba a ser tan idiota como para pasar de trompa y en silencio una tarde lluviosa de sabado, que necesariamente deberiamos compartir, en un departamento de dos habitaciones, donde la soledad virtualmente no existe y todo se reduce a vivir frente a frente. Ella se desperto con quejidos, pero yo no pense nada malo, siempre se queja al despertarse, pero cuando se desperto del todo e investigue en su rostro, la note verdaderamente mal, con el sufrimiento patente en las ojeras.

11 acentos

A Ana, preocupada por Paula, mientras prepara la cena se le ocurre algo para sacar al tipo de su casa. Pero no puede hacer gran cosa porque Hugo corto los cables del telefono, la casa esta muy alejada, es de noche y nadie va a llegar. Ana decide poner una pastilla para dormir en la copa de Hugo. Durante la cena, el ladron, que entre semana es velador de un banco, descubre que Ana es la conductora de su programa favorito de radio, el programa de musica popular que oye todas las noches, sin falta. Hugo es su gran admirador y, mientras escuchan al gran Benny cantando *La vida* en un casete, hablan sobre musica y musicos. Ana se arrepiente de dormirlo pues Hugo se comporta tranquilamente y no tiene intenciones de lastimarla ni violentarla, pero ya es tarde porque el somnifero ya esta en la copa y el ladron la bebe toda muy contento. Sin embargo, ha habido una equivocacion, y quien ha tomado la copa con la pastilla es ella. Ana se queda dormida en un dos por tres.

Para conocer más

Abra el siguiente código y lea el reporte titulado: "Un Atlas sonoro del español en el VI Congreso de la Lengua, en Panamá", o alguno similar que mencione las palabras más representativas del español de cada país iberoamericano.

¿Qué palabras representan a México?

CAPÍTULO 10

La oración

Puedes cambiar tu mundo cambiando tus palabras. Recuerda, la muerte y la vida están en poder de la lengua.
Joel Osteen

Habilidades para conocer y usar la oración

Estructura de la oración: sujeto y predicado

El sujeto: el sustantivo como núcleo y sus modificadores

Observe las siguientes oraciones:

1. La **casa** tiene cinco habitaciones.
2. La casa **de mi tío** tiene cinco habitaciones.
3. La **hermosa** casa de mi tío tiene cinco habitaciones.
4. La **grande** y hermosa casa de mi tío tiene cinco habitaciones.
5. La grande, **cómoda** y hermosa casa de mi tío tiene cinco habitaciones.
6. La grande, cómoda y hermosa casa **blanca** de mi tío tiene cinco habitaciones.
7. **Esta** grande, cómoda y hermosa casa blanca de mi tío tiene cinco habitaciones.
8. Esta grande, cómoda y hermosa casa blanca de mi tío **situada en la colina** tiene cinco habitaciones.
9. Esta grande, cómoda y hermosa casa blanca de mi tío, situada en la colina, **desde donde se observan bellos atardeceres**, tiene cinco habitaciones.

En todas las oraciones anteriores se conserva la misma estructura: sujeto y predicado.

Sujeto: La casa... (etcétera).
Predicado: tiene cinco habitaciones.

A partir de la segunda oración, todas las palabras en **negritas** de las oraciones anteriores son *modificadores del sustantivo* **casa**. Éstos son:

La	artículo/adjetivo
de mi tío	adnominal
hermosa	adjetivo calificativo
grande	adjetivo calificativo
cómoda	adjetivo calificativo
blanca	adjetivo calificativo
Esta	adjetivo demostrativo
situada en la colina	frase adjetiva

- El núcleo del sujeto normalmente es un sustantivo o un pronombre.
- En la larga oración anterior, el sustantivo *casa* es el núcleo del sujeto, y sus modificadores son adjetivos en su mayoría.

Observe cuidadosamente las siguientes oraciones simples que sirvieron para construir la oración anterior.

1. La casa tiene cinco habitaciones.
2. La casa es de mi tío.
3. La casa es hermosa.
4. La casa es grande.
5. La casa es cómoda.
6. La casa es blanca.
7. La casa es ésta.
8. La casa está situada en la colina.
9. Desde la colina se observan bellos atardeceres (o bellos atardeceres se observan desde la colina).

Si combina las oraciones anteriores obtendrá la larga oración del punto uno, inciso nueve.

Si cambia el orden de la colocación de las oraciones anteriores podrá obtener diversas formas de la misma oración.

Por ejemplo:

1. Situada en la colina, desde donde se observan bellos atardeceres, esta grande, hermosa y cómoda casa blanca de mi tío tiene cinco habitaciones.
2. Desde donde se observan bellos atardeceres, y situada en la colina, esta blanca, hermosa, grande y cómoda casa de mi tío tiene cinco habitaciones.
3. Cinco habitaciones tiene esta casa de mi tío, blanca, cómoda, grande y hermosa, situada en la colina desde donde se observan bellos atardeceres.
4. Cómoda, grande y hermosa, esta blanca casa de mi tío, situada en la colina desde donde se observan bellos atardeceres, tiene cinco habitaciones.

Usted puede elegir entre las cuatro posibilidades que se han presentado la que más le guste. De todas estas maneras, y más, puede formar sus oraciones.

Observe cómo en ninguna de las oraciones anteriores se ha alterado la estructura de la oración: sujeto y predicado; esta estructura sigue existiendo en cada una de esas formas, sólo que en diferentes lugares.

El sustantivo puede formar parte del predicado y también ahí pueden estar sus modificadores.

Observe las siguientes preguntas y sus respuestas:

1. ¿Qué tiene la casa?
   La casa tiene cinco habitaciones.
2. ¿Para quién las tiene?
   Para los visitantes asiduos de los fines de semana.
3. ¿Cómo las tiene?
   Las tiene bien amuebladas y asoleadas todo el día.
4. ¿Cómo las tiene colocadas?
   Están colocadas en los costados de un largo pasillo.
5. ¿Cómo son las habitaciones?
   Las habitaciones son confortables y alegres.
6. ¿Quién construyó las habitaciones?
   Un hábil y prominente arquitecto de la ciudad cercana.

Unamos las respuestas anteriores y construyamos un predicado para nuestra larga oración.

- La casa *tiene cinco confortables y alegres habitaciones bien amuebladas y asoleadas todo el día, colocadas en los costados de un largo pasillo, construidas por un hábil y prominente arquitecto de la ciudad cercana, para los asiduos visitantes de los fines de semana.*

Con base en la oración anterior, complete la serie de oraciones simples que la forman. (Hágalo en silencio y de manera individual).

1. La casa tiene ____________ habitaciones.
2. Las habitaciones son ____________
3. Las habitaciones son ____________
4. Las habitaciones están ____________
5. Las habitaciones están ____________
6. Las habitaciones están colocadas ____________
7. El pasillo es ____________
8. Las habitaciones fueron ____________

9. El arquitecto es ______________
10. El arquitecto es ______________
11. El arquitecto es ______________
12. La ciudad está ______________
13. Las habitaciones son ______________
14. Los visitantes son ______________
15. Los visitantes son ______________

Observe que cada respuesta que anotó es un modificador de los sustantivos **habitaciones, visitantes, arquitecto y ciudad.**

Combine la larga oración del punto uno inciso nueve con la del punto siete, en una sola. No olvide colocar los signos de puntuación necesarios.

____
____
____
____
____
____
____
____

Escriba dos formas adecuadas posibles de la oración anterior, sin cambiar el sentido ni agregar verbos. Solo podrá añadir nexos (preposiciones, conjunciones) y signos de puntuación correctos.

Primera forma:

____
____
____
____
____
____
____
____

Segunda forma:

____
____
____
____
____
____
____
____

El predicado, su núcleo y sus modificadores o complementos

Observe las siguientes oraciones:

1. Mi hermana y yo *compramos* algo.
2. Mi hermana y yo compramos *un vestido verde*.
3. Mi hermana y yo compramos un vestido verde *para mi madre*.
4. Mi hermana y yo compramos un vestido verde para mi madre *ayer*.
5. Mi hermana y yo compramos un vestido verde para mi madre, ayer, *en una tienda del centro*.
6. Mi hermana y yo compramos un vestido verde para mi madre, ayer, en una tienda del centro, *al contado*.

- La oración está formada por sujeto y predicado. El sujeto es la cosa, suceso o persona de quien se habla; el predicado es lo que se dice del sujeto.
- El verbo conjugado es la palabra que expresa la acción que realiza el sujeto (*tiene*, *compra*, *trajo*) y es el núcleo del predicado.
- Para identificar al sujeto y los complementos de la oración, debemos primero encontrar el verbo principal, que deberá estar conjugado.

El verbo de nuestro ejemplo anterior es *compramos*. Una vez que lo hemos identificado, hacemos al verbo las siguientes preguntas, cuyas respuestas serán el sujeto y los distintos complementos.

¿Quiénes compramos? Mi hermana y yo. (Sujeto).
¿Qué compramos? Un vestido verde. (Complemento directo).
¿Para quién compramos...? Para mi madre. (Complemento indirecto).
¿Cuándo compramos...? Ayer. (Complemento circunstancial de tiempo).
¿Dónde compramos...? En una tienda del centro. (Complemento circunstancial de lugar).
¿Cómo compramos...? Al contado. (Complemento circunstancial de modo).

Complete las siguientes oraciones en silencio y de manera individual:

En cada una de las oraciones anteriores, el núcleo del predicado es ____________________

La oración uno está formada por ____________________ y ____________________

En la oración dos añadimos al núcleo del predicado un ______________ con las palabras:

____

En la oración tres agregamos un ____________________ con las palabras ____________________

En la oración cuatro aumentamos un ____________________ con la palabra ____________________

En la oración cinco incorporamos otro ____________________ con las palabras ____________________

En la oración seis anexamos otro ____________________ con las palabras ____________________

- Los modificadores del núcleo del predicado son los **complementos**, y éstos pueden ser **directos**, **indirectos** y **circunstanciales**.

Analice las siguientes oraciones:

1. La maestra trajo algo.
   ¿Qué trajo la maestra?
2. La maestra trajo *una película*.
   ¿Para quién la trajo?
3. La maestra trajo una película *para nosotros*.
   ¿Cuándo la trajo?

4. *La semana pasada*, la maestra trajo una película para nosotros.
   ¿Dónde la trajo?
5. *Dentro de su bolsa*, la maestra trajo una película para nosotros, la semana pasada.
   ¿Cómo la trajo?
6. *Muy sigilosamente*, la semana pasada, la maestra trajo, dentro de su bolsa, una película para nosotros.

Observe cómo fuimos cambiando el orden de los complementos, colocando primero lo que nos interesa más, u organizando las partes para que la oración se escuche mejor o tenga buen ritmo.

Conteste las siguientes preguntas. Hágalo en silencio y de manera individual.

1. ¿Cuál es el núcleo del predicado de cada una de las oraciones?

   ____

2. ¿Cuál es el sujeto de la oración uno?

   ____

3. ¿Cuál es el sujeto de la oración cuatro?

   ____

4. ¿Cuál es el sujeto de la oración seis?

   ____

5. ¿Cuál es el núcleo del sujeto de la oración dos?

   ____

6. ¿Cuál es el predicado de las oraciones uno, dos, cinco y seis?

   ____

7. ¿Cuál es el complemento directo de las oraciones dos, tres, cuatro, cinco y seis?

   ____

8. ¿Cuál es el complemento indirecto de las oraciones tres, cuatro, cinco y seis?

   ____

9. ¿Cuáles oraciones tienen complemento circunstancial de modo?

   ____

10. ¿Cuáles oraciones tienen complemento circunstancial de lugar?

    ____

11. ¿Cuáles oraciones tienen complemento circunstancial de tiempo?

    ____

12. ¿Cuántos complementos tiene el núcleo del predicado de la oración seis? Nombre cada uno.

    ____

Entre otros, los complementos circunstanciales pueden ser:

de lugar	¿dónde?
de tiempo	¿cuándo?
de modo	¿cómo?
de compañía	¿con quién?
de cantidad	¿cuánto?
de materia	¿sobre qué? o ¿acerca de qué?
de instrumento	¿con qué?
de causa	¿por qué?

Escriba siete oraciones. Cada una debe contener un complemento circunstancial diferente.

____

____

____

____

____

____

____

140 caracteres

En no más de 140 caracteres, defina los siguientes conceptos.

- #Oración
- #Estructura de la oración
- #Sujeto
- #Predicado
- #Núcleo del sujeto
- #Modificadores del sustantivo
- #Núcleo del predicado
- #Modificadores del predicado

- #Complemento directo

____

____

____

- #Complemento indirecto

____

____

____

Leer es un placer

Lea el texto que aparece a continuación y responda las preguntas que aparecen al final.

Los verbos trans

Luis Navarro Roncero (noviembre 6 de 2012)

http://algarabia.com/lengua/los-verbos-trans/

Tener o no tener un complemento directo, ésa es la cuestión. Así reza la gramática tradicional –RAE, esbozo–, si un verbo puede llevar complemento directo, es del grupo de los transitivos. Si no, es intransitivo. Pero no se preocupe, porque, sin duda, los verbos transitivos no son peligrosos para la salud como las grasas trans, ni tampoco se sirven en productos alimenticios de fabricación industrial, aunque su definición y clasificación han dado mucho que hablar durante el siglo XX.

¿Qué es la transitividad?

La falta de unificación de criterios entre las distintas corrientes de gramáticos oscurece la posibilidad de aclarar lo que se denomina como "la transitividad". Que si hay distintos grados, que algunos verbos pueden ser transitivos e intransitivos a la vez, o que hay distintos tipos de transitividad, como la ditransitividad, entre otros. Así, cuando uno se adentra en la transitividad, se da cuenta de que ésta no es tan simple como tener o no tener un complemento directo.

La etimología de la palabra transitivo hace referencia a los conceptos de 'pasar' o 'tránsito', pues proviene de la palabra *transitivus*. De esta manera se definía al grupo de verbos cuya acción pasaba desde un agente, o sujeto, a un paciente o término, que sería justo el complemento directo.

La clasificación de los verbos

Pero esta definición tradicional contaba con algunos problemas, como el distinto uso, transitivo e intransitivo de algunos verbos, dependiendo del contexto. Amado Alonso, al respecto, nos dice: "La mayor parte de los verbos tan pronto se usan como intransitivos, tan pronto como transitivos. La línea que separa a transitivos e intransitivos no es ni segura ni fija, y lo mejor es decir que un verbo es transitivo o es intransitivo en esta o en esa determinada oración".

Juanito come una pieza de pollo → Transitivo
Juanito come bien → Intransitivo

En otros casos, verbos habitualmente intransitivos se pueden usar como transitivos con complementos directos a partir de palabras de la misma raíz (Moreno Martínez)

Juan soñó un sueño precioso.
María llora lágrimas de pena.

Estos casos conforman un mínimo de excepciones, pero confirman la inexistencia de una frontera bien definida entre los verbos transitivos e intransitivos.

Si continuamos con el significado etimológico, otro tránsito de este término, sugerido por Jacinto Espinosa, está directamente relacionado con la gramática latina. En este sentido, la idea predominante era que las oraciones transitivas se pueden pasar perfectamente de activas a pasivas, mientras que las intransitivas no:

Juan repara sillas. → Las sillas son reparadas por Juan.
Juan come bien. → (Sujeto tácito) es comido bien por Juan.

Pero como podemos comprobar en el siguiente ejemplo, no sucede con todos los verbos transitivos, ni en latín, ni en español:

Juan tiene mucho dinero. → Mucho dinero es tenido por Juan.

La necesidad del complemento

Según otros gramáticos, la presencia de elementos obligatorios en el predicado verbal implica la transitividad –Hernánz y Brucart–. O sea que entenderíamos que todo verbo transitivo necesita ser completado o precisado por un determinado elemento con el que mantiene cierta cohesión estructural y de significado. Pero esto no implica que se realice con un solo tipo de complemento, es decir, sólo con el directo. Más bien, se trata de un verbo que al usarse en cierto contexto queda incompleto y necesita completarse para realizarse en un significado concreto y para funcionar de manera sintáctica.

Entonces tenemos una necesidad doble, sintáctica y semántica, de los verbos. Pero, ¿con qué completarlos? Una clasificación más amplia nos dará tres posibilidades:

Con un complemento directo –cd–:

Juan come manzanas.

Con un complemento directo y un complemento indirecto –ci–:

María envía una carta a Pedro.

Con un complemento preposicional –cp– o régimen –también llamado suplemento–:

Pedro piensa en comer.

¿Entonces qué?

Para evitar problemas, y desde un punto de vista pedagógico y simplista, dejaremos la transitividad como lo que la gramática tradicional impone, es decir, el verbo es transitivo si en la oración va acompañado necesariamente por complementos directos. Además, las herramientas de uso de la lengua, como los diccionarios o gramáticas, en su mayoría aceptan y así clasifican a los verbos. Aunque el tema sigue abierto y pendiente de una decisión de precisión terminológica por parte de los lingüistas.

Preguntas

1. ¿Qué entiende por verbos transitivos?

2. ¿Qué entiende por verbos intransitivos?

3. ¿Qué significa la frase: "La línea que separa a transitivos e intransitivos no es ni segura ni fija"?

4. ¿Qué son los complementos y en qué se dividen?

5. ¿Cuál es la relación entre los verbos transitivos y los complementos?

El supercódigo

Abra el siguiente código para ver el video: "Cómo hacer un doodle, un vídeo escrito o dibujado de manera sencilla", o bien, localice alguno similar.

En equipo, realicen un video de no más de 5 minutos en donde expliquen todo lo relacionado con la oración: sujetos, predicados, núcleos y modificadores.

Escriba el vínculo del video aquí:

Lo que sé (y lo que no)

Responda las siguientes preguntas y luego evalúe si sus respuestas son correctas.

Pregunta	Sí	No	¿Por qué?
1. ¿Cualquier categoría gramatical puede ser el núcleo del sujeto?			
2. ¿Los adjetivos pueden modificar al sustantivo?			
3. ¿Toda oración lleva sujeto y predicado?			
4. ¿El sustantivo es el núcleo del predicado?			
5. ¿Los complementos se ubican en el predicado?			
6. ¿Todas las oraciones deben llevar complementos, de manera obligatoria?			

Compare sus respuestas, con las que aparecen a continuación:

Respuestas: 1. No 2. Sí 3. Sí 4. No 5. Sí 6. No

Y a la final

En seguida se presenta un texto. Extraiga de él 10 oraciones. Identifique sujeto, predicado y los núcleos de ambas categorías.

¿Cómo identificar los síntomas de un derrame cerebral?

BBC Mundo Salud

http://www.bbc.com/mundo/noticias/2015/09/150914_salud_como_identificar_sintomas_derrame_cerebral_ig

Una ayuda médica inmediata es fundamental para limitar los daños en el cerebro de los pacientes que sufren una apoplejía o derrame cerebral y para intentar minimizar sus devastadores efectos.

De hecho, puede marcar la diferencia entre tener una lesión cerebral ligera o una grave discapacidad o incluso la muerte. Y, sin embargo, la mayoría de las personas que lo padecen no identifican rápidamente qué es lo que les está pasando y muchos no buscan ayuda médica hasta varias horas después de los primeros síntomas.

Con frecuencia los pacientes ignoran cuáles son esos primeros signos o los minimizan creyendo que son temporales y van a desaparecer. Pero a los pocos minutos de que se interrumpe la circulación de sangre al cerebro, las células empiezan a morir.

El síntoma más común de un derrame es una debilidad repentina en la cara, el brazo o la pierna, casi siempre en un lado del cuerpo, dice la Organización Mundial de la Salud (OMS).

Según el Servicio Nacional de Salud Británico (NHS, por sus siglas en inglés) se debe llamar a urgencias inmediatamente al ver alguno de estos síntomas:

- Parálisis en la cara: una parte de la cara puede parecer como colgada. El paciente quizás no puede sonreír o la boca o el ojo aparecen caídos.
- Debilidad en los brazos: una persona que está sufriendo un derrame puede no ser capaz de levantar ambos brazos y mantenerlos en el aire. También puede, por ejemplo, sentir debilidad para levantar una copa. Otro síntoma de alerta es sentir que un brazo está dormido.
- Dificultad con el lenguaje (afasia): el paciente puede notar lentitud al hablar, articular mal las palabras o decir cosas confusas o incoherentes. Algunas personas pueden ser totalmente incapaces de hablar, a pesar de estar despiertas.

Otros síntomas a los que se debe prestar atención son problemas repentinos con la visión de uno o ambos ojos, dificultad repentina para caminar, mareo, pérdida de equilibrio o falta de coordinación, dolor de cabeza súbito y severo sin causa conocida y confusión y problemas de percepción.

Como todos los órganos, para funcionar bien el cerebro necesita el oxígeno y los nutrientes que lleva la sangre. El derrame cerebral se produce cuando se interrumpe ese flujo sanguíneo. Esto puede suceder debido a un coágulo que bloquea el paso de la sangre o por la ruptura de un vaso sanguíneo en el cerebro.

Según la OMS, en 2012 murieron en el mundo 6.7 millones de personas a causa de derrames cerebrales. El NHS estima que una de cada cuatro personas que lo sufren mueren, y los que sobreviven con frecuencia padecen problemas serios a largo plazo a consecuencia del daño en el cerebro.

La gente mayor tiene más riesgo de sufrir una apoplejía, aunque pueden suceder a cualquier edad, niños incluidos. Pero según la doctora y presentadora de la BBC Saleyha Ahsan, la probabilidad de sufrir un derrame se duplica con cada década después de cumplidos los 55 años.

La doctora Ahsan también recomienda conocer bien cuál es nuestro ritmo de pulsaciones por minuto. La fibrilación atrial, un trastorno del ritmo cardiaco que genera latidos irregulares, puede multiplicar por 5 el riesgo de sufrir un derrame cerebral, afirma Ahsan.

Además, es importante estar atento y pedir ayuda médica si se produce un miniderrame cerebral, conocido en medicina como un Accidente Isquémico Transitorio. En este caso los síntomas son los mismos pero temporales, y desaparecen antes de 24 horas, a veces incluso pueden durar solo unos minutos.

Pero ignorarlo es peligroso: según la doctora Ahsan una de cada 12 personas que tienen un miniderrame sufre un gran derrame en menos de una semana.

Muchos expertos advierten que además de la hipertensión, el colesterol, la diabetes y la fibrilación atrial hay otros factores que incrementan el riesgo de sufrir un derrame, como fumar, la obesidad, la falta de actividad física y una mala dieta.

Para conocer más

Abra los siguientes códigos. Encontrará ejercicios en línea sobre:

a. La oración gramatical.
b. Sujeto y predicado.

Cópielos a su cuaderno o en un archivo de Word, resuélvalos y envíelos al profesor.
También puede buscar ejemplos similares que sirvan para poner en práctica lo aprendido en este capítulo.

CAPÍTULO 11

Adjetivos y pronombres

El carácter de un hombre podría ser aprendido por los adjetivos que usa habitualmente en sus conversaciones.
Mark Twain

Adjetivos y pronombres

Uso correcto de los adjetivos

Observe el uso de los siguientes adjetivos:

1. El teatro *español contemporáneo* se inicia con Jacinto Benavente.
2. Los legisladores revisaron la Ley de los derechos y cultura *indígenas*.
3. La tragedia y la comedia *griegas* siguen representándose.
4. El arte y la cultura *latinoamericanos* son de alta calidad.
5. No sé si le impresionó el entusiasmo *o* la fortaleza *polaca*.
6. Tiene un sentido y un temperamento *creativos*.
7. Todos cumplían *veintiún* años el mismo mes.

Deduzca las reglas del uso correcto del adjetivo con base en las oraciones anteriores.

____

____

____

____

Anote el adjetivo faltante a las oraciones siguientes y coloque la forma verbal correcta:

1. El problema y la situación ____________ no nos (permitir) ____________ un desarrollo rápido.
2. Es importante conseguir que la tierra y la cosecha ____________ se (cuidar) ____________.
3. Los gestos y las actitudes ____________ que usan los actores (ser) ____________ necesari ____________ en el teatro.
4. El arte nos produce un sentimiento y una vivencia ____________ .
5. En esta universidad se estudian historia y geografía ____________ .
6. El mito y la realidad ____________ (pertenecer) ____________ a la historia y a la cultura de todos los tiempos.
7. La sociología, la religión y el desarrollo ____________ (ser) ____________ elementos para ser estudiados por el ser humano.
8. Parecía poseer virtud o hipocresía ____________ .
9. Se volcó el cielo: los relámpagos y el granizo ____________ no (cesar) ____________ en ningún momento.
10. La moral o la virtud ____________ se (manifestar) ____________ en todos los pueblos.
11. En la década de 1960 se desarrollaron ampliamente la poesía y la narrativa ____________.
12. A la difusión de acontecimientos, hechos y opiniones ____________ (contribuir) ____________ de modo decisivo los llamados medios de comunicación social.
13. La información y la nota ____________ (emplear) ____________ canales de difusión colectiva.
14. La propaganda consiste en la difusión de mensajes ____________ con el fin de ganar adeptos a una causa política, social, religiosa o cultural.
15. Tenía una pereza o una depresión ____________ .

Observe el siguiente cuadro de los pronombres personales: Las palabras con las que se designa a las personas son las siguientes:

Primera persona	Segunda persona	Tercera persona
Yo Nosotros, Nosotras	Tú Vosotros, Vosotras Usted Ustedes	El Ellos
Mí (conmigo)	Ti (contigo)	Ella, Ello Ellas Sí (consigo)
Me Nos	Te Os	Lo, La, Le Los, Las, Les Se (singular y plural) éste, ésta, ésa, ésas

Como ya se expresó antes, la oración está formada de sujeto y predicado. El predicado tiene su núcleo, que es el verbo, y sus modificadores o complementos. Éstos son: el complemento directo (que responde a la pregunta ¿qué?), el complemento indirecto (que responde a la pregunta ¿a quién? o ¿para quién?) y los complementos circunstanciales (que pueden responder a ¿cómo?, ¿cuándo?, ¿dónde?, ¿por qué?, ¿con quién?, ¿cuánto?, ¿sobre qué? o ¿acerca de qué?, ¿con qué?, ¿para qué?).

Cuando se usa un pronombre personal en lugar de un **complemento directo**, utilizamos las formas **lo**, **la**, **los** y **las**. Ejemplo: Compré *un vestido* para mi madre equivale a **lo** compré para mi madre.

Cuando se usa el pronombre en lugar de un **complemento indirecto**, utilizamos las formas **le**, **les**, **te** y **se**. Ejemplo: Compré un vestido **para mi madre** equivale a **le** compré un vestido.

Cuando usamos los pronombres personales en lugar del **complemento directo** y del **indirecto juntos**, sustituimos el complemento indirecto por **se**, ya sea singular o plural, y el complemento directo se mantiene con **lo, la, los, las**.

Ejemplo:

Se *lo* compré.

Se equivale a *para mi madre* o *a mi madre*.
lo equivale a *un vestido*.

Veamos otros ejemplos:

Dedica tu vida a los demás.
Dedíca **la** a los demás.
Dedíca **les** tu vida.
Dedíca **se** **la**.

Frecuentemente nos equivocamos y, por ejemplo, para expresar:

Dedica tu vida a los demás

decimos:

Dedícase*las*.

Ese *las* es incorrecto porque no son *las vidas*, ni se refiere a los demás, ya que **se** es sólo forma de complemento indirecto, en singular y en plural.

Mañana traigo *el libro* para mis alumnos.
Mañana **lo** traigo para mis alumnos.
Mañana traigo el libro *para mis alumnos*.
Mañana **les** traigo el libro.
Mañana traigo *el libro para mis alumnos*.
Mañana **lo** **se** = *se lo traigo*.

Uso correcto de pronombres personales

Revise la página 217, le servirá de base para este ejercicio. En la siguiente oración, haga la pregunta necesaria para saber qué parte de la oración constituyen las palabras en cursivas.

Ejemplo:
Pacientemente, el maestro explica *el método* a sus alumnos, en el salón de clases, por la mañana.

El núcleo del predicado es el verbo conjugado *explica*. A este verbo le hacemos las preguntas:

¿*Quién* explica? El maestro. (Sujeto).
¿*Qué* explica? El método. (Complemento directo).
¿A *quién* explica? A sus alumnos. (Complemento indirecto).
¿*Cómo* explica? Pacientemente. (Complemento circunstancial de modo).
¿*Dónde* explica? En el salón de clases. (Complemento circunstancial de lugar).
¿*Cuándo* explica? Por la mañana. (Complemento circunstancial de tiempo).

Las palabras en cursivas son *el método*, y las sustituimos por el pronombre *lo*:

Pacientemente, el maestro *lo* explica a sus alumnos en el salón de clases por la mañana.

Identifique qué parte de la oración representa el texto en cursivas y sustitúyalo por un pronombre, como se indicó en el punto anterior.

1. *Los lagos*, en su mayoría, son depósitos de agua dulce.

   ___

2. Si baja su temperatura interna, *la Tierra* puede convertirse en un astro geológicamente muerto, como la Luna y Marte.

   ___

3. Una de *nuestras virtudes populares* es la resignación.

   ___

4. *Francisco José*, ven aquí, por favor.

   ___

5. *A ti* pidió ayuda para obtener trabajo.

   ___

6. Escribió *la frase nominal* en el pizarrón.

   ___

7. Desde niños nos enseñan a sufrir con dignidad *las derrotas*.

   ___

8. El pueblo de este país envió un mensaje *para los refugiados*.

   ___

9. El pueblo envió *ayuda* a los refugiados.

   ___

10. Enseña a leer *a los campesinos*.

   ___

11. Enseña a escribir *a los obreros*.

____

12. Muestra *la importancia de la lectura* a tus alumnos.

____

13. Muestra la necesidad de la escritura *a tus hijos*.

____

14. Muestra *el placer de la escritura a tus hijos*.

____

15. Proporciona *a tus alumnos* el placer de la lectura.

____

16. Proporciona a tus alumnos *el placer del estudio*.

____

17. Proporciona *el placer del estudio a tus alumnos*.

____

18. Mañana traigo *el libro* para ustedes.

____

19. Mañana traigo el libro *para ustedes*.

____

20. Mañana traigo *el libro para ustedes*.

____

Repita el ejercicio del punto seis, teniendo presente lo expuesto en el punto cinco, y verifique sus aciertos.

140 caracteres

En no más de 140 caracteres, defina los siguientes conceptos.

- #Sustantivo
- #Adjetivo
- #Pronombre
- #Tipos de adjetivo
- #Tipos de pronombre
- #Concordancia sustantivo - adjetivo
- #Concordancia verbo - pronombre
- #Primera persona

- #Segunda persona

____

____

____

- #Tercera persona

____

____

____

Leer es un placer

Lea el texto que aparece a continuación y responda las preguntas que aparecen al final.

"Yo", "yo", "yo", "yo" y "yo"

Álex Grijelmo (enero 5 de 2014)

http://elpais.com/elpais/2014/01/03/opinion/1388778074_808887.html

Decimos de algunas personas: "Ése es muy yo, mí, me, conmigo". Y describimos así a través de la gramática el excesivo interés que alguien muestra sobre sí mismo.

La lengua española nos permite prescindir casi siempre del pronombre de primera persona porque queda implícito en las desinencias verbales. Si decimos "llevo paquetes", no hace falta expresar por delante "yo", al contrario de lo que sucede en inglés o francés. Porque "llevo" es distinto de "llevas" (o "llevás"), "lleva", "llevamos"...

Esto hace que el "yo" esté poco presente en el español, y que su abundancia extrañe. El académico Emilio Lorenzo (1918-2002) escribió sobre este fenómeno (El español y otras lenguas, 1980): "Dejamos a los psicólogos e historiadores de la cultura la tarea de aclarar por qué el español, entre otras lenguas románicas y germánicas culturalmente colindantes, hace al sujeto hablante menos protagonista que aquellas".

Vicente del Bosque es persona sabia, y el pasado 30 de julio manifestaba desde el titular de una entrevista publicada en el diario *El Mundo:* "Si ven que uso mucho la palabra 'yo', díganmelo". Y en el texto añadía que él utiliza mucho el nosotros, el ¿no creemos?, el ¿qué nos parece?

El plural de primera persona donde se esperaría un "yo" se oye con frecuencia entre deportistas cuidadosos. Induráin podía decir tras ganar una contrarreloj: "Tuvimos alguna dificultad en el repecho, pero luego nos hemos recuperado".

En general (y salvo usos dialectales), el sujeto "yo" de nuestro idioma se emplea como recurso para el énfasis o para resolver una ambigüedad. Así, lo consideraremos enfático cuando expresa oposición, por ejemplo en la oración "yo no soy como usted". Y en ciertos casos resulta imprescindible: "Tú eres ingeniera y yo soy camarero", frase que no podríamos alterar para decir "tú eres ingeniera y soy camarero". Pero en otras muchas ocasiones se hace superfluo, y acaba sonando raro (aunque no por ello se caiga en una incorrección gramatical).

La catedrática Marina Fernández Lagunilla (*La lengua en la comunicación política I.* 1999) destaca cómo, al hablar sobre el terrorismo de ETA, el entonces jefe del Gobierno José María Aznar acudía a los pronombres, conjugaciones y adjetivos de primera persona ("mis primeras palabras", "creo haber contribuido", "he cumplido", "mi compromiso"...), mientras que Felipe González, su antecesor, empleaba "formas impersonales y genéricas" como "es necesario", "importa ahora...".

Parece interesante contrastar aquellos usos gramaticales con los últimos debates políticos. Los dos mantenidos por José Luis Rodríguez Zapatero y Mariano Rajoy en la campaña electoral de 2008 permiten percibir, con la transcripción en la mano, que el candidato del PP muestra una mayor propensión que su rival a decir "yo" en los tres capítulos señalados (usos superfluos, enfáticos o imprescindibles). Rajoy lo empleó en 54 y 38 ocasiones en esos dos debates, contra 11 y 12 de Zapatero. En los usos superfluos, el entonces presidente socialista dijo 6 veces "yo" en cada debate, mientras que Rajoy lo hizo nada menos que en 23 y 29 oportunidades. Si se contrasta además con el empleo de "nosotros", vemos que Zapatero lo pronuncia en el primer debate en 19 ocasiones, por solo 5 de Rajoy. Y en el segundo, en 15 oportunidades (por 8 de su rival).

El análisis sobre el único debate electoral entre Rajoy y Alfredo Pérez Rubalcaba (noviembre de 2011) nos ofrece datos semejantes. Rajoy dice "yo" más veces: 83, por 52 de Rubalcaba. De ellas, eran usos superfluos 57 de Rajoy y 31 de Rubalcaba.

Así pues, Rajoy utiliza muchos "yo" innecesarios; lo hace en menor medida Rubalcaba, y muchísimo menos Zapatero.

Queda lejos de nuestra intención ejercer de psicólogos y sentar conclusiones a partir de estos números. No obstante, todos sabemos que el lenguaje de cada cual influye en la imagen que transmite, y quizá se cause mejor impresión con la serie nosotros, nuestros, nos, con nosotros que con un continuo yo, mí, me, conmigo.

Preguntas

1. ¿Qué significa la frase "La lengua española nos permite prescindir casi siempre del pronombre de primera persona"?

2. ¿Por qué extraña la abundancia del uso del yo?

3. Explique la siguiente frase y proporcione ejemplos: "el sujeto "yo" de nuestro idioma se emplea como recurso para el énfasis o para resolver una ambigüedad".

4. Explique el análisis que se hace sobre el uso del yo en los candidatos Zapatero y Rajoy.

5. ¿Qué significa la afirmación: "el lenguaje de cada cual influye en la imagen que transmite"?

El supercódigo

Abra el siguiente código para ver el video: "Esto es México", o consulte alguno similar que muestre aspectos culturales de nuestro país.

Luego, genere un texto de no más de 20 líneas, en donde utilice al menos 20 adjetivos y 10 pronombres.

Lo que sé (y lo que no)

Responda las siguientes preguntas y luego evalúe si sus respuestas son correctas.

Pregunta	Sí	No	¿Por qué?
1. ¿El adjetivo influye sobre el verbo?			
2. ¿Debe existir concordancia entre el adjetivo y el sustantivo?			
3. ¿El adjetivo posee género y número al igual que el sustantivo?			
4. ¿El pronombre sustituye a los complementos directos e indirectos?			
5. ¿Los pronombres poseen género y número?			
6. ¿Es obligatoria la concordancia entre verbo y pronombre?			

Compare sus respuestas, con las que aparecen a continuación:

Respuestas: 1. No 2. Sí 3. Sí 4. Sí 5. Sí 6. No

Y a la final

A continuación se presenta un fragmento del cuento “Los pocillos”, de Mario Benedetti. Léalo y subraye los adjetivos y pronombres.

Los pocillos eran seis: dos rojos, dos negros, dos verdes, y además importados, irrompibles, modernos. Habían llegado como regalo de Enriqueta, en el último cumpleaños de Mariana, y desde ese día el comentario de cajón había sido que podía combinarse la taza de un color con el platillo de otro. “Negro con rojo queda fenomenal”, había sido el consejo estético de Enriqueta. Pero Mariana, en un discreto rasgo de independencia, había decidido que cada pocillo sería usado con su plato del mismo color.

“El café ya está pronto. ¿Lo sirvo?”, preguntó Mariana. La voz se dirigía al marido, pero los ojos estaban fijos en el cuñado. Éste parpadeó y no dijo nada, pero José Claudio contestó: “Todavía no. Esperá un ratito. Antes quiero fumar un cigarrillo”. Ahora sí ella miró a José Claudio y pensó, por milésima vez, que aquellos ojos no parecían de ciego.

La mano de José Claudio empezó a moverse, tanteando el sofá. “¿Qué buscás?”, preguntó ella. “El encendedor”. “A tu derecha”. La mano corrigió el rumbo y halló el encendedor. Con ese temblor que da el continuado afán de búsqueda, el pulgar hizo girar varias veces la ruedita, pero la llama no apareció. A una distancia ya calculada, la mano izquierda trataba infructuosamente de registrar la aparición del calor. Entonces Alberto encendió un fósforo y vino en su ayuda. “¿Por qué no lo tirás?” dijo, con una sonrisa que, como toda sonrisa para ciegos, impregnaba también las modulaciones de la voz. “No lo tiro porque le tengo cariño. Es un regalo de Mariana”.

Ella abrió apenas la boca y recorrió el labio inferior con la punta de la lengua. Un modo como cualquier otro de empezar a recordar. Fue en marzo de 1953, cuando él cumplió 35 años y todavía veía. Habían almorzado en casa de los padres de José Claudio, en Punta Gorda, habían comido arroz con mejillones, y después se habían ido a caminar por la playa. Él le había pasado un brazo por los hombros y ella se había sentido protegida, probablemente feliz o algo semejante. Habían regresado al apartamento y él la había besado lentamente, morosamente, como besaba antes. Habían inaugurado el encendedor con un cigarrillo que fumaron a medias. Ahora el encendedor ya no servía. Ella tenía poca confianza en los conglomerados simbólicos, pero, después de todo, ¿qué servía aún de aquella época?

Para conocer más

Abra el siguiente código para leer el texto sobre falsos adjetivos; o bien, consulte uno similar que trate sobre el mismo tema.

En clase, analice con sus compañeros qué otros casos conocen como los que se mencionan en el texto.

CAPÍTULO 12

La puntuación y la escritura

La comunicación humana es la clave del éxito personal y profesional.
Paul J. Meyer

Habilidades para el uso de los signos de puntuación

Uso de la coma (,)

Observe el uso de la coma en las siguientes oraciones y anote en las líneas la razón por la que se usa la coma en ese lugar.

1. Angola, Argelia, Benin, Botswana, Burkina Faso, Burundi, Cabo Verde, Camerún, República Centroafricana, Chad, Comores, Congo, Costa de Marfil, Egipto y Eritrea son algunos países de África.

   ____

2. Es importante que leas, estudies, escribas y hagas la tarea.

   ____

3. Los ecologistas nos piden que no malgastemos el agua, no ensuciemos la calle, cuidemos las plantas y los árboles, usemos menos el automóvil, evitemos producir mucho ruido con el radio y seamos conscientes del valor de la naturaleza.

   ____

4. El deterioro de la Tierra es cada vez mayor, pero juntos podremos ayudar a protegerla si hacemos cada uno lo necesario.

   ____

5. Se debe proporcionar alimentación muy nutritiva a los niños después de una enfermedad respiratoria, ya que pueden recaer.

   ____

6. Sé que es importante la reunión, mas no puedo llegar a tiempo.

   ____

7. Acepte, señor director, nuestra disculpa.

   ____

8. Apúrate para que no llegues tarde, Francisco.

   ____

9. Julián, cuenta con mi apoyo.

   ____

10. Solicito, por favor, que nombre un suplente para la comisión.

    ____

11. Entre las reglas de puntuación, por ejemplo, es importante el uso correcto del punto y coma.

    ____

12. Nicolás Romero, un héroe de la Independencia, dijo que solo el saber y la virtud no mueren.

    ____

13. Solo el saber, dijo Nicolás Romero, nos hará libres.

    ____

14. En el otoño de 1996, se realizaron los Juegos Olímpicos en la ciudad de Atlanta.

____

15. Ese patinador era el favorito para obtener la medalla de oro, sin embargo sufrió una caída en uno de sus ejercicios.

____

16. Hace cuatro años obtuvo el primer lugar; este año, el segundo.

____

17. Uno de mis hermanos investiga sobre la geografía; otro, sobre la química; el menor, sobre la mecánica.

____

18. Francisco José nació en México, el 5 de octubre de 1972.

____

19. La forma correcta de escribir la fecha en una carta es: Jalapa, Ver., 8 de septiembre de 2015.

____

20. El apellido o los apellidos se separan del nombre de la persona por una coma cuando se invierte el orden. Ejemplo: Souto Alabarce, Arturo.

____

21. Los romanos invadieron la Península Ibérica en el siglo III a.C.; los árabes, a principios del siglo VIII de nuestra era.

____

Se usa la coma en los siguientes casos:

1. Para separar o enumerar personas, objetos, ciudades, acciones o elementos iguales.
2. Para separar oraciones iguales.
3. Antes de ***pero***, ***sino***, ***sin embargo***, ***ya que*** o cualquier otra conjunción adversativa.
4. El nombre en vocativo va entre dos comas si se encuentra en medio de la oración; seguido de una coma, si está al principio, y precedido de una coma, si está al final. (El vocativo es la palabra o frase que nombra, llama o invoca a una persona o al interlocutor; es el nombrado).
5. Las partes que en una oración son incidentales también van entre comas. (Se llaman frases u oraciones incidentales aquellas que cortan o interrumpen momentáneamente la oración).
6. Las conjunciones también pueden ser incidentales e ir entre comas. Ejemplo: Es necesario, *pues*, que te comportes adecuadamente.
7. En sustitución del verbo, para evitar la repetición.
8. Para separar la ciudad de la fecha y la ciudad del estado.
9. Para separar los apellidos del nombre, al invertir el orden.
10. Cuando se invierte el orden usual de la oración, adelantando lo que debiera ir después. En la mayoría de los casos se escribe primero un complemento de la oración y después el resto. Por ejemplo: *En una tienda del centro*, mi hermana y yo compramos un hermoso vestido para mi madre. Lo que está en cursivas es un complemento circunstancial de lugar, y antecede al sujeto y al núcleo del predicado. En las transposiciones cortas no es necesaria la coma. Por ejemplo: *En la tarde* iré por ti.

- Nunca se separa el sujeto del núcleo del predicado (verbo) por coma, aunque aquél (el sujeto) sea muy largo (a menos que haya una incidental). Ejemplos:

  El nuevo rector de la Universidad Michoacana de San Nicolás de Hidalgo inauguró la exposición denominada XXX siglos de cultura en México.

  La vida, aunque no es fácil, resulta maravillosa.
- No se coloca coma en todas las pausas que se hacen para respirar al leer un texto.
- Antes de la conjunción *y* **sí** se puede escribir coma, excepto cuando va al final de una enumeración.
- No se separa el verbo del complemento directo.

Con la guía del profesor cada alumno leerá en voz alta una oración, colocará las comas que corresponda y dirá cuál regla usó; simultáneamente, el resto del grupo hará el ejercicio en silencio.

1. Se dio a conocer un informe elaborado por científicos españoles argentinos mexicanos y chilenos sobre la destrucción de la capa de ozono.
2. Evitemos la guerra apoyemos la paz ayudemos a los pobres y desvalidos concentremos nuestros esfuerzos en sensibilizar a los habitantes de la Tierra y tomemos conciencia de la importancia de la vida en el planeta.
3. Julián óyeme; óyeme Julián; repito Julián que me oigas lo que te digo.
4. En un bello convento de Morelia Michoacán ahora hotel una multitud de aves se reúne para cantar al amanecer y también al caer el sol.
5. Todo amor dijo un poeta es fantasía.
6. Continuó la expansión mundial del patinaje sobre hielo en Andorra Chipre Portugal e Indochina.
7. Ese árbol dará flores rojas sin duda cuando empiece la primavera.
8. Es necesario pues que te prepares para la competencia.
9. El equipo nacional chino se impuso al de Suecia en la final masculina de ping-pong mientras que Corea del Sur quedó clasificada en tercera posición.
10. Todo pasa y todo queda solo lo nuestro es pasar pasar haciendo caminos caminos sobre la mar.
11. Solicitamos señor Presidente que nos escuche y nos atienda.
12. En los saltos ornamentales de natación tanto México como Estados Unidos ganaron dos pruebas cada uno entre las seis disputadas.
13. Erigida en la segunda mitad del siglo XVI la iglesia de Santa Francisca ha sido restaurada varias veces.
14. Casi todas las monedas europeas entre ellas el franco francés la libra esterlina la peseta española el escudo portugués y la lira italiana sufrieron durante los dos primeros tercios de 1995 fuertes caídas en sus cotizaciones pero repuntaron de manera sobresaliente en los últimos meses del año.
15. Dominando la escena alto y soberbio se yergue un arco de triunfo.
16. El recién restaurado e inmenso fresco del Juicio Final de la Capilla Sixtina cubre toda la pared del fondo.
17. El monte Capitolio fue el centro de la vida política social y religiosa de Roma.
18. Los romanos llamaban Júpiter al dios Zeus; Cupido al dios Eros.
19. En consecuencia César comprendió que no podía confiar en Pompeyo.
20. El premio Nobel de literatura de 1995 fue concedido al poeta y escritor irlandés Seamus Heaney quien se había distinguido a lo largo de su vida por su llamamiento al diálogo y su rechazo a la violencia.
21. La familia Gutiérrez tiene dos enciclopedias; los Pérez ninguna.
22. Maestro por favor repita la información otra vez.
23. Me permito solicitar a usted muy atentamente se sirva enviarme informes sobre las carreras que se imparten en esa universidad.
24. Mi sobrina nació en México D.F. el 22 de octubre de 1994.

25. Los participantes en el concurso anual del cartel científico del Consejo Nacional de Ciencia y Tecnología deberán entregar su solicitud antes del día 30 de este mes.
26. Me gustan el vestido blanco y el rojo pero no el verde ni el café.
27. Los próximos Juegos Olímpicos se efectuarán en agosto del año 2016; el campeonato mundial de futbol en junio de 2018.
28. Estudié Matemáticas Química Física y Biología pero no arte.
29. Algunos jóvenes piensan que la literatura es irrelevante sin embargo deberían acercarse a ella para convencerse de que no lo es.
30. Quien visite uno a uno monumentos galerías palacios iglesias en Florencia guardará en su mente las imágenes más hermosas de esa ciudad.

Uso del punto y coma (;)

El punto y coma señala una pausa, pero no el fin de la oración; representa una idea casi completa, aunque no la conclusión del tema que se está tratando. También une oraciones yuxtapuestas.

Observe en las siguientes oraciones el uso del punto y coma:

1. Estuvo revisando cuidadosamente el material que tenía para el tema que había elegido; no le interesaba nada.
Estuvo revisando cuidadosamente el material que tenía para el tema que había e legido, *pero* no le interesaba nada.
2. El mexicano atraviesa la vida como desollado; todo puede herirle: palabras y sospecha de palabras.
El mexicano atraviesa la vida como desollado *porque* todo puede herirle: palabras y sospecha de palabras.

En ambos casos sustituimos un nexo –*pero* y *porque*– por un punto y coma; esto las convierte en oraciones yuxtapuestas.

3. Buscó en bibliotecas, hemerotecas, videotecas; leyó cuanto encontró a la mano; revisó periódicos, revistas, libros, folletos; no encontró lo que quería.
4. El zoológico tiene un espacio donde se realiza investigación sobre tigres, leones, pumas y otros felinos; se revisa la fertilidad de los monos y los osos; se estudia tanto el comportamiento de las aves, algunos batracios y peces, como la fortaleza de los elefantes; se observa la actitud de todos cuando se les proporciona afecto y se registra cada reacción minuciosamente.

- En los párrafos uno y dos se usa el punto y coma cuando a una oración sigue otra que no tiene perfecto enlace con la anterior, pero que se refiere al mismo tema (son oraciones yuxtapuestas).
- En los párrafos tres y cuatro se usa el punto y coma para separar dos o más oraciones dentro de cuyas enumeraciones ya hay una o más comas.

Éstos son los usos más comunes del punto y coma. Cabe señalar que es frecuente que este signo se sustituya por el punto y seguido.

Ejemplos de uso correcto del punto y coma:*

1. Los norteamericanos quieren comprender; nosotros, contemplar.
2. Ellos son activos; nosotros, quietistas.
3. Para los norteamericanos el mundo es algo que se puede perfeccionar; para nosotros, algo que se puede redimir.

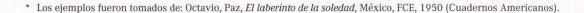

* Los ejemplos fueron tomados de: Octavio, Paz, *El laberinto de la soledad*, México, FCE, 1950 (Cuadernos Americanos).

4. Ahora bien, como solución mundial, la autarquía es, a la postre, suicida; como remedio nacional, es un costoso experimento que pagan los obreros, los consumidores y los campesinos.
5. Europa cuenta con el proletariado más culto, mejor organizado y con más antiguas tradiciones revolucionarias; asimismo, allá se han producido, una y otra vez, las "condiciones objetivas" propicias al asalto del poder.
6. En Asia y África el imperialismo se retira; su lugar lo ocupan nuevos Estados con ideologías confusas, pero que tienen en común dos ideas, ayer apenas irreconciliables: el nacionalismo y las aspiraciones revolucionarias de las masas.
7. Hemos pensado muy poco por cuenta propia; todo o casi todo lo hemos visto y aprehendido en Europa y los Estados Unidos.
8. A los mexicanos nos hace falta una nueva sensibilidad frente a la América Latina; hoy esos países despiertan: ¿los dejaremos solos?

Coloque coma o punto y coma donde corresponda. Al terminar, cada alumno leerá una oración y especificará la regla que usó.

1. Nada bastó para desalojar al enemigo hasta que la artillería abrió camino se observó que solo uno se rindió a la merced de los españoles.
2. La vida vale la pena vivirla la muerte vendrá ella sola.
3. Las esculturas encontradas el año pasado en Chile se caracterizaban por sus peculiares rostros alargados estaban construidas de piedra volcánica y su función debió ser religiosa o funeraria.
4. Si en la política y el arte el mexicano aspira a crear mundos cerrados en la esfera de las relaciones cotidianas procura que imperen el pudor el recato y la reserva ceremoniosa.
5. La Revolución Mexicana cuando descubrió las artes populares dio origen a la pintura moderna al descubrir el lenguaje de los mexicanos dio la poesía.
6. Mientras se esperaba la llegada de una nueva generación de aviones de mayor capacidad el tráfico aéreo mundial tanto de mercancías como de pasajeros tuvo que modificar algunos de sus servicios.
7. El número de deportes olímpicos se ha modificado en el curso de los años actualmente podemos enumerar los siguientes: atletismo basquetbol boxeo canotaje ciclismo equitación esgrima futbol gimnasia judo pesas lucha libre y grecorromana natación pentatlón remo tiro voleibol vela y waterpolo entre otros.
8. Entre los reglamentos de los juegos se enumeran los siguientes: no hay límite de edad todas las actividades deberán completarse en un plazo de dieciséis días y podrán participar todos los países.
9. Viejo o adolescente criollo o mestizo general obrero o licenciado el mexicano se me aparece como un ser que se encierra y se preserva: máscara el rostro y máscara la sonrisa.
10. Llegué tarde a mi trabajo no podía encontrar mis llaves.
11. El mexicano puede doblarse humillarse "agacharse" pero no "rajarse" no permite que el mundo entre en su intimidad.
12. Acabo de regresar de unas maravillosas y sensacionales vacaciones te hablaré después para contarte los detalles.
13. El ideal de hombría para otros pueblos consiste en una abierta y agresiva disposición al combate nosotros acentuamos el carácter defensivo listos a repeler el ataque.
14. Los demostrativos *este ese aquel* con sus femeninos y plurales se escriben normalmente con acento cuando tienen función de pronombres puede prescindirse del acento en los casos en que no haya riesgo de equívoco o confusión.
15. De los 900 millones de hectáreas de bosques tropicales en la Tierra Latinoamérica tiene un 58% Panamá posee tantas especies de plantas como toda Europa México y Colombia son dos de los cuatro países con mayor diversidad de flora y fauna en el mundo.

Uso de los dos puntos (:)

Lea cuidadosamente los siguientes párrafos:

Gabriel García Márquez, Homero Aridjis y otros

El mundo se pregunta: ¿Hay futuro para las selvas tropicales? Nosotros preguntamos: ¿Hay futuro para nosotros y para el mundo? Cada año se vierten millones de toneladas de desechos tóxicos de las compañías industriales estadounidenses, europeas y japonesas.

Los destinos más frecuentes de esa basura son los países de América Latina: los del Caribe, Centroamérica, Brasil, Argentina y México.

Señores presidentes: Somos parte de un problema global que exige soluciones globales. Nosotros necesitamos definir una política ambiental que proteja eficazmente nuestra rica biodiversidad.

La concertación que entre ustedes logren para establecer una Alianza Ecológica Latinoamericana, y la decisión política que la acompañe en cada una de las naciones, será, estamos seguros, una medida que beneficiará a las generaciones presentes y futuras de latinoamericanos, y será un ejemplo a seguir por otros jefes de Estado en otros continentes: el medio ambiente es un tema que debe ser discutido en la agenda en la que se debate el porvenir de los seres humanos (...).

En los cuatro párrafos anteriores tenemos los cuatro usos de los dos puntos:

1. Antes de una enumeración.
2. Antes de palabras que se citan o que alguien dijo. (En este caso se usa mayúscula después de los dos puntos).
3. Antes de una oración que sirve de comprobación de lo dicho anteriormente.
4. Después de la frase de salutación o vocativo en una carta o discurso. (En este caso también se usa mayúscula después de los dos puntos).

Deduzca cuál es el número de la regla que corresponde a cada uno de los párrafos anteriores.

Párrafo uno ________________________________

Párrafo dos ________________________________

Párrafo tres ________________________________

Párrafo cuatro ________________________________

Coloque la coma, el punto y coma, los dos puntos y el punto donde las siguientes oraciones deban llevarlo, así como la letra mayúscula que haga falta.

1. Había cinco personas dos mujeres dos hombres y un niño
2. Cicerón dijo no hay cosa que más degrade al hombre que la envidia
3. El vicio del juego es uno de los peores la gente más rica se ha quedado en la miseria los más dignos se han degradado y otros están en la cárcel
4. Querido amigo deseo que tu viaje haya sido un éxito que la investigación haya dado buenos frutos y que tu reconocimiento también sea unánime por otra parte pienso que es necesario que te cuides y te preocupes por tu salud
5. Quería cantar no puede evitarlo
6. Después aparece la corona del Sol en todo su esplendor si es un momento de máxima actividad se observará una corona simétrica

7. Necesito bañarme comer descansar y dormir
8. Durante las vacaciones cerca del mar se pueden realizar las siguientes actividades pescar nadar bucear velejar descansar
9. Todos los grupos estuvieron en la discusión obreros campesinos estudiantes maestros empresarios industriales investigadores ninguno faltó
10. La conjunción disyuntiva o se escribe con acento solamente en el caso de que vaya entre cifras para evitar la confusión con el cero ejemplo 3 ó 4

Uso de las comillas (“ ”)

Observe los siguientes textos breves; deduzca de ellos los casos del uso de las comillas y anótelos en las líneas.

1. El filósofo griego Sócrates insistió: “Conócete a ti mismo”.

   ____

2. El maestro constantemente está corrigiendo: “No se dice veniste, sino viniste; no digan forzo, sino fuerzo”.

   ____

3. “Árbol que crece torcido nunca su rama endereza” dice el refrán.

   ____

4. El mexicano puede doblarse, humillarse, “agacharse”, pero no “rajarse”. El “rajado” es de poco fiar, un traidor o un hombre de dudosa fidelidad que cuenta los secretos de los demás y es incapaz de afrontar los peligros como se debe.

   ____

5. Por favor, no digan “bye” sino adiós.

   ____

6. El Papa, al bendecir al pueblo, expresó en latín: “In nomine Patri, et Filii et Spiritu Sancto. Amen”.

   ____

7. Adiós en italiano es “arrivederci”; en japonés es “sayonara”.

   ____

8. El lema de las instituciones gubernamentales mexicanas es “Sufragio efectivo; no reelección”.

   ____

9. El lenguaje popular refleja hasta qué punto la “hombría” consiste en no “rajarse” nunca. Los que se “abren” son cobardes.

   ____

10. Algunos ejemplos de este ejercicio están tomados de “Máscaras mexicanas”, texto de Octavio Paz que forma parte del libro *El laberinto de la soledad*.

    ____

Las comillas se usan en los siguientes casos:

1. Para indicar que un texto es cita directa de algún libro o de alguna persona, o que una frase ha sido reproducida textualmente.
2. Para los refranes.
3. Los lemas de instituciones.

4. Para indicar que una frase o palabra está usada en un sentido figurado, diferente a su significado acostumbrado.
5. Las palabras o frases en lengua extranjera.
6. Para indicar que una palabra pertenece a la jerga popular.
7. Para mostrar que esa frase es el título de un artículo que forma parte de un libro, de una revista o de algún periódico.

Nota: No se usan las comillas para resaltar un texto; para esto se emplea el subrayado o las letras negritas o cursivas.

Uso del paréntesis ( )

Lea cuidadosamente la siguiente ficha temática textual.

DIEGO RIVERA (1886-1957), pintor mexicano. Sus primeras producciones de interés pertenecen a la etapa cubista. En 1922 pintó su primer mural en el anfiteatro Bolívar de la Escuela Nacional Preparatoria (ENP) de la Universidad Nacional Autónoma de México (UNAM). Sus obras maestras son los frescos del salón de actos de la Escuela Nacional de Agricultura en Chapingo (1927) y los frescos del Palacio Nacional. En 1936 tuvo su mejor época en pintura de caballete (el *Retrato de Lupe Marín, Bailarina en reposo*) (...).

Sus últimas obras murales fueron hechas en mosaico para Ciudad Universitaria y el Teatro de los Insurgentes.

Tomado de *Historia de México*, t. 16,
México, Salvat, 1986, p. 2993.

Relea el texto y observe el uso del paréntesis.

Comente con sus compañeros, de acuerdo con las indicaciones del profesor, por qué se escribe el paréntesis en esos casos y anótelo en las líneas siguientes:

____

____

____

____

El paréntesis se usa en los siguientes casos:

1. Para encerrar signos, palabras, frases u oraciones que sirven de aclaración. (Éstas son realmente expresiones incidentales que se separan completamente de la información específica que el texto está proporcionando. *En este caso, se pueden usar las comas, los guiones y los paréntesis, que indican de menor a mayor orden de separación*). Ejemplo: (el *Retrato de Lupe Marín, Bailarina en reposo*).
2. Las siglas seguidas de su enunciado o a la inversa, en la primera ocasión que se mencione. Ejemplo: Escuela Nacional Preparatoria (ENP).
3. Encierra datos numéricos aclaratorios. Ejemplo: (1886-1957).
4. Para abreviar la escritura. Ejemplo: Sr(a)., alumno(a).
5. Para indicar que a un texto o cita textual se le ha omitido alguna parte, se escriben tres puntos suspensivos entre paréntesis: (...).
6. También se suelen usar los paréntesis en las publicaciones (libros, revistas, folletos, periódicos, diccionarios, etcétera) en cuyo texto se remite a figuras, cuadros o tablas y a palabras que son referencias cruzadas. Ejemplos: El pulmón... (Fig. 13). Sobre la respiración... (V. Cuadro 44). En las vías respiratorias... (V. PLEURESÍA).

7. En la bibliografía, se coloca entre paréntesis el nombre de la colección a la que pertenece el libro, seguido de una coma y del número que tiene en la propia colección; ejemplo: Fernando de Rojas, *La Celestina*, México, UNAM, 1964 (Nuestros clásicos, 27).

Deduzca los casos del uso del paréntesis en los siguientes ejemplos, y anótelos en las líneas correspondientes.

1. La Academia Mexicana de los Derechos Humanos (AMDH) funciona como una institución fiel a sus principios.

   ____

   ____

   ____

2. *El ingenioso hidalgo don Quijote de la Mancha* (considerada como la obra cumbre de la literatura española) da a la cultura universal el personaje que representa el idealismo generoso.

   ____

   ____

   ____

3. La Giralda de Sevilla (1118-1198; 77.52 m.) estaba coronada por cuatro bolas doradas que desaparecieron a causa de un terremoto (1355).

   ____

   ____

4. Para participar en los juegos olímpicos es necesario haber terminado el bachillerato (cualquiera que éste sea), tener un promedio aprobatorio (mínimo 7), contar con la autorización escrita únicamente de su padre o tutor(a) y haber calificado para su elección.

   ____

   ____

5. Iba a decirle (realmente no me atreveré nunca) que la quería.

   ____

   ____

6. Chichimecas (del náhuatl, *chichimécatl*). Grupo de pueblos nómadas del México prehispánico que, procedentes del Norte, penetraron en territorio tolteca y se apoderaron de su capital, Tula (Edo. de Hidalgo). Fundaron en la Meseta Central pequeños estados rivales (s. XII-XIV) que desarrollaron una refinada cultura. Su principal resto arquitectónico es la pirámide de Tenayuca.

   ____

   ____

7. *Diéresis* (del lat. *diaeresis*, y éste del gr. *diaíresis*). Signo diacrítico que consiste en dos puntos horizontales (¨) que se colocan sobre la vocal afectada por él. También se llama *crema* (alteración del griego *trêma*: puntos marcados a un lado) (v.c. 24).

   ____

   ____

8. La ficha bibliográfica completa de un libro de Juan Rulfo (escritor mexicano contemporáneo) es la siguiente: Rulfo, Juan. *Pedro Páramo*, México, Fondo de Cultura Económica, 1984 (Letras mexicanas, 50), 159 pp.

____
____
____

9. Mi padre tenía un "fordcito" (modelo T), que había comprado en 1949 (mi madre nunca quiso que lo tuviera porque era un lujo) y en el cual nos llevaba a pasear lejos de nuestro pueblo.

____
____
____

10. "La mujer transmite o conserva (...) los valores y energías que le confía la naturaleza o la sociedad".

____
____
____

11. Nunca se separa el sujeto del núcleo del predicado (verbo) con una coma, aunque aquél (el sujeto) sea muy largo, a menos que haya una incidental (en este caso se anotarán las dos comas correspondientes).

____
____
____

En las siguientes oraciones escriba comillas o paréntesis donde corresponda. En caso de que falte alguna mayúscula o dos puntos, colóquelos adecuadamente.

1. Procura tener siempre buena y valiosa compañía; recuerda que el refrán dice: quien mal anda mal acaba.
2. El que se confía se enajena; me he vendido con Fulano, decimos cuando nos confiamos a alguien que no lo merece.
3. Dios dice ayúdate que yo te ayudaré.
4. Nuestra cólera no se nutre nada más del temor de ser utilizados por nuestros confidentes temor general a todos los hombres sino de la vergüenza de haber renunciado a nuestra soledad.
5. Arrivederci, le decía el joven, y ella respondía au revoir.
6. Antonio Machado escribió: todo amor es fantasía; uno inventa el año, el día, la amada y la melodía... Contra el amor no prueba nada el que la amada no haya existido jamás.
7. El lema de los estudiantes en la película *La sociedad de los poetas muertos* era Carpe diem aprovecha el día.
8. William Shakespeare 1564-1616 poeta y dramaturgo inglés. Sus obras presentan casi todas las facetas del ser humano, desde el amor *Romeo y Julieta* hasta los celos *Otelo*, la avaricia *El mercader de Venecia* y la duda *Hamlet*.
9. Miguel de Cervantes 1547-1616 escribió también las *Novelas ejemplares*.
10. El lema de una universidad del puerto de Veracruz es educar para servir.

Ejercicios

Coloque los signos de puntuación estudiados –coma, punto y coma, dos puntos, comillas, paréntesis– donde corresponda.

Nuestras relaciones con los otros hombres también están teñidas de recelo. Cada vez que el mexicano se confía a un amigo o a un conocido cada vez que se abre abdica. Y teme que el desprecio del confidente siga a su entrega. Por eso la confidencia deshonra y es tan peligrosa para el que la hace como para el que la escucha no nos ahogamos en la fuente que nos refleja como Narciso sino que la cegamos. Nuestra cólera no se nutre nada más del temor de ser utilizados por nuestros confidentes temor general a todos los hombres sino de la vergüenza de haber renunciado a nuestra soledad. El que se confía se enajena me he vendido con Fulano decimos cuando nos confiamos a alguien que no lo merece. (...) La distancia entre hombre y hombre creadora del mutuo respeto y la mutua seguridad ha desaparecido. No solamente estamos a merced del intruso sino que hemos abdicado.

Lea el siguiente texto y escriba los acentos, signos de puntuación y mayúsculas donde se requiera.

La revuelta del futuro
(*fragmento*)

En todas las sociedades las generaciones tejen una tela hecha no solo de repeticiones sino de variaciones y en todas se produce de una manera u otra abierta o velada la “querella de los antiguos y los modernos”. Hay tantas “modernidades” como epocas historicas. no obstante ninguna sociedad ni epoca alguna se ha llamado a si misma moderna salvo la nuestra. si la modernidad es una simple consecuencia del paso del tiempo escoger como nombre la palabra moderno es resignarse de antemano a perder pronto su nombre. ¿cómo se llamara en el futuro la epoca moderna? para resistir a la erosion que todo lo borra las otras sociedades decidieron llamarse con el nombre de un dios una creencia o un destino islam cristianismo imperio del centro... todos estos nombres aluden a un principio inmutable o al menos a ideas e imágenes estables. cada sociedad se asienta en un nombre verdadera piedra de fundacion y en cada nombre la sociedad no solo se define sino que se afirma frente a las otras. el nombre divide al mundo en dos cristianos-paganos musulmanes-infieles civilizados bárbaros toltecas-chichimecas... nosotros-ellos. nuestra sociedad tambien divide al mundo en dos lo moderno-lo antiguo. Esta division no opera unicamente en el interior de la sociedad alli asume la forma de la oposicion entre lo moderno y lo tradicional, sino en el exterior cada vez que los europeos y sus descendientes de la america del norte han tropezado con otras culturas y civilizaciones las han llamado invariablemente atrasadas. No es la primera vez que una civilizacion impone sus ideas e instituciones a los otros pueblos pero si es la primera vez que en lugar de proponer un principio atemporal se postula como ideal universal al tiempo y a sus cambios.

Para el musulman o el cristiano la inferioridad del extraño consistia en no compartir su fe para el griego el chino o el tolteca en ser un barbaro un chichimeca desde el siglo XVIII el africano o el asiatico es inferior por no ser moderno. Su extrañeza su inferioridad le viene de su "atraso". Seria inutil preguntarse ¿atraso con relacion a que y a quien? Occidente se ha identificado con el tiempo y no hay otra modernidad que la de occidente. Apenas si quedan barbaros infieles gentiles inmundos mejor dicho los nuevos paganos y perros se encuentran por millones pero se llaman nos llamamos subdesarrollados... Aquí debo hacer una pequeña digresion sobre ciertos y recientes usos perversos de la palabra *subdesarrollo.*

El adjetivo *subdesarrollado* pertenece al lenguaje anemico y castrado de las naciones unidas. Es un eufemismo de la expresion que todos usaban hasta hace algunos años nacion atrasada. El vocablo no posee ningun significado preciso en los campos de la antropologia y la historia: no es un termino cientifico sino burocratico. A pesar de su vaguedad intelectual o tal vez a causa de ella es palabra predilecta de economistas y sociologos. Al amparo de su ambigüedad se deslizan dos pseudoideas dos supersticiones igualmente nefastas: la primera es dar por sentado que existe solo una civilizacion o que las distintas civilizaciones pueden reducirse a un modelo unico la civilizacion occidental moderna la otra es creer que los cambios de las sociedades y culturas son lineales progresivos y que en consecuencia pueden medirse. Este segundo error es gravisimo: si efectivamente pudiesemos cuantificar y formalizar los fenomenos sociales desde la economia hasta el arte la religion y el erotismo las llamadas ciencias sociales serian ciencias como la fisica la quimica o la biologia. Todos sabemos que no es asi.

Octavio Paz, *Obras completas*, t.1,
México, FCE, 1994, pp. 349-350.

Lea los siguientes textos y escriba los acentos, signos de puntuación y mayúsculas donde se requiera.

1. Y empiezan a desfilar por el libro lo que ya sabemos los gigantes airados que toman la forma de molinos de viento los religiosos de san benito que llevan cautiva a una princesa la venta que se vuelve castillo y se puebla de sombras enemigas los grandes ejercitos que se convierten en mansos rebaños de ovejas el alucinado cortejo que lleva un cuerpo muerto de baeza a segovia la noche con los ruidos espantables de los batanes el hallazgo del yelmo de mambrino y la facil lucha para adueñarse de el la noble hazaña de la libertad de los forzados la galana y romantica penitencia en sierra morena.

   (...)

   Esos personajes creados por cervantes han seguido viviendo se ha realizado en ellos el milagro estetico de que persistan fuera del libro como entidades autonomas independientes.

   Antonio Castro Leal, *Memoria de El Colegio Nacional* (fragmento),
   México, 1949, núm. 3, 1948, pp. 169-184.

2. Los libros comenzaban a llegar o se publicaban aqui aqui estaban tambien los guias pero en cambio los tiraba el trabajo improvisado y que debia ser eficaz. Inesperadamente se les presentaban perspectivas y posibilidades no imaginadas.

   (...)

Los jovenes en mexico deben saber hacerlo todo. El desconcierto y las inquietudes todavia no acaban. No saben cada uno todavia que van a hacer. Es menester estar prevenidos. Las orientaciones de la patria pueden ser las mas inesperadas aunque lo mas probable es que se aquieten los espiritus y que hombres serenos no ignorantes de la crisis se aboquen al conocimiento y resolucion de los problemas.

Donde le toque estar un poco al azar al joven cuando venga este aquietamiento por alli hara su carrera por alli hara su cultura. Y aunque el mas serio problema de toda juventud es esta eterna inquietud de la direccion inquietud un poco feliz tras de tanto tantear ira encontrando al fin la suya y por donde mas hayan despertado sus aficiones en este vagabundear de sus estudios por alli ahondará por ahi seguira y acaso tambien por alli florecera aunque tarde. Juventud retrasada que tendra sin embargo el placer de verse prolongada tanto como se hayan prolongado sus inquietudes y sus indecisiones sus dudas y su secreta alegria de desconfianza.

Eduardo Villaseñor, *De la curiosidad y otros papeles*,
México, Letras de México, 1945.

3. El culto del ego es tan sanguinario como el de los aztecas se alimenta de victimas. El individuo egoista vive encerrado dentro de si mismo como una ostra en su concha en actitud de desconfianza hacia los demas rezumando malignidad para que nadie se acerque. Es indiferente a los intereses de la colectividad y su accion es siempre de sentido individualista.

Terminamos estas notas de psicologia mexicana preguntandonos si acaso sera imposible expulsar al fantasma que se aloja en el mexicano. Para ello es indispensable que cada uno practique con honradez y valentia el consejo socratico de conocete a ti mismo. Sabemos hoy que no bastan las facultades naturales de un hombre para adquirir el autoconocimiento sino que es preciso equiparlo de antemano con las herramientas intelectuales que ha fabricado el psicoanalisis. Cuando el hombre asi preparado descubra lo que es el resto de la tarea se hara por si solo. Los fantasmas son seres nocturnos que se desvanecen con solo exponerlos a la luz del dia.

Samuel Ramos, *El perfil del hombre y la cultura en México*,
México, 1934, pp. 65-92.

4. Porque sin duda estara muy bien que nos preocupemos por defendernos de los adversarios que encuentra siempre la libertad mas conviene igualmente no olvidar nunca que no pocos de esos adversarios pereceran por su propio impulso como castigo de su violencia segun ocurrio con el rival hipocrita de teagenes cuando fue a derribar de su pedestal la estatua que los tasios le consagraron. Cayo la imagen del vencedor pero al desprenderse vino a rodar sobre el cuerpo del envidioso y con su peso lo sepulto.

Jaime Torres Bodet, *Educación y concordia internacional. Discursos y mensajes (1941-1947)*, México,
El Colegio de México, 1948, pp. 38-47.

5. Los seres que las hicieron y las amaron vivieron bajo el dominio de una emocion religiosa lo mismo si eran mayas cuando situaban un concentrado perfil heraldico sobre los frisos de uxmal que cuando reproducian si eran teotihuacanos la serpiente emplumada de quetzalcoatl labraban si eran toltecas los atlantes de tula modelaban si eran zapotecas las urnas de monte alban o esculpian si eran aztecas la expectacion angustiosa de xochipilli.

Jaime Torres Bodet, *Discursos (1941-1964)*, México, Porrúa, 1965, pp. 56-61.

6. El pan segun la biblia resulta ser tan antiguo como el hombre mismo. Adan vegetariano al ser echado de su huerta no sólo fue condenado a ganarlo con el sudor de su frente sino que iba en lo sucesivo a alimentarse de carnes caza y pesca para tragar las cuales necesitaba acompañarse de pan tal como nosotros. Las frutas y legumbres pasan sin el. Mas para aquellas constantes excursiones de nuestros abuelos prehistoricos como para las nuestras era bueno llevar sandwiches. Toda pena es buena con pan. Y el que tiene hambre piensa en el. Lo comen las personas que son como el de buenas. Calma el llanto ¿A quien le dan pan que llore? Y las personas sinceras le llaman por su nombre y al vino vino.

Salvador Novo, "Antología del pan" (fragmento), en *Ensayos*, México, 1925, pp. 26-29.

7. Hay otra culebra que se llama quetzalcoatl hay muchas de ellas en la tierra caliente de totonacapan es mediana es del tamaño de las culebras del agua o casi llamase quetzalcoatl porque cria plumas de la misma manera de la pluma rica que se llama quetzalli y en el pescuezo tiene unas plumas que se llaman tzinitzcan que son verdes claras y pequeñas.

Fray Bernardino de Sahagún, *Historia general de las cosas de la Nueva España*, México, Porrúa, 1982 (Sepan Cuantos... 300), pp. 654-655.

8. En primer lugar las artes plasticas desde la ceramica hasta la arquitectura pasando por los estudios de la escultura y los codices cualesquiera sean el espacio y el tiempo de su localizacion aquellas formas no dejan lugar a duda sobre la magnificencia y sutileza del espiritu que alento su creacion la obra del tiempo de la incuria de las equivocaciones y de los sectarismos lejos de quebrantar la majestad acentua el poderoso misterio con que hoy como en los dias pristinos de la conquista monumentos mascaras codices pasman el animo.

Agustín Yáñez, "Meditaciones sobre el alma indígena" (fragmento) en Estudio preliminar a *Mitos indígenas*, México, UNAM, 1942, pp. VII-XXV (Biblioteca del Estudiante Universitario).

9. Picasso es el mas alto exponente en el arte contemporaneo de la conciencia europea por clasico es tradicionalista de algun modo original en sus formas que sin embargo no alcanzan sino solo en algun momento se acercan a las monumentales de Orozco.

Justino Fernández, "Orozco, genio de América", en *Cuadernos americanos*, México, nov.-dic., año VIII, vol. XLVIII, núm. 6, pp. 247-253.

10. Tomás moro se aparta de la division de oficios aceptada por platon establece que todos los utopienses sin excluir a las mujeres aprendan desde su niñez la agricultura acudiendo a presenciar el trabajo de los adultos y algun otro oficio mecanico de tejedores herreros hilanderos etcetera.

Silvio Zavala, *La utopía de Tomás Moro y otros estudios*, México, Antigua Librería Robledo, 1937, pp. 4-15.

11. Hay ciudades tristes y a un tiempo bellas; ciudades grises amadas por hombres de alma clara ciudades sucias que rien con su miseria.

José Alvarado, "Correo menor", *Diorama de la cultura, Excélsior*, México, 29 de septiembre de 1957.

12. Durante unos momentos el tema lo colma todo de claridad y de jubilo despues suavemente se repliega y comienza a mostrar algunas de sus aristas brotan incluso las primeras frases.

José Alvarado, "Correo menor", *Diorama de la cultura, Excélsior*, México, 6 de diciembre de 1959.

13. Un yacimiento en veracruz colmo por si mismo el suntuoso museo de xalapa en el lejano norte aparecio la estatua del adolescente huasteco y las estatuas de las diosas coronadas con sus altas tiaras nayarit y colima en el pacifico entregaron sus mujeres desnudas sus perros y sus vasos grotescos el valle de mexico el mundo formal del arcaico.

Fernando Benítez, *Los indios de México*, t. 1, México, ERA, 1967, pp. 43-65.

14. Que yo sepa en mexico ningun psiquiatra tan ocupado en acostar en su silloncito a los burgueses que sufren angustia ha tratado de estudiar una criminalidad india que como la argelina se desarrolla en circulo cerrado. Los argelinos apunta fanon se robaban entre si se desgarraban entre si se mataban entre si. En argelia el argelino apenas atacaba a los franceses y evitaba las peleas con franceses.

Robarse entre si golpearse entre si defender su mundo mediante secretos inviolables recurrir a la magia a los sueños liberadores al alcohol y a las drogas alucinantes el cuadro en fin de una conducta inhabitual puede aplicarse en todos sus matices a los africanos a los triquis a los mayas a los mazatecos a los chamulas porque todos ellos padecen los efectos de la colonia. Despues de la liberacion ahora todo mundo sabe escribia fanon que la criminalidad no es consecuencia del caracter nato del argelino ni de la organizacion de su sistema nervioso.

Fernando Benítez, *Los indios de México*, t. 1, México, ERA, 1967, pp. 43-65.

Escriba un texto de dos páginas acerca de la situación social, política y financiera de México a partir de enero de 2010. Recuerde el uso correcto de las mayúsculas, la puntuación, la acentuación y la ortografía en general.

140 caracteres

En no más de 140 caracteres, defina los siguientes conceptos.

- #Signos de puntuación

- #Uso de la coma

- #Conjunción

- #Uso del punto y coma

- #Oraciones yuxtapuestas

- #Uso de los dos puntos

- #Uso de las comillas

- #Uso del paréntesis

- #Uso de puntos suspensivos

____

____

____

- #Uso de signos de exclamación

____

____

____

Leer es un placer

Lea el texto que aparece a continuación y responda las preguntas que aparecen al final.

Siete cosas feas que Internet le ha hecho al castellano

Carmen Mañana (septiembre 24 de 2014)

http://elpais.com/elpais/2014/09/24/icon/1411572454_252899.html

Hay contenidos en la Red que no son aptos para menores de edad y otros que pueden herir la sensibilidad de la audiencia, pero comienza a resultar imprescindible un tercer tipo de advertencia: aquella que informa al internauta de que está a punto de presenciar la violación sistemática de la ortografía y la gramática castellanas. Un espectáculo *snuff* nada agradable para estómagos sensibles y cerebros educados con los cuadernillos Rubio, y que, en el caso de profesionales y amantes de la lengua, puede desembocar en patologías que van desde el desprendimiento de retina hasta la autoextracción de los globos oculares.

Dirijamos el dedo acusador hacia nosotros mismos. Internet es así porque nosotros lo hemos hecho así. Y aunque también ha hecho evolucionar la lengua incorporando nuevos términos a nuestro vocabulario (la RAE ya admite tuit, guasap) y no todos gustan de sodomizar el idioma, lo cierto es que un número cada vez mayor de estas perversiones online empieza a trasladarse al mundo analógico, como asegura Carmen Galán, Catedrática de Lingüística General de la Universidad de Extremadura.

Es la ciudad sin ley gramatical. El imperio del todo vale. El apocalipsis ortográfico. Y estas son sus siete plagas:

Signos de puntuación negativa. Galán asegura que sus alumnos de la Universidad de Extremadura más que utilizar las comas, las lanzan sobre el texto como quien vierte un puñado de fideos en la sopa. “Es cierto que cuando hablamos no decimos: ‘Te quiero, punto y aparte’. Pero sí hacemos pausas reflexivas que cada vez se reflejan menos en los textos. Puntuar bien es fundamental para entender todo el sentido de las oraciones”, apunta la catedrática. Ya saben: a la pregunta ¿te apetece hacer un Blablacar con Esperanza Aguirre?, no es lo mismo responder ‘No aspiro a un compañero mejor’ que ‘No, aspiro a un compañero mejor’. De entre todos los signos de puntuación, el punto y coma es el que está en peligro de extinción extremo, según Galán. Pero, sin que sirva de precedente, no culparemos a Internet de ello.

Pasamos de poner un punto, pero si son tres no hay quien nos pare. Tal cual. Si la excusa para cometer casi todas estas aberraciones es que así ahorramos caracteres, ¿por qué tantos tuits, entradas de Facebook y mensajes están plagados de puntos suspensivos como si una epidemia de varicela hubiese inundado la Red? "Se supone que los mensajes se transmiten entre gente conocida con la que compartes ciertos presupuestos y códigos, así que tienden a ser más emotivos que descriptivos. En ellos predomina el contenido afectivo y se emplean mucho los puntos suspensivos para cerrar una secuencia sin acabar, porque sabemos que la otra persona es capaz de completarla", trata de argumentar Galán.

Interrogación interrumpida. La catedrática Carmen Galán no cree que el hecho de que la práctica desaparición de los signos iniciales de interrogación y exclamación se deba únicamente a la influencia anglosajona. En su opinión, se trata de otra cuestión de vagancia. Aunque tiene poco sentido mostrarnos tan rácanos al principio de una frase, cuando pocas veces bajamos de los tres signos al final de la misma. "Solo se ponen al final y están empezando a cambiar de función. La exclamación se utiliza fundamentalmente para marcar el énfasis". Si existe una petición en Change.org para que se erija una estatua a Rosendo en Carabanchel, ¿no merecen el ¡ y el ¿ una campaña para evitar su muerte?

A-K-Báramos: Si lo piensan bien, como invita a hacer Galán, no tiene mucho sentido. "Es cierto que cuando aparecieron los SMS tenía su lógica abreviar las palabras porque se pagaba por caracteres. Y puede entenderse, incluso, que en Twitter, a veces, necesitemos rascar dos letras. Pero, ¿por qué k? Que no empieza por k y la k suena ka no ke". ¿Es un acto de rebeldía? ¿Una reivindicación anarquista, punk? En el teclado de los móviles y de los ordenadores, la q es la primera letra de todas (si seguimos el orden tradicional, derecha-izquierda, arriba-abajo). Solo existe un misterio más inexplicable que el de la k: ¿por qué no existe un emoticón que reproduzca el gesto de vomitar?

Bomba H. "En esa urgencia que nos hemos autoimpuesto por comunicar constantemente todo lo que nos sucede, hemos terminado aceptando la siguiente excusa: como me van a entender igual, puedo escribir como me dé la gana. Además, como el castellano tiene la ventaja de que puede leerse fonéticamente y las h son mudas ¿Para qué las necesito?" ¿Y para qué necesitamos el por favor y el gracias? ¿Y el hola? ¿De verdad suprimir las h supone un ahorro energético tan relevante en nuestras vidas? ¿El tiempo que empleamos en teclear esta letra nos daría para aprender un nuevo idioma, conseguir unos abdominales como los de Ronaldo o sacarnos el carné de conducir? ¿En un mundo sin h seríamos más listos y más guapos (y ya no necesitaríamos el transporte público)?

A ver ese haber. El número de tuits en los que alguien escribe a ver cuando en realidad se refiere al sinónimo del verbo existir resulta espeluznante. Prueben a hacer la búsqueda. "Es cierto que, en muchos casos y desgraciadamente, pueden ser faltas de ortografía inintencionadas. Pero hemos aceptado que en las redes sociales se escribe como se habla: a ver y haber suenan igual, así que no nos importa cómo se escriban porque es el contexto del mensaje el que determina si nos referimos a mirar o existir, y así lo van a interpretar nuestros interlocutores. Lo mismo está sucediendo con porqué o por qué y haya o halla o allá", señala Galán. Sí, beach (playa) suena como bitch (zorra) cuando lo pronuncia un español. Pero no es lo mismo, ¿verdad?

Preguntas

1. Explique la ironía del primer párrafo, en donde se afirma que el mal uso de la gramática española, "puede desembocar en patologías que van desde el desprendimiento de retina hasta la autoextracción de los globos oculares".

2. ¿Por qué la autora afirma que Internet es la ciudad sin ley gramatical?

3. ¿Por qué puntuar bien es fundamental para entender todo el sentido de la oración?

4. ¿Por qué cree que de todos los signos de puntuación, el punto y coma, está en severos peligros de extinción?

5. ¿A qué se refiere la autora con la frase “el apocalipsis ortográfico”?

El supercódigo

Abra el siguiente código para acceder al sitio web de la revista *Emeequis* y consulte la sección: “Departamento de puntuación: valen oro los dos puntos y la coma”; o bien consulte algún artículo similar.

Léalo y haga una síntesis, en no más de 10 líneas, con los aspectos más importantes.

Lo que sé (y lo que no)

Responda las siguientes preguntas, luego evalúe si sus respuestas son correctas.

Pregunta	Sí	No	¿Por qué?
1. ¿El punto y seguido puede ser sustituido por una coma o por el punto y seguido?			
2. ¿La coma separa el sujeto del predicado?			
3. ¿Las citas directas de algún libro o persona deben ir entre comillas?			
4. ¿Las comillas pueden ser sustituidas por los paréntesis?			
5. ¿Los paréntesis pueden ser utilizados para encerrar información que sirve de aclaración?			
6. ¿El punto y coma puede sustituir al verbo para evitar la repetición?			

Compare sus respuestas con las que aparecen a continuación:

Respuestas: 1. No 2. No 3. Sí 4. No 5. Sí 6. No

Y a la final

Argumente su posición respecto a la siguiente frase:

"Ni por capricho, ni por estética: los signos de puntuación son cuestión de necesidad".

Utilice ejemplos de frases u oraciones en donde la falta de puntuación genere confusión en la comprensión del mensaje.

Para conocer más

Abra el siguiente código para repasar y practicar con los "101 ejercicios para aprender a puntuar"; o busque ejercicios similares que le ayuden a fortalecer su aprendizaje.

CAPÍTULO 13

Habilidades para construir oraciones

Cuando se abre la puerta de la comunicación, todo es posible. De manera que debemos practicar el abrirnos a los demás para restablecer la comunicación con ellos.

Thich Nhat Hanh

Habilidades para construir oraciones diversas

Oraciones simples

Observe las siguientes oraciones:

1. Los países proponemos una alianza.
2. Los países son de Latinoamérica.
3. La alianza es ecológica.
4. Los países de Latinoamérica proponemos una alianza ecológica.

Hemos combinado tres oraciones en una sola 1 + 2 + 3 = 4

Combine las siguientes oraciones en una sola; use un solo verbo para cada oración, de acuerdo con el ejemplo.

1. La roca proviene de la solidificación.
   La roca es volcánica.
   La solidificación es del magma.

   ____

   ____

2. El viento es un movimiento.
   El movimiento es horizontal.
   El movimiento es del aire.

   ____

   ____

3. Las nubes están formadas por partículas.
   Las partículas son finas.
   Las partículas son de agua.

   ____

   ____

4. La contaminación se manifiesta en enfermedades.
   La contaminación es atmosférica.
   Las enfermedades son respiratorias

   ____

   ____

5. Las aguas arrastran la tierra.
   Las aguas son de las lluvias.
   La tierra es fértil.

   ____

   ____

6. La atmósfera se presenta como una película.
   La atmósfera es terrestre.
   La película es fluida.
   La película es muy delgada.

   ____

   ____

7. La película filtra los rayos.
La película es protectora.
Los rayos son espaciales.
Lo rayos son peligrosos.

____

____

8. La tala produce empobrecimiento.
La tala es intensiva.
La tala es de los árboles.
El empobrecimiento es en el oxígeno.
El oxígeno es de la atmósfera.

____

____

9. El empobrecimiento se debe a la ignorancia.
El empobrecimiento es de las regiones.
Las regiones son áridas.
El empobrecimiento se debe a la pereza.
La ignorancia y la pereza son del hombre.

____

____

10. El bosque forma el medio.
La pradera forma el medio.
El medio es natural.
El medio es protector.
La protección es de los suelos.

____

____

11. La dilatación es una capacidad.
La capacidad es de los cuerpos.
La capacidad es de extenderse.
La capacidad es de ocupar más lugar.
El lugar es en el espacio.

____

____

12. Los líquidos sufren dilataciones.
Los sólidos sufren dilataciones.
La dilatación es al variar la temperatura.

____

____

13. Los gases reaccionan frente a las variaciones.
Las variaciones son de las temperaturas.
Las temperaturas son altas.
Las temperaturas son bajas.

____

____

14. Hubo un eclipse en una parte.
El eclipse es total.
El eclipse es de Sol.
La parte es lateral.
La parte es de la República.
La República es mexicana.

15. La energía proviene del centro.
La energía es enorme.
La energía es del Sol.
El Sol es nuestro.
El centro es del astro.

16. La fusión de núcleos forma uno de helio.
La fusión es sucesiva.
Los núcleos son cuatro.
Los núcleos son de hidrógeno.
El de helio es más ligero.

17. La política ha presentado sorpresas.
La política es de Latinoamérica.
Las sorpresas son demasiadas.
Las sorpresas son para los observadores.
Los observadores son extranjeros (*que*).
Los observadores están preocupados.
La preocupación es por la economía.
La economía es mundial.

18. Las experiencias se produjeron al final.
Las experiencias son muchas.
Las experiencias son agitadas.
Las experiencias son en Centroamérica.
El final es de la década.
La década es de 1970.

19. Ha habido cambios.
Los cambios son muchos.
Los cambios son profundos.
Los cambios son en la Unión Soviética.
Los cambios son desde 1990.
Los cambios son hasta la fecha.

____

____

____

20. En la pintura se pueden destacar corrientes.
La pintura es mexicana.
La pintura es grande.
La pintura es del siglo xx.
Las corrientes son algunas.
Las corrientes son exageradas.
Las corrientes son extremas.

____

____

____

21. La obra despertó discusiones.
La obra es literaria.
La obra es de Octavio Paz.
Las discusiones son filosóficas.
Las discusiones son críticas.
Las discusiones son en todo el país.
Las discusiones son en el extranjero.

____

____

____

Llamaremos oraciones **simples** a las que están formadas por un sujeto y un predicado, éste tiene un solo núcleo (un solo verbo conjugado). Cada oración que forma parte de los ejercicios anteriores es una oración **simple**; al unir esas oraciones simples se forma una oración más **compleja**.

Observe cuidadosamente las siguientes oraciones:

1. Los automóviles no encienden.
2. Los automóviles *no tienen* combustible.
3. El combustible es adecuado.
4. Los automóviles *sin* el combustible adecuado no encienden.

El verbo *tienen* puede sustituirse por la preposición *con*, y la construcción *no tienen* puede sustituirse por la preposición *sin*. De esta manera, usamos menor número de palabras (innecesarias) en la oración.

Combine las siguientes oraciones en una sola, usando un verbo únicamente, de acuerdo con el ejemplo anterior:

1. Tengo una bicicleta.
   La bicicleta está arrumbada.
   La bicicleta no tiene llantas.

   ____
   ____
   ____

2. Es una situación.
   La situación es difícil.
   La situación no tiene solución.

   ____
   ____
   ____

3. Compré un vestido.
   El vestido tiene botones.
   Los botones están en la espalda.

   ____
   ____
   ____

4. Tengo una casa.
   La casa es grande.
   La casa tiene balcón.

   ____
   ____
   ____

5. El maestro enseña a sus alumnos.
   El maestro es bueno.
   El maestro tiene entusiasmo.

   ____
   ____
   ____

6. Los alpinistas encontraron un cuerpo.
   El cuerpo no tenía vida.
   El cuerpo era de un hombre.
   El hombre era de la Edad de Bronce.

   ____
   ____
   ____
   ____

7. Un amigo ayuda al otro.
El amigo es inteligente.
El amigo tiene lealtad.
El amigo tiene comprensión.

8. Un aparato volaba trabajosamente.
El aparato era grande.
El aparato casi no tenía gasolina.
El aparato no tenía control.

9. Un hombre llegó a la estación.
El hombre era extraño.
El hombre no tenía fuerzas.
La estación es del tren.

10. El padre le hizo unas alas.
El padre es de Ícaro.
Las alas son para volar.
Las alas están pegadas.
Las alas tenían cera.

11. El edificio es del sindicato.
El edificio es enorme.
El edificio tiene ventanales.
Los ventanales están al frente.
El sindicato es de electricistas.

12. El estudiante no pudo comprar el libro.
El estudiante es pobre.
El estudiante no tiene dinero.
El libro es de matemáticas.
Las matemáticas son aplicadas.

13. La vida parece no tener sentido.
La vida no tiene amor.
El sentido es mucho.

14. La Victoria es una escultura.
La Victoria es de Samotracia.
La escultura es de mujer.
La mujer tiene alas.
La mujer no tiene cabeza.

15. Hay esculturas en los museos.
Las esculturas son muchas.
Las esculturas son griegas.
Las esculturas son antiguas.
Las esculturas no tienen brazos.
Los museos son del mundo.

16. Los jóvenes siempre triunfan.
Los jóvenes no tienen vicios.
Los jóvenes tienen entusiasmo.
Los jóvenes tienen ambiciones.
Los jóvenes tienen buena preparación.

17. Los ancianos parecen no acordarse de todo.
Los ancianos son tristes.
Los ancianos no tienen compañía.
Los ancianos no tienen alicientes.

____

____

____

____

18. La subliteratura está dirigida a ciertos sectores.
Los sectores son populares.
Los sectores tienen una espiritualidad.
La espiritualidad está poco educada.

____

____

____

____

19. La Literatura da testimonio.
La Literatura tiene a la Filosofía.
La Literatura tiene a la Historia.
El testimonio es de la humanidad.

____

____

____

____

20. Las familias proporcionan arraigo.
Las familias son mexicanas.
Las familias tienen tradiciones propias.
Las familias proporcionan también continuidad.

____

____

____

____

Oraciones con incidental

Observe cuidadosamente las siguientes oraciones:

1. Manco Cápac eligió el valle del Cuzco.
2. Manco Cápac fue el primer gobernante inca.
3. Manco Cápac, primer gobernante inca, eligió el valle del Cuzco.

Observe que la oración número uno es la principal y la dos es la incidental.

Combine los siguientes pares de oraciones para formar una sola, como en el ejemplo anterior. No olvide colocar las comas propias de las incidentales.

1. Los incas vivieron en paz con sus vecinos.
Los incas eran un pueblo muy industrioso.

2. El rey Pachacuti empezó el apogeo inca.
Pachacuti era líder nato.

3. Las inmensas praderas servían para el pastoreo.
Las praderas eran fértiles y abundantes.

4. Las buenas condiciones de los valles propiciaron la abundancia.
Los valles eran muy ricos en tierras fértiles.

5. El clima montañoso hizo industriosos a los pobladores.
El clima era frío y estimulante.

6. Apacibles tribus habitaban en las comarcas de la costa.
Las tribus estaban acostumbradas al trabajo fuerte y generoso.

7. La mariposa Monarca llega a los mismos sitios cada año.
La mariposa Monarca es una tenaz migrante canadiense.

8. La temperatura de los bosques de oyamel está a 10 °C.
Los bosques de oyamel son el lugar donde hibernan las mariposas Monarca.

9. Varios millones de mariposas recorren miles de kilómetros.
Las mariposas tienen un peso inferior a un gramo.

____

____

10. Las migraciones de la mariposa Monarca empezaron hace 40,000 años.
Las migraciones de la mariposa Monarca son relativamente recientes.

____

____

11. La mariposa Monarca pasa el invierno en los bosques de Michoacán, México.
El invierno es a pesar de todo amable y cálido.

____

____

12. Carlos V nació en Gante en 1500.
Carlos V fue emperador de Alemania y rey de España.

____

____

13. Carlos V gobernó España, sus colonias americanas, Flandes y Austria.
Carlos V fue nieto de los Reyes Católicos e hijo de Felipe el Hermoso y Juana la Loca.

____

____

14. Carlos V pudo decir que en su imperio no se ocultaba el Sol.
Carlos V fue dueño de extensos dominios, desde España hasta Alemania, el norte de África, la América Hispánica, el sur de Estados Unidos de América y Filipinas.

____

____

____

15. Carlos V abdicó en 1556.
Carlos V estaba cansado del poder y de las guerras.

____

____

16. Los champiñones tienen altas cantidades de proteínas.
Los champiñones son llamados también hongos alimenticios.

____

____

____

17. Las proteínas constituyen un alimento básico para el cuerpo.
Las proteínas están formadas por aminoácidos responsables de la estructura y el funcionamiento celulares.

____

____

____

18. Augusto Rodin fue un extraordinario escultor francés.
Rodin fue rechazado tres veces de la Escuela de Bellas Artes.

____

____

____

19. Rodin ha ejercido gran influjo sobre la escultura moderna.
El influjo es por su estilo y por su personalidad.

____

____

____

20. La obra de Rodin es majestuosa y humana.
Rodin fue estudioso de la escultura de Miguel Ángel.

____

____

____

Se llama **incidental** a la frase u oración de menor importancia que se introduce en una oración simple, y que tiene alguna relación con ella. Si quitamos la parte incidental a la oración principal, ésta no pierde su sentido.

En el caso de la oración veinte del punto anterior, lo esencial es que la obra de Rodin es majestuosa y humana; lo incidental o secundario es que Rodin fue un estudioso de la escultura de Miguel Ángel. También puede ser al contrario; sin embargo, para efectos de este ejercicio, la oración primera siempre funciona como principal y la segunda como incidental.

Oraciones compuestas

Uso del *nexo que*

Observe cuidadosamente las siguientes oraciones:

1. Leonardo da Vinci fue pintor, ingeniero, astrónomo, físico, sabio.
2. Leonardo constituye uno de los ejemplos más pasmosos de la cultura universal.

Leonardo da Vinci, *que* constituye uno de los ejemplos más pasmosos de la cultura universal, fue pintor, ingeniero, astrónomo, físico, sabio.

1. Leonardo da Vinci fue un célebre artista del Renacimiento.
2. Él se distinguió en todas las ramas del arte y de la ciencia.

Leonardo da Vinci, *que* se distinguió en todas las ramas del arte y de la ciencia, fue un célebre artista del Renacimiento.

Leonardo da Vinci fue un célebre artista del Renacimiento *que* se distinguió en todas las ramas del arte y de la ciencia.

Observe el uso adecuado del nexo *que* en los ejemplos anteriores.

Forme una sola oración con la combinación de las dos que se le dan, como en los ejemplos anteriores.

1. Leonardo da Vinci expuso uno de los objetivos de la pintura.
El objetivo de la pintura consiste en crear la ilusión de la tercera dimensión donde no existe.

2. La impresión visual es de claroscuros espontáneos y naturales.
La impresión visual se experimenta en la realidad.

3. En un bloque de mármol fue esculpido el *David* de Miguel Ángel.
Otros artistas habían considerado al bloque demasiado grande.

4. Gracias a la formación conocía diversas técnicas pictóricas.
La formación la había recibido de Ghirlandaio.

5. La figura de Adán tiene tres dimensiones.
Adán corresponde al ideal corporal de Miguel Ángel.

6. Cervantes consideró sus heridas y servicios como méritos.
Los méritos debían ser más tenidos en cuenta.

7. En Lepanto, su nave es asaltada por piratas berberiscos.
Los piratas lo llevan a Argel y piden un fortísimo rescate.

8. En *El ingenioso hidalgo don Quijote de la Mancha*, la realidad es una, pero las interpretaciones son múltiples.
Las interpretaciones se perciben de esa realidad.

9. Cervantes ha encontrado un manuscrito.
El manuscrito trata sobre la vida del hidalgo Alonso Quijano.

10. Don Quijote y Sancho se sienten personajes y a la vez seres humanos.
Los personajes viven en la literatura.
Los seres humanos están en el mundo.

11. La locura de don Quijote nace cuando se cree héroe.
El héroe salva damas, vence dragones y deshace injusticias.

12. Don Quijote es un loco.
El loco tiene la sabiduría.
La sabiduría no la manifiesta el cuerdo.

13. Don Quijote es un ser con valores absolutos.
El ser se enfrenta a un mundo relativo.

14. Don Quijote sufre su tercera derrota.
Don Quijote es vencido por el Caballero de la Blanca Luna.
La derrota lo aniquila.

15. El Barroco es una corriente artística.
La corriente nace y se arraiga en España en el siglo XVII.

16. El enamorado no tiene límite para sentir y expresar el amor.
El enamorado llega a la desmesura.
El amor es su vida.

17. Muchos países intervinieron en la organización de los juegos.
Los países habían concertado la paz mundial.

18. Las reservas bancarias son las provisiones como garantía de solvencia frente a terceros.
Las provisiones las constituyen los bancos.

____

____

____

19. La clase de los acaudalados negociantes romanos se formó a partir de las conquistas de extensos territorios.
Los negociantes reclamaban mayor intervención en los asuntos públicos.

____

____

____

20. Constantino inauguró una nueva etapa en la historia de Roma.
La etapa puso fin a las persecuciones contra el cristianismo.

____

____

____

Combine las siguientes oraciones para formar un párrafo. Cuide que los signos de puntuación estén correctos. Use nexos para unir las oraciones donde mejor convenga.

1. La nebulosa es una galaxia.
2. La nebulosa es de Andrómeda.
3. La galaxia es espiral.
4. La galaxia es del mismo tipo que la nuestra.
5. La galaxia tiene brazos.
6. Los brazos son como espirales.
7. Las espirales se abren en un sentido.
8. El sentido es inverso.
9. Lo inverso es al de la rotación del núcleo.
10. La nebulosa tiene un diámetro.
11. El diámetro es de cerca de 110,000 años.
12. Los años son luz.
13. La nebulosa se encuentra a más de dos millones.
14. Los millones son de años.
15. Los años son luz de distancia.
16. La distancia es de la Vía.
17. La vía es Láctea.

____

____

____

____

____

____

____

____

____

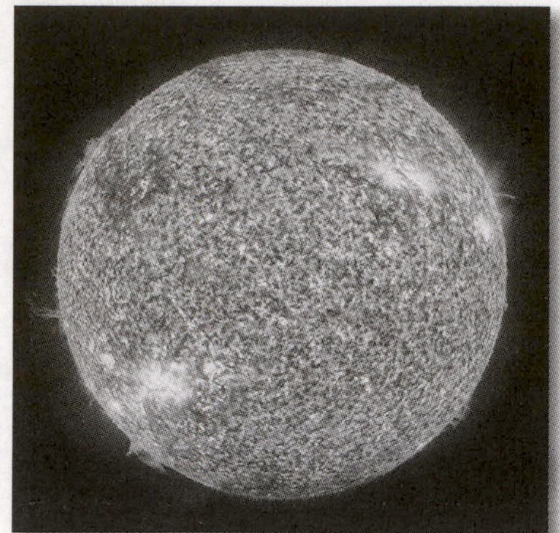

Uso de los nexos *el que, el cual* y *quien*

Observe cuidadosamente las siguientes oraciones:

1. El Sol toma un color anaranjado y rojo en ese instante.
2. *En* ese instante se empareja con el horizonte.
3. El Sol toma un color anaranjado y rojo en el instante *en el que* se empareja con el horizonte.
   o
   El Sol toma un color anaranjado y rojo en el instante *en el cual* se empareja con el horizonte.

Observe que usamos los nexos *el que* y *el cual* precedidos por una **preposición** que se encuentra en la segunda oración. La primera oración es la principal y la base para formar la combinación.

Forme una sola oración combinando las siguientes. Use comas en la incidental.

1. El mundo es tan humano como universal.
   En ese mundo se mueve don Quijote.
   ____
   ____

2. Se resguardó del temblor en el marco de la puerta.
   Bajo el marco de la puerta se sintió más segura.
   ____
   ____

3. Morelos fue aprehendido por los españoles.
   Había luchado ***contra*** los españoles durante varios años.
   ____
   ____

4. La tribuna es el lugar para exponer opiniones políticas.
   Debemos expresarnos ***desde*** ese lugar.
   ____
   ____

5. Pensemos bien; no volveremos a cometer errores.
   Podríamos arrepentirnos ***de*** esos errores.
   ____
   ____

6. Era un importante episodio de la Guerra Civil Española.
   Sobre ese episodio, Ernest Hemingway escribió la obra *Por quién doblan las campanas*.
   ____
   ____

7. Tenía una actitud muy soberbia.
   Todos comentaron ***sobre*** esa actitud.
   ____
   ____

8. La Constitución debe ser observada por todos los mandatarios.
Es imposible gobernar ***sin*** la Constitución.

____

____

____

9. La libertad y la paz son innegables en cualquier país.
Todos luchan ***por*** la libertad y la paz.

____

____

____

10. En el edificio de la Secretaría de Educación Pública se encuentran espléndidos murales de Diego Rivera.
Quedamos muy impresionados ***ante*** los murales.

____

____

____

Observe cuidadosamente las siguientes oraciones:

1. El director despidió a los empleados corruptos.
2. El director había luchado legal y pacientemente *contra* los empleados corruptos.
   El director despidió a los empleados corruptos *contra quienes* había luchado legal y pacientemente.
   El director despidió a los empleados corruptos *contra los cuales* había luchado legal y pacientemente.

Observe que estamos usando los nexos *quien* y *el cual* y sus plurales, precedidos o no por preposición.

Combine las siguientes oraciones en una sola.

1. El personaje de la novela no mostraba ser consistente.
Te hablé ***de*** la novela.

____

____

____

2. Los abogados están ahora en la embajada de Chile.
Trabajé varios años ***con*** esos abogados.

____

____

____

3. Una de las ciudades más bellas es San Francisco.
Viajaremos ***hacia*** San Francisco el próximo invierno.

____

____

____

4. Los atletas fueron homenajeados también por el pueblo.
El Presidente recibió ***a*** los atletas en el palacio de gobierno.

5. Los miembros de la Academia de los Derechos Humanos realizan una labor estrictamente humanitaria.
Los miembros están comprometidos a favor de la justicia.

6. Las asociaciones a favor de la paz y la justicia trabajan con verdadero entusiasmo.
Las asociaciones buscan dignificar la labor de la mujer en las zonas rurales.

7. Michel de Montaigne puso de moda un género literario olvidado.
Montaigne escribió *Los ensayos* por el afán del hombre de verlo y examinarlo todo.

8. Los alumnos de la Universidad Nacional Autónoma de México tienen los más altos promedios en sus estudios.
A los alumnos se otorga la medalla Gabino Barreda.

9. El maestro aplica más entusiasmo a su trabajo docente.
Se reconoce su labor ***al*** maestro.

10. Los problemas sociales deben ser solucionados sin demora.
A esos problemas se refiere el Plan Nacional de Desarrollo.

Uso del nexo *cuyo*

Observe cuidadosamente las siguientes oraciones:

1. El surrealismo es un movimiento vanguardista nacido en Francia.
2. El manifiesto del surrealismo fue proclamado por André Bretón.
   El surrealismo, *cuyo* manifiesto fue proclamado por André Bretón, es un movimiento vanguardista nacido en Francia.

Observe que estamos usando el nexo *cuyo* o *cuya* y sus plurales.

Forme una oración con la combinación de las siguientes. Use las comas correctamente.

1. Siempre se mostró muy generoso con su pueblo.
   Se había ganado la voluntad de su pueblo.

2. El jefe llamó la atención al subalterno.
   El subalterno no había cumplido sus obligaciones.

3. El reloj del Palacio de Venecia había dejado de funcionar.
   Las manecillas del reloj estaban oxidadas y algo rotas.

4. Francisco Villa declaró que había saldado una deuda.
   El ejército de Villa había atacado una ciudad fronteriza.

5. El Palacio de los Vientos se encuentra en la ciudad de Jaipur, India.
   La fachada del palacio es una verdadera obra de arte.

6. El Rey Duncan I de Escocia reinó de 1034 a 1040.
   Macbeth, el primo de Duncan, fue su asesino.

7. Don Quijote aconseja a Sancho en un bello discurso.
Las verdades de ese discurso son irrefutables.

8. José Vasconcelos, Alfonso Reyes y Antonio Caso pertenecieron al Ateneo de la Juventud.
La generación del Ateneo de la Juventud estaba formada por filósofos, ensayistas, literatos, historiadores, educadores.

9. El español es una de las lenguas más ricas y mejor estructuradas.
El número de hablantes del español ocupa el tercer lugar mundial.

10. Los señores González vendrán a cenar esta noche.
La hija de los señores González es la novia de mi hermano.

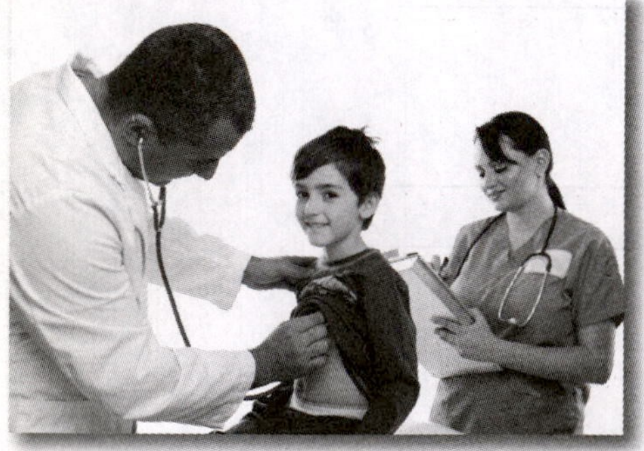

Observe las siguientes oraciones:

1. El doctor Felipe Martínez se hará cargo del área de pediatría.
2. No dudo ***de la*** capacidad del doctor Felipe Martínez.
El doctor Felipe Martínez, *de cuya* capacidad no dudo, se hará cargo del área de pediatría.

Observe que ahora usamos el nexo *cuyo* precedido por una *preposición* que se encuentra en la segunda oración.

Combine correctamente las siguientes oraciones en una sola. Use adecuadamente los signos de puntuación.

1. El Pípila fue un patriota de la Independencia de México.
Por la astucia del Pípila se logró una victoria insurgente.

2. Han llegado hasta nosotros los relatos de Cristóbal Colón.
Puede apreciarse la historia del encuentro con América ***en el Diario de Colón.***

3. El tío amable y bondadoso siempre velará por sus sobrinos.
Bajo la tutela de su tío han quedado los niños.

4. Machu Picchu se encuentra en una parte alta del Perú.
Sobre las montañas del Perú fue descubierta una ciudad sagrada.

5. Fue muy valiosa la participación del doctor Martínez.
Logramos salvar al enfermo ***con*** la ayuda del doctor Martínez.

6. La verdad de los antiguos códices es muy relativa.
Sin las narraciones de los códices no hubiéramos comprendido la forma de vida y pensamiento de los pueblos indígenas.

7. El gobierno de Dinamarca debía pasar a Hamlet.
Claudio andaba ***tras*** el trono de Dinamarca.

8. Dentro de la casa de Julieta se escuchaba la música amorosa.
Ante la ventana de la casa cantaba Romeo.

9. Romeo se acercaba a la tapia del palacio.
Julieta le hablaba ***desde*** los altos balcones del palacio.

10. La reina Cleopatra accede a pactar con Julio César.
Contra los ejércitos de Julio César había peleado antes.

Combine correctamente las siguientes oraciones en un párrafo. Use adecuadamente los signos de puntuación.

1. El ideal consiste en una disposición.
2. El ideal es de hombría.
3. La disposición es abierta.
4. La disposición es agresiva.
5. La disposición es al combate.
6. Nosotros acentuamos el carácter.
7. Nosotros somos los mexicanos.
8. El carácter es defensivo.
9. Nosotros estamos listos a repeler.
10. El ataque se repele.
11. El macho es un ser.
12. El ser es hermético.
13. El ser está encerrado en sí.
14. El sí es él mismo.
15. El ser es capaz de guardar algo (algo = lo que).
16. Algo se le confía.
17. La historia está llena de frases.
18. La historia está llena de episodios.
19. La historia es nuestra.
20. Los episodios revelan la indiferencia.
21. La indiferencia es de nuestros héroes.
22. La indiferencia es ante el dolor.
23. La indiferencia es ante el peligro.

____

____

____

____

____

____

____

____

____

____

____

Uso de los nexos *donde, cuando, como, porque, para, aunque* o *a pesar de que, por eso* o *debido a*

Observe las siguientes oraciones:

1. En el Museo de la Ciudad hay varias salas. (*donde*)
2. *En* las salas se puede admirar espléndida pintura hispanoamericana.
   En el Museo de la Ciudad hay varias salas *en donde* se puede admirar espléndida pintura hispanoamericana.

1. Éste es mi lugar favorito. (*donde*)
2. Aquí compro sabrosos helados de nuez.
   Éste es mi lugar favorito *donde* compro sabrosos helados de nuez.

1. La región estará atractiva y luminosa. (*cuando*)
2. Llegan las mariposas Monarca.
   La región estará atractiva y luminosa *cuando* lleguen las mariposas Monarca.

1. Te he querido así. (*como*)
2. Así se adora a Dios ante un altar.
   Te he querido *como* se adora a Dios ante un altar.

1. El público prefiere los programas históricos. (*porque*)
2. Le gusta conocer su pasado remoto y el inmediato.
   El público prefiere los programas históricos *porque* le gusta conocer su pasado remoto y el inmediato.

1. Se formó un dispositivo de salvamento. (*para*)
2. Rescatarán a los damnificados por el huracán.
   Se formó un dispositivo de salvamento *para* rescatar a los damnificados por el huracán.

1. La situación económica es bastante mala. (*aunque* o *a pesar de que*)
2. Lucharemos para salir de la crisis.
   Aunque la situación económica es bastante mala, lucharemos para salir de la crisis.
   A pesar de que la situación económica es bastante mala, lucharemos para salir de la crisis.

1. Mi madre tiene muy buen carácter. (*debido a que* o *por eso*)
2. Mis hijos gozan de la presencia de mi madre.
   Debido a que mi madre tiene muy buen carácter, mis hijos gozan de su presencia.
   Mi madre tiene muy buen carácter, *por eso* mis hijos gozan de su presencia.

Combine las siguientes oraciones simples y forme una compuesta. Observe que en la oración uno se da entre paréntesis el nexo que deberá trabajar en las subsecuentes oraciones; después de algunos ejercicios se le indicará que cambie de nexo.

1. Los alimentos y toda la ayuda deberán estar allí. (*donde*)
   La gente de la Selva Lacandona los necesite.
   ____
   ____
   ____

2. Estaré en el lugar.
   Ahí tú estarás.
   ____
   ____
   ____

3. Llegamos a comer a la posada.
   Ahí la comitiva descansó.
   ____
   ____
   ____

4. La sílaba tónica está ahí.
   Allí se carga el tono de la voz.
   ____
   ____
   ____

5. La casa tenía una hermosa vista al monte.
El Sol se oculta ***por*** ahí.

6. La joven llegó al lugar.
En ese lugar se habían citado todos los compañeros.

7. Las ropas del náufrago estaban así. (*como*)
Así navegando entre laberintos de corales.

8. Exponga el tema en clase así.
Así el maestro lo enseñó ayer.

9. Prepararé el desayuno así.
Así lo quiere usted.

10. Al inicio de la Revolución Francesa se hizo justicia.
Así la gente quiso.

11. A mis soledades voy, de mis soledades vengo. (*porque*)
Para andar conmigo, me bastan mis pensamientos.

12. Constantemente el recuerdo de mi niñez surge.
Siempre extraño desde el río hasta el olor del pan de pueblo.

13. Mi madre asegura que he de volver a la fe.
Tengo un espíritu tornadizo.

14. Él había estado buscándola por medio París.
Le parecía durísimo tener que renunciar a ella.

15. La literatura es indispensable. (*para*)
La literatura amplía las perspectivas y permite el desarrollo personal.

16. El editorial de los periódicos siempre sirve.
El editorial refleja su posición ante hechos o sucesos de actualidad.

17. Elaboró un documental.
El documental emite sus juicios y opiniones en forma más libre y directa.

18. Salió de la ciudad contra su voluntad.
No hablaría con ellos.

19. Estamos sufriendo una crisis económica. (*aunque* o *a pesar de que*)
Seguiremos trabajando con más voluntad que nunca.

20. Realiza el trabajo con mucho entusiasmo.
No recibe buenos dividendos.

21. Don Quijote no parecía ser un hombre cuerdo.
Su locura era sabia.

22. Se maneja en el diálogo un lenguaje fino, elegante, con exactitud de ambientes y una actitud crítica.
Persisten una insuficiente tensión dramática y un rígido comportamiento psicológico.

23. El costo de la vida es muy alto. (*por eso, debido a que*)
Es necesario no gastar en lo superfluo.

24. El público busca conmoverse o divertirse con el teatro.
Las obras que se presentan son ligeras.

25. El gobierno obligó a los taxistas a subir la tarifa.
Los taxistas no encuentran clientes fácilmente.

Combine las siguientes oraciones y forme un párrafo. Anote correctamente los signos de puntuación.

1. La atención sobre los medios cobró importancia.
2. Los medios son de comunicación.
3. La importancia es particular.
4. La importancia es en los finales.
5. Los finales son de la década.
6. La década es de los años sesenta.
7. Y también es a principios.
8. Los principios son de los setenta. (*cuando*)
9. Marshall McLuhan dijo su frase.
10. La frase es célebre.
11. La frase dice: “El medio es el mensaje”.
12. Y (McLuhan) comenzó a manejar ideas.
13. Las ideas son sobre los medios.
14. Los medios son masivos. (*como*)
15. Los medios son extensiones.
16. Las extensiones son de los propios sentidos.
17. Los sentidos son de los seres humanos.

Combine las siguientes oraciones. Coloque correctamente los signos de puntuación. Los nexos entre paréntesis no forman parte de las oraciones; deberá emplearlos para formar un párrafo.

1. El avance está muy ligado al desarrollo.
2. El avance es de la sociedad.
3. La sociedad es de masas.
4. El desarrollo es de la administración. (*pues, conforme*)
5. Se sentaron las bases.
6. Las bases son para una administración.
7. La administración es más científica.
8. La administración es razonada.
9. Se fueron dando las condiciones.
10. Las condiciones son óptimas.
11. Las condiciones son para el nacimiento.
12. El nacimiento es de las organizaciones.
13. Las organizaciones son productivas.
14. Las organizaciones son tal como las conocemos hoy.
15. La interacción entre el conocimiento es muy estrecha.
16. El conocimiento es científico.
17. El conocimiento es práctico.
18. El conocimiento es en nuestros días.
19. Esa interacción culmina. (*cuando*)
20. Los hombres se hacen presentes en las universidades. (*para*)
21. Los hombres están desempeñando tareas.
22. Las tareas son dentro de organizaciones o empresas.
23. Los hombres se hacen presentes para transmitir el conocimiento.
24. El conocimiento lo han adquirido en la vida.
25. La vida es profesional.
26. La vida es práctica.

Oraciones con condicional

Observe las siguientes oraciones:

1. Una mujer hermosa viene a pedirte justicia. (*si*)
Quita los ojos de sus lágrimas y sé justo.
Si una mujer hermosa viene a pedirte justicia, quita los ojos de sus lágrimas y sé justo.
Quita los ojos de sus lágrimas y sé justo, *si* una mujer hermosa viene a pedirte justicia.

Observe que la palabra *si* es una **conjunción condicional**. La oración que lleva ese *si* es la condicional y funciona como **subordinada** a otra oración **principal**.

Forme una oración compuesta con la combinación de las dos que se le presentan. Recuerde separarla con una coma.

1. Doblas la vara de la justicia. (*si*)
No será por el peso de la dádiva, sino por el de la misericordia.

____

____

____

2. Todo en tu camino es cuesta arriba.
Date una tregua, pero no claudiques.

____

____

____

3. La carretera está en mal estado.
No manejes durante la noche.

____

____

____

4. Te llevo al teatro.
Te portas bien.

____

____

____

5. Siguen talando los árboles y destruyendo los bosques.
La mariposa Monarca morirá o buscará otro hábitat.

____

____

____

6. Insistes en cerrar ese trato.
Tendrás grandes pérdidas.

____

____

____

7. Luchamos pacíficamente por la democracia.
   Habrá conciencia cultural y mayor educación.

8. Hablas y escribes adecuadamente.
   Tendrás calidad lingüística y respeto profesional.

9. Tu voluntad es de hierro.
   No apliques con rigor la justicia, sino la tolerancia.

10. Deseas concluir hoy la investigación.
    Será mejor que te apliques con voluntad y sin distracciones.

11. Solo la educación puede conducir a la integración personal.
    No abandones tus estudios.

Oraciones con gerundio

Observe cuidadosamente las siguientes oraciones:

1. El policía consideró necesaria la intervención de los bomberos.
2. El policía advirtió las llamas en el almacén.
   El policía, *advirtiendo* las llamas en el almacén, consideró necesaria la intervención de los bomberos.
   El policía consideró necesaria la intervención de los bomberos, *advirtiendo* las llamas en el almacén.

Observe que el gerundio se apoya en un verbo conjugado (*consideró*). Generalmente el gerundio responde a la pregunta **¿cómo?** que se hace al verbo conjugado. Si tiene duda sobre la forma correcta en que está empleando el gerundio, no lo use; busque otra manera de escribir la oración. Pero nunca deje totalmente de redactar con gerundio. No es válido.

Forme una sola oración combinando la pareja de oraciones. Compruebe en voz alta el uso correcto del gerundio, preguntando ¿cómo? al verbo conjugado.

1. Felipe III logró trasladar la corte a Madrid.
   Felipe III la convenció de la belleza de la ciudad.

   ___

   ___

   ___

2. El alumno construye una sola oración compuesta.
   El alumno combina las dos oraciones simples.

   ___

   ___

   ___

3. Resulta interesante conocer cómo el artista pintó el techo de la capilla.
   El artista aplicó su amplio conocimiento del color, de las diversas técnicas y su sensibilidad e intuición artísticas.

   ___

   ___

   ___

4. El joven pidió perdón a sus compañeros.
   El joven ofreció disculpas por sus actitudes negativas.

   ___

   ___

   ___

5. Los hombres averiguaban si no faltaba alguien en los pueblos vecinos, mientras las mujeres se quedaron.
   Las mujeres cuidaron al ahogado.

   ___

   ___

   ___

6. El doctor reflexiona sobre las causas del comportamiento agresivo.
   Piensa en la realidad familiar de la niñez del paciente.

   ___

   ___

   ___

7. La bailarina rusa deleita a su público con la belleza de su estilo.
   La bailarina se mueve con suavidad y precisión al compás de la música de Tchaikovski.

   ___

   ___

   ___

8. Los profesores aumentan su calidad académica.
Los profesores toman cursos en el verano.

9. Todos se preparan para celebrar la Navidad después de la guerra.
Todos hacen sus regalos con material reciclado.

10. Los partidarios del equipo expresan su júbilo.
Ellos saltan y gritan vítores al ganador.

11. Los hijos organizan un día de campo para festejar a los padres.
Ellos convidan a toda la familia y preparan la comida sigilosamente.

12. Comprende a los demás.
Escucha y entiende sus puntos de vista.

13. La dirección de la escuela enseña a ser puntual.
La dirección cierra las puertas a las 7:15 de la mañana.

14. El político recomendó paciencia a la población.
El político leyó un discurso emotivo y ofreció su apoyo incondicional.

15. El padre enseña al hijo a ser sincero.
El padre dice siempre la verdad.

16. Aprende a redactar correctamente.
Practica el uso correcto de los signos de puntuación.

____

____

____

____

17. Conserva su salud en perfecto estado.
Se ejercita diariamente, se alimenta de manera adecuada y duerme ocho horas cada noche.

____

____

____

____

18. Se conoció a sí mismo.
Revisó exhaustivamente todas sus creencias.

____

____

____

____

19. Tiene excelentes relaciones con sus compañeros.
Es muy respetuosa y gentil.

____

____

____

____

20. El abuelo conversa con su nieto.
El abuelo escucha con interés.

____

____

____

____

Combine las siguientes oraciones. Use correctamente los signos de puntuación.

1. La tendencia general es hacia la exportación.
2. La tendencia es de los conglomerados.
3. Los conglomerados son multimedia.
4. La exportación es de sus productos.
5. La exportación es a diversos países.
6. Los países son afines o no.
7. La afinidad es en el idioma.
8. El exportador sigue siendo Estados Unidos.
9. El exportador es principal. (*aunque*)
10. México tiene una posición.
11. La posición es digna de mención.

12. La posición es en la exportación.
13. La exportación es de telenovelas.
14. La exportación es a países.
15. Los países no son de habla hispana. (*así como*)
16. La exportación también es de programas.
17. Los programas son de noticias.
18. Los programas son de entretenimiento.
19. La exportación es a países.
20. Los países son hispanohablantes.

140 caracteres

En no más de 140 caracteres, defina los siguientes conceptos.

- #Oración

- #Oración simple

- #Verbo conjugado

- #Preposición

- #Oraciones compuestas

- #Incidental

- #Nexos

- #Párrafo

- #Oración subordinada

___

___

___

- #Oración condicional

___

___

___

Leer es un placer

Lea el texto que aparece a continuación y responda las preguntas que aparecen al final.

Ese oscuro verboide del deseo: el gerundio

Algarabía Libros (febrero 5 de 2015)

http://algarabia.com/algarabia-libros-3/ese-oscuro-verboide-del-deseo-el-gerundio/

El gerundio en español es —en palabras de la Real Academia Española— una forma invariable no personal del verbo, con terminaciones -ando, -iendo o -yendo, que se usa para denotar estados durativos; o sea, en los que la acción es durable y no nos interesa el comienzo ni el posible fin de la misma. Tiene muy distintos y variados usos, aunque la mayoría de las veces lo reconocemos por su carácter de adverbio —la parte de la oración que modifica al verbo.

Si al gerundio se le conoce como una forma no personal del verbo o verboide, es porque, a semejanza del participio y del infinitivo, no aclara el tiempo, ni el modo, ni la persona, así que éstos sólo se expresan en conjunción con otros elementos: yo voy caminando, tú vas caminando, él va caminando y así, *ad infinitum*.

Frente al uso del gerundio no es fácil permanecer indiferente; por ejemplo, un ministro brasileño prohibió el uso del gerundio en la redacción de documentos oficiales en portugués; y, si hablamos de casos más cercanos, en español hay quienes prefieren desmembrar, rearmar, reconstruir, pulir y encerar una oración para eliminar esta forma verbal, con el único objeto de ahorrarse cualquier vergüenza con respecto a su mal uso, así que sacan al pequeño dictador lingüístico que todos llevamos dentro y sueltan a los perros, para cazarlo.

Por ello, a continuación veremos las diferentes funciones del gerundio, tanto cuando se usa de manera correcta como equivocada.

Para comprender su complejidad, podemos usarlo sin temor, siempre y cuando hagamos caso a algunas reglas simples.

- Gerundio conjunto. El sujeto de la oración principal debe ser el mismo al que alude el gerundio cuando éste es conjunto. En este primer punto habrá que olvidar oraciones como la siguiente: El granjero atrapó al conejo comiendo zanahorias. Debido a que, si bien, el sujeto puede realizar ambas acciones, tendría que ser el granjero quien comiera las zanahorias mientras atrapa al conejo. Por sentido común, sabemos que esto no puede ser así.

Por ello, no hay solución más sencilla para distinguir al sujeto de una oración que hacernos la pregunta: ¿quién es el que realiza la acción del verbo principal y la del gerundio? Por ejemplo: Agustín se baña cantando, de este modo, la oración anterior nos dice que Agustín puede realizar ambas acciones.

• Gerundio absoluto. El gerundio, cuando es absoluto, sí puede tener su propio sujeto, el cual no se refiere ni al sujeto ni al objeto directo de la oración principal y en donde ambas acciones deben ir separadas por una coma. Por ejemplo: Siendo el médico de la familia, confiamos en su ética. La oración nos permite descubrir que el sujeto del gerundio absoluto se refiere al médico y que el verbo confiamos posee otro sujeto tácito: nosotros.

• Gerundio de posteridad. Al gerundio de posteridad hay que darle una despedida. Para entender por qué no debemos usarlo, imaginemos esta oración: Entró a la habitación sentándose. Al decir lo anterior, casi podemos recrear cómo es que el sujeto tácito cruza el umbral, mientras se va dando sentones. ¡A eso se le debe llamar una entrada triunfal! Sin dudarlo, este ejemplo describe, de nuevo, la necesidad de que los verbos de la oración sean compatibles.

• Gerundio de simultaneidad. Para usar el gerundio recordemos que la acción del verbo tiene que ocurrir simultáneamente o previamente a la del verbo principal. Ejemplo: Ella camina sonriendo. En la oración, las acciones ocurren al mismo tiempo; es decir, son simultáneas. Se puede caminar por la calle, al mismo tiempo que se esboza una sonrisa, por lo que se cumple con otra premisa muy importante: los verbos deben poder realizarse al mismo tiempo. O como en el siguiente caso: Ella llegó llorando, lo que comprueba que se puede llegar a algún lugar a mitad de un ataque de llanto.

Preguntas

1. ¿Qué significa la frase: "el gerundio se usa para denotar estados durativos"?

2. ¿Por qué al gerundio se le conoce como una forma no personal del verbo?

3. ¿Qué significa la frase: "el pequeño dictador lingüístico que todos llevamos dentro"?

4. ¿Cuáles son los usos incorrectos del gerundio?

5. ¿De los cuatro tipos de gerundio que aparecen en el artículo, cuál crees que es el más común y por qué?

El supercódigo

Abra el siguiente código y revise cuáles son los errores más comunes en el uso del español, leyendo el artículo titulado: "'Un vaso de agua' y otros usos lingüísticos que creíamos erróneos"; o alguno otro que aborde la misma temática.

Piense qué otros errores, que considere graves y frecuentes, son usados con regularidad por gran parte de la población.

Lo que sé (y lo que no)

Responda las siguientes preguntas, luego evalúe si sus respuestas son correctas.

Pregunta	Sí	No	¿Por qué?
1. ¿La diferencia fundamental entre las oraciones simples y las compuestas es el número de verbos conjugados que cada una de ellas contiene?			
2. ¿Los nexos están presentes en todas las oraciones compuestas?			
3. ¿En el caso de las oraciones compuestas, ambas oraciones tienen el mismo nivel de importancia?			
4. ¿El gerundio debe estar en concordancia con el sujeto de la oración?			
5. ¿La suma de oraciones compuestas siempre dará como resultado final el párrafo?			
6. ¿La subordinación es un proceso que ocurre en todas las oraciones compuestas?			

Compare sus respuestas con las que aparecen a continuación:

Respuestas: 1. Sí 2. No 3. No 4. No 5. Sí 6. No

Y a la final

Lea el siguiente texto y subraye las oraciones simples y las oraciones compuestas. De éstas, circule los nexos y establezca qué tipo de oraciones compuestas son cada una de ellas.

El lugar de trabajo sí da la felicidad

http://economia.elpais.com/economia/2008/01/04/actualidad/1199435578_850215.html

Aunque parezca obvio, la felicidad es un factor determinante para aumentar la productividad de los empleados. No obstante, lo que sí es más novedoso es que un lugar de trabajo adecuado ayuda a lograr esa felicidad laboral, tal y como sostienen nueve de cada diez trabajadores encuestados por la consultora de recursos humanos y servicios Randstad. Para ayudar a conseguir este puesto "feliz", el estudio da cinco consejos entre los que incluye mantener la temperatura del local en torno a los 21 grados, pintar las paredes de color claro, tener una luminosidad correcta y, por supuesto, no fumar.

En el lado contrario, sólo 3% de los empleados considera que su entorno laboral no tiene "ninguna influencia" sobre su rendimiento, añade el sondeo.

Así, entre 65 y 75% de las personas encuestadas opina que el medio físico en el que los futuros empleados tendrán que trabajar les influencia a la hora de decidir unirse o no a la empresa. Y más de 90% opina que el grado de implicación del trabajador depende del lugar de trabajo.

Por su parte, 92% de los profesionales de recursos humanos piensa que el entorno de trabajo tiene bastante o mucho impacto en el bienestar de los trabajadores en su empresa. Y hasta 82% piensa igual respecto de la satisfacción en el trabajo.

El sondeo se ha llevado a cabo entre responsables de recursos humanos mediante una encuesta online y una serie de entrevistas telefónicas dirigidas a determinar si el grado de "felicidad" de los empleados influye en su productividad.

En este sentido, la encuesta incluye cinco recomendaciones para conseguir un puesto de trabajo "feliz": mantener una temperatura ambiente de 21 grados centígrados ya que el calor disminuye la productividad y "conlleva a errores".

Además, se aconseja proteger la oficina contra los ruidos excesivos o se "enmascare" con música tranquila.

Otro de los consejos hace referencia a la luminosidad del lugar de trabajo, para lo que aconseja tener una intensidad de luz adecuada y se eviten los reflejos en los ordenadores. Aunque lo ideal, añaden, es poder trabajar con luz del día.

También, conviene asegurarse de que nadie fuma para oxigenar el ambiente e insta a utilizar técnicas que favorezcan la percepción de que se trabaja en espacios amplios como tener ventanas y usar colores claros.

Para conocer más

Abra el siguiente código y realice los ejercicios que se encuentran en la sección "Sintaxis. Ejercicios, prácticas y exámenes"; o bien, busque algún texto que le permita poner en práctica lo que ha aprendido.

CAPÍTULO

14

Las letras

Con esta revolución tipográfica y esta variedad multicolor de las letras busco redoblar la fuerza expresiva de las palabras.

Filippo Marinetti

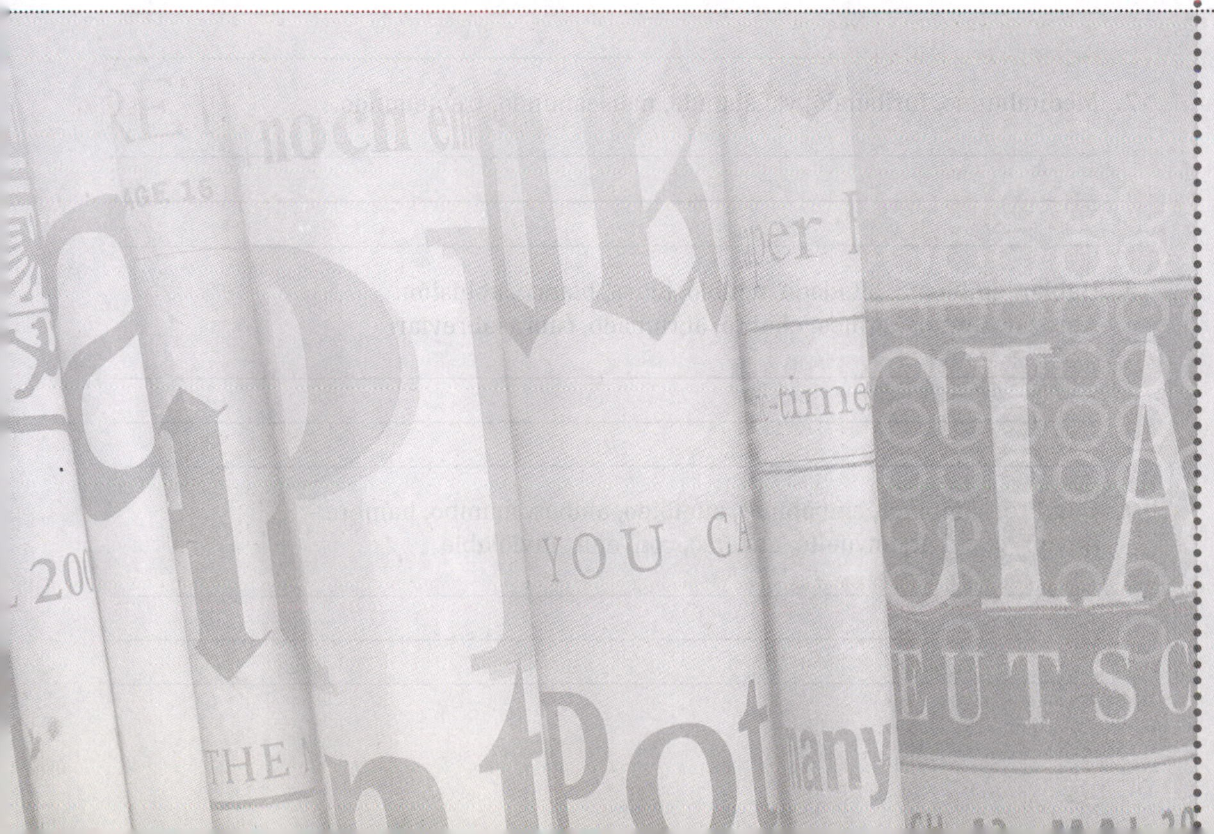

Las letras

La *B* (*be*) y la *V* (*uvé*)

Deduzca las reglas generales sobre el uso más frecuente de la letra *b*; tome como base los siguientes grupos de palabras, de acuerdo con lo que tengan en común.

1. Percibir, describir, inscribir, exhibir, prohibir, ***hervir***, ***servir*** y ***vivir***.

2. Atribuir, contribuir, distribuir, imbuir, retribuir.

3. Hablaba, rezaba, paseaba, rodeaba, arrastraba, retrasaba.

4. Iba, ibas, íbamos, ibais, iban.
   Voy, vas, vamos, vayas, vayamos, va, van, vaya, vayan, vais.

5. Bisabuelo, biznieto, bianual, bicéfalo, bicentenario, bimestre.

6. Biblioteca, bibliófilo, bibliotecario, biblia.

7. Meditabundo, furibundo, vagabundo, nauseabundo, tremebundo.

8. Hablar, emblema, blindado, tembló, blusa, blanco, ablusión.
   Abrazar, Brenda, brinco, cimbró, abrumado, cabra, abreviar.

9. Cumbre, combinar, embobinar, zumbido, ambos, mambo, hambre.
   Enviar, convivir, envuelto, anverso, convenir, inviolable.

10. Hubo, hubieron, había, hubimos, hubiere, hubiese, hubiera.
Estuvo, estuvimos, estuviera, estuviste, estuviéremos.
Tuve, tuviste, tuvo, tuvimos, tuviera, tuvieren, tuviésemos.
Vino, viniste, vine, venimos, vinimos, vinieron, viniéremos.

___
___
___

11. responsable-responsabilidad
amable-amabilidad
confiable-confiabilidad
respetable-respetabilidad
sensible-sensibilidad
contable-contabilidad
afable-afabilidad
móvil-movilidad
civil-civilidad
creativo-creatividad
emotivo-emotividad
pasivo-pasividad
activo-actividad
afectivo-afectividad
reactivo-reactividad
receptivo-receptividad

___
___
___

Llene los espacios con *b* (*be*) o *v* (*uvé*) según corresponda.

1. Se dice __iniste y no __eniste; se dice con __ase en y no en __ase a.
2. Se necesita creati__idad en este tra__ajo.
3. No puedes prohi__ir lo que no __as a cumplir.
4. El __aga__undo recorre el or__e con sensi__ilidad.
5. Se __io en__uelto en un pro__lema legal.
6. ¿Es la Conta__ilidad una disciplina que con__i__e con la ley?
7. Recorda__a que exhi__irían la __ida de San Pa__lo en el clu__.
8. Está medita__undo; no lo trataron con ama__ilidad.
9. Si estu__iéremos seguros de que nos reem__olsarán el anticipo...
10. En__ía un ca__le en lugar de ha__lar por teléfono.
11. Ha__ía tra__ajado en el turno __espertino toda su __ida.
12. En la __i__lioteca ha__ía un em__lema con un águila __icéfala.
13. Tres consonantes __ila__iales son la *p*, la *b* y la *v*.
14. El otorrinolaringólogo es un especialista en __oca, oídos, nariz y garganta; tam__ién re__isa los __ronquios.
15. El animal her__í__oro come legum__res; el carní__oro, carne.
16. Demuestra tu emoti__idad y tu afecti__idad cada día.
17. Por fa__or, hier__e el agua, __acíala y sir__e la comida.
18. Puedes sem__rar amistades y te sentirás en la cum__re.
19. La "v la__iodental" no existe en castellano. *B* y *v* se pronuncian como __e am__as.
20. ¿Por qué ci__ilidad y mo__ilidad se escriben con __?

La *C* (*ce*), la *S* (*ese*) y la *Z* (*zeta*)

En muchos casos, en las palabras derivadas de otra que se escribe con *t*, esta letra se transforma en *c* o en *z*, salvo algunas excepciones que veremos más adelante. La *d* se transforma en *s*.

t = c = z
d = s

Ejemplo:

punta, punción, punzar
fuerte, fuerce, fuerza

Decidir = decisión
comprender = comprensión.

Excepción: atender = atención.

Observe los siguientes verbos:

motivar-motivación
elevar-elevación
evacuar-evacuación
situar-situación
investigar-investigación
adecuar-adecuación
meditar-meditación
iniciar-iniciación
representar-representación
recolectar-recolección

¿Cuál es la terminación del infinitivo de estos verbos?

____

____

¿Cómo se forma el sustantivo de estos verbos?

____

____

¿Cuál regla sobre el uso de la **c** deduce de lo anterior?

____

____

Observe los siguientes verbos y sus sustantivos:

revisar-revisión
dispersar-dispersión
expresar-expresión
pulsar-pulsión
confesar-confesión
precisar-precisión
impulsar-impulsión
imprecisar-imprecisión

¿Cómo se forma el sustantivo derivado de estos verbos y por qué?

____

____

Observe los siguientes verbos y sus sustantivos:

generalizar-generalización
revitalizar-revitalización
civilizar-civilización
colonizar-colonización
militarizar-militarización
naturalizar-naturalización
dramatizar-dramatización
comercializar-comercialización

¿Cómo se forma el sustantivo derivado de esos verbos y por qué?

Observe los siguientes verbos y sus sustantivos:

cometer-comisión
divertir-diversión
discutir-discusión
emitir-emisión
convertir-conversión
repercutir-repercusión
transmitir-transmisión
invertir-inversión
omitir-omisión
dimitir-dimisión

¿Cuál es la terminación del infinitivo de estos verbos?

¿Cómo se forma el sustantivo de estos verbos?

¿Cuál regla sobre el uso de la **s** deduce de lo anterior?

Observe los siguientes verbos y sus sustantivos:

dividir-división
extender-extensión
evadir-evasión
circuncidar-circuncisión
confundir-confusión
ceder-cesión
comprender-comprensión
suspender-suspensión

¿Cómo se forma el sustantivo derivado de esos verbos y por qué?

Complete con *c* o *s* según corresponda:

1. El gobierno pretende que no haya eva__ión de impuestos.
2. La contamina__ión ambiental es un gran problema actual.
3. Se llama inter__ec__ión a un cruce de caminos porque se inter__ecan dos vías.
4. Los actores ha__ían su representa__ión con gran pa__ión.
5. La compren__ión es básica para superar inde__i__iones.
6. Por inter__e__ión del director, el profesor ac__edió a que se realizara el concurso de ajedrez.
7. La agre__ión nunca será disculpada.
8. La na__ión ne__e__ita buenos estudiantes.
9. Se usa la pun__ión en acupuntura.
10. Pidió revi__ión de examen, pero no pudo evitar la expul__ión.
11. Firmó el documento de __e__ión de derechos después de la __e__ión.
12. Estuvimos de acuerdo con la comer__iali__a__ión ma__iva.
13. La difu__ión de la cultura era una fun__ión básica de la escuela prehispánica: el *Calmécac* y el *Tepochcalli*.

14. Obtuvo una men__ión honorífica en su examen profe__ional.
15. La perturba__ión ecológica es nuestra mayor preocupa__ión.

Observe las siguientes palabras:

envanecer	crecer	ofrecer	reconocer	envilecer	convencer
enmudecer	cocer	perecer	acontecer	acaecer	prevalecer
atardecer	nacer	parecer	***ser***	***coser***	***toser***

Deduzca una regla del uso de la *c*.

____

____

Observe los siguientes grupos de palabras, deduzca las correspondientes reglas ortográficas sobre el uso de la *c*, la *s* y la *z*, y anote si hay excepciones.

1. reproducir, predecir, traducir, introducir, conducir, ***asir***

____

____

2. decencia, congruencia, paciencia, reticencia, esencia, ***Hortensia***

____

____

3. jactancia, repugnancia, vagancia, preponderancia, sustancia, ***ansia***

____

____

4. camionazo, encontronazo, golpazo, sentonazo, cañonazo, balazo

____

____

5. aparecer-aparezco, inducir-induzco, lucir-luzco, reducir-reduzco, padecer-padezco, conducir-conduzco

____

____

Complete con *c*, *s* o *z* según corresponda:

1. Varios poetas expre__an su emo__ión frente al atarde__er.
2. No recono__ió la e__en__ia de su talento.
3. Sintió repugnan__ia frente a la ex__e__iva pa__ien__ia que le mostraba.
4. Estaba muy enfermo; to__ía continuamente.
5. Co__ía su pantalón con un hilo diferente.
6. No cue__as la carne dema__iado.
7. No fuer__es la llave; la __erradura está bloqueada.
8. Le dolía su au__en__ia, sobre todo al amane__er.
9. Lu__ía un bello traje que le co__ió su abuelita.

10. Sentía un an__ia profunda frente al barco que se me__ía.
11. Horten__ia tuvo la ocurren__ia de co__er las __anahorias.
12. No fortale__cas la mentira para que no pare__cas menda__.
13. Ojalá condu__ca con cuidado y no con an__ia.
14. A__ió fuertemente su bol__a, que era lo único que po__eía.
15. Falle__ió su madre el mes pasado y ella desfalle__ía de dolor.

La *G* (*ge*) y la *J* (*jota*)

Observe los siguientes grupos de palabras, deduzca las reglas ortográficas de cada uno y anote si existen excepciones.

1. corregir dirigir elegir exigir regir
   sumergir ***crujir***
   emerger acoger escoger recoger proteger
   sobrecoger ***tejer***

2. octogenario nonagenario trigésimo quincuagésimo vigesimal
   septuagesimal quingentésimo

3. vigía elegía pedagogía geología biología
   teología cronología
   apoplejía ***bujía*** ***canonjía*** ***herejía*** ***hemiplejía***
   paraplejía ***cuadriplejía***

4. legible legítimo legión legislar legislador
   lejía ***lejísimos***

5. homenajear lisonjear canjear hojear ojear
   forcejear carcajear

6. dibujar pujar quejar manejar festejar
   estrujar enrejar

7. aducir-aduje traducir-traduje inducir-induje decir-dije
   reducir-reduje conducir-conduje deducir-deduje

Escriba el presente de indicativo y de subjuntivo de *proteger* y *dirigir*.

	Proteger		Dirigir	
yo				
tú				
él				
nosotros				
ustedes				
ellos				

Observe que al conjugar los verbos anteriores se escribe **g** antes de las vocales **e, i**: prote**ge**, prote**gi**mos, prote**gí**, diri**ge**, diri**gi**mos, diri**gí**; se escribe **j** antes de las vocales **a, o**: prote**ja**, prote**jo**, diri**ja**, diri**jo**.

Escriba correctamente *g* o *j* en los espacios en blanco. Al leer en voz alta su ejercicio, explique cuál regla utilizó.

1. La empresa está can__eando __u__uetes.
2. Condu__e la mirada hacia el lu__ar que esco__í.
3. Se celebró el quin__entésimo aniversario de la le__islación.
4. Ellos se sumer__ieron en el agua y él __uró que la prote__ería.
5. Ele__í varios poemas: una ele__ía, un soneto, un romance.
6. Muy atentamente, me diri__o a usted para solicitar un e__emplar del libro de __acinto Benavente.
7. Nos prote__imos de la lluvia, pero ele__imos un mal lugar.
8. Gozaba de muchas canon__ías porque era octo__enario.
9. El vi__ía tenía preparada una bu__ía además de su lámpara.
10. No es le__ible el manuscrito de la le__islación.
11. Adu__e que no tenía tiempo y que no transi__iría.
12. Homena__earemos al feste__ado por su triunfo académico.
13. O__ear significa mirar, observar; ho__ear, pasar las ho__as.
14. El estudiante no era un a__itador ni un __itano.
15. Cuando cosas, proté__ete de la agu__a con un dedal.

La *H* (*hache*)

Observe cuidadosamente los siguientes grupos de palabras y deduzca las reglas correspondientes a cada uno.

1. he

has	hemos	hube	habrán	haya
ha	han	hubiste	habríamos	hubiera

___

___

2. hago hice hiciste hacía haga
haces hizo haremos harían hiciere

3. húmedo humor humo humano humilde
humillar *umbilical* *umbrío*

4. hiato Híades huida huidizo hialografía
huir huisache huipil

5. hiena hielo hiedra hiel hierba
hierro hierático hiede

6. hueco (*oquedad*) huérfano (*orfandad, orfanato*) huevo (*óvulo, ovario*) huerto
hueso (*óseo, osario*) huelga huella

7. oler huele oleremos olería huelan
huelo olí olía huela olieran

En el grupo 6, ¿qué relación existe entre las palabras entre paréntesis y sus precedentes?

¿Cuál regla se deduce de lo anterior?

¿Qué sucede con el verbo oler y por qué?

Anote el infinitivo de cada uno de los siguientes verbos, luego escriba una oración.

desecho
deshecho
aré
haré
erraré
herraré
abría
habría

ablando ______________________________

hablando ______________________________

reusaré ______________________________

rehusaré ______________________________

haz ______________________________

has ______________________________

cayó ______________________________

calló ______________________________

Anote la letra *h* donde sea necesario.

1. __abía un __ueco en el __uerto.
2. __estaba __ensombrecido o __umbrío por la pena, porque la pena tizna cuando __estalla.
3. La __iedra creció __entre la __ierba y subió __asta el __ueco del __árbol.
4. __ablando se entiende la gente, pero también __ay que __ablandarle el __umor.
5. __ay, gritó de dolor el __enfermo.
6. __uevo se escribe así ____________, y __ovario y __óvulo, palabras hermanas de __uevo, se escriben así ________, __________ porque, según la regla, todo inicio de palabra con *ue* se escribe con __________ .
7. Los bú__os estaban parados en territorio pro__ibido y se re__usaban a moverse de a__í, porque no __ay ni __abrá lugar suficiente para ellos en __otra parte.
8. ¿Qué es lo correcto: __aré lo que pude o __aré lo que pueda?
9. La __ialografía es el __estudio relativo a la escritura sobre el vidrio.
10. Lleno de __umor, pero __umilde, el ser __umano parece __asombrado en esa pintura.
11. Es imposible __ojear un periódico al mismo tiempo que se está bebiendo café. Pero sí se puede __ojear.
12. No podemos __errar en esta época en que se necesita de nuestra precisión en el trabajo.
13. No __erraremos en el trabajo cotidiano, a menos que seamos __erreros.
14. Si __erramos, el jefe nos despedirá.
15. Se re__úsa el papel, pero no se re__úsa el papel moneda.

La *r* (*ere*) y la *rr* (*erre*)

Observe cuidadosamente los siguientes grupos de palabras y deduzca las reglas correspondientes.

1. rápido remito Rita rosas Rubén
   robusto retraído rimar rollo

   ____

   ____

2. Israel desrielar | Enrique posrevolución | subrayar enredar | enrojecer enrollar | honra

____

____

3. palabra comercial | postrero flotar | normal cabra | provecho | marcado

____

____

4. pavor amor | color olor | sabor sudor | dolor | calor

____

____

5. carro mirra | ahorra Parra | cerro fierro | perro | guerra

____

____

6. caro mira | ahora para | cero fiero | pero | güera

____

____

7. virreina contrarréplica | Vicerrector | pelirrojo politicorreligiosa | costarricense | Videorrey tablarroca

____

____

Llene correctamente los espacios en blanco con *r* o *rr*.

1. Es fácil en__iquece__se y deshon__a__se.
2. El p__ofesor exp__esó que sub__ayá__amos el p__edicado.
3. En__ique vive en __oma.
4. Mis cabellos son g__ises, pe__o no po__ la edad.
5. No se volvie__on blancos, como ocu__e a causa de súbito pavo__ .
6. El __ealismo aparece en F__ancia.
7. Apa__ece unido a la tendencia pictó__ica que p__etendía plasma__lo todo.
8. Las co__ientes lite__a__ias contempo__áneas buscan __enova__ .
9. La vangua__dia se convie__te en desequilib__io y ana__quía.
10. A veces la natu__aleza se defo__ma hasta el absu__do.
11. Se __echazan los fo__mulismos __etó__icos.
12. Los __ománticos buscan __emove__ los cimientos de la bu__guesía.
13. Los nuevos "ismos" sostienen postu__as i__econciliables.
14. Algunas unive__sidades tienen vice__ector.
15. Es co__ecto en español esc__ibi__ Video__ey y no Video__ey.

La *Ll* (*elle*) y la *Y* (*ye*)

Observe los siguientes grupos de palabras y deduzca las reglas correspondientes.

1. chiquillo castillo amarillo milla camilla costilla silla

____

____

____

2. fallo fallido follaje folletín fuelle fullería fullona

____

____

____

3. yugo yugoeslavo yugular yuxtaponer Yucatán ***lluvia lluvioso***

____

____

____

En las palabras derivadas de otras que se escriben con las vocales ***e, i***, estas letras cambian a ***y***. Ejemplos: *ir*, *y*endo; inclu*ir*, inclu*y*a; ca*er*, ca*y*ó; atribu*ir*; atribu*y*a.

Llene correctamente el espacio con *ll* o *y* según corresponda.

1. Se conserva el estilo de las capitales de provincia en que no asoma forastero que no se convierta en la comidi__a de los vecinos apostados junto a las puertas.
2. Después de haber seguido aquel camino pintoresco, cu__os árboles despiertan recuerdos, se descubre la puerta del casti__o.
3. El fa__o del director respecto al fo__etín que se editará no fue positivo. Fue un intento fa__ido, pero nos quitamos de ese __ugo en el que nos habíamos metido.
4. Todas las palabras que empiezan con __u se escriben con __, excepto __uvia y sus derivados.
5. Es importante que sepamos que se dice y se escribe cón__uge y no cón__ugue.
6. Ha__ es una forma impersonal del verbo haber y, por supuesto, no tiene plural; aunque algunas personas dicen "habemos", es incorrecto. A__ es una interjección.
7. La __ se usa también al término de algunas palabras como re__, mague__, bue__, care__, mame__, esto__, le__, vo__, mu__, so__. En este caso tiene sonido de *i*.
8. El gerundio del verbo ir es __endo.
9. Por supuesto, las palabras terminadas en -a__, -e__, -o__, -u__ se escriben con __. Por ejemplo: convo__, jerse__, Paragua__.
10. El plural de estas palabras se hace como en re__-re__es, convo__-convo__es, le__-le__es.
11. La o__a es una vasija redonda de barro o metal. La ho__a es una hondura grande formada en la tierra. En México le decimos ho__o.
12. Po__o es una cría de las aves, particularmente de las ga__inas.
13. Po__o es un banco de piedra que ordinariamente se coloca arrimado a las paredes, junto a las puertas de las casas.
14. Ro__o es cualquier materia que toma forma cilíndrica.
15. Ra__o es un utensilio con agujeros que sirve para ra__ar. Generalmente lo usamos para obtener queso seco en polvo. En México se le __ama ra__ador.

140 caracteres

En no más de 140 caracteres, defina los siguientes conceptos.

- #Letra

- #Palabra

- #Palabras derivadas

- #Modo indicativo

- #Modo subjuntivo

- #Modo imperativo

- #Ortografía

- #Reglas ortográficas

• #Excepción a la regla

____

____

____

• #Uso correcto del español

____

____

____

Leer es un placer

Lea el texto que aparece a continuación y responda las preguntas que aparecen al final.

Botella al mar para el Dios de las palabras

Gabriel García Márquez (septiembre 28 de 2014)

http://cvc.cervantes.es/obref/congresos/zacatecas/inauguracion/garcia_marquez.htm

A mis 12 años de edad estuve a punto de ser atropellado por una bicicleta. Un señor cura que pasaba me salvó con un grito: "¡Cuidado!".

El ciclista cayó a tierra. El señor cura, sin detenerse, me dijo: "¿Ya vio lo que es el poder de la palabra?" Ese día lo supe. Ahora sabemos, además, que los mayas lo sabían desde los tiempos de Cristo, y con tanto rigor que tenían un dios especial para las palabras.

Nunca como hoy ha sido tan grande ese poder. La humanidad entrará en el tercer milenio bajo el imperio de las palabras. No es cierto que la imagen esté desplazándolas ni que pueda extinguirlas. Al contrario, está potenciándolas: nunca hubo en el mundo tantas palabras con tanto alcance, autoridad y albedrío como en la inmensa Babel de la vida actual. Palabras inventadas, maltratadas o sacralizadas por la prensa, por los libros desechables, por los carteles de publicidad; habladas y cantadas por la radio, la televisión, el cine, el teléfono, los altavoces públicos; gritadas a brocha gorda en las paredes de la calle o susurradas al oído en las penumbras del amor. No: el gran derrotado es el silencio. Las cosas tienen ahora tantos nombres en tantas lenguas que ya no es fácil saber cómo se llaman en ninguna. Los idiomas se dispersan sueltos de madrina, se mezclan y confunden, disparados hacia el destino ineluctable de un lenguaje global.

La lengua española tiene que prepararse para un oficio grande en ese porvenir sin fronteras. Es un derecho histórico. No por su prepotencia económica, como otras lenguas hasta hoy, sino por su vitalidad, su dinámica creativa, su vasta experiencia cultural, su rapidez y su fuerza de expansión, en un ámbito propio de 19 millones de kilómetros cuadrados y 400 millones de hablantes al terminar este siglo. Con razón un maestro de letras hispánicas en Estados Unidos ha dicho que sus horas de clase le van en servir de intérprete entre latinoamericanos de distintos países. Llama la atención que el verbo pasar tenga 54 significados, mientras en la República de Ecuador tienen 105 nombres para el órgano sexual masculino, y en cambio la palabra condoliente, que se explica por sí sola, y que tanta falta nos hace, aún no se ha inventado. A un joven periodista francés lo deslumbran los hallazgos poéticos que encuentra a cada paso en nuestra vida doméstica. Que un niño desvelado por el balido intermitente y triste de un cordero dijo: "Parece un faro". Que una vivandera de la Guajira colombiana rechazó un cocimiento de toronjil porque le supo a Viernes Santo. Que don Sebastián de Covarrubias, en su diccionario memorable, nos dejó escrito de su puño y letra que el amarillo es "la color" de los enamorados. ¿Cuántas veces no hemos probado nosotros mismos un café que sabe a ventana, un pan que sabe a rincón, una cerveza que sabe a beso?

Son pruebas al canto de la inteligencia de una lengua que desde hace tiempo no cabe en su pellejo. Pero nuestra contribución no debería ser la de meterla en cintura, sino al contrario, liberarla de sus fierros normativos para que entre en el siglo ventiuno como Pedro por su casa. En ese sentido me atrevería a sugerir ante esta sabia audiencia que simplifiquemos la gramática antes de que la gramática termine por simplificarnos a nosotros. Humanicemos sus leyes, aprendamos de las lenguas indígenas a las que tanto debemos lo mucho que tienen todavía para enseñarnos y enriquecernos, asimilemos pronto y bien los neologismos técnicos y científicos antes de que se nos infiltren sin digerir, negociemos de buen corazón con los gerundios bárbaros, los qués endémicos, el dequeísmo parasitario, y devolvamos al subjuntivo presente el esplendor de sus esdrújulas: váyamos en vez de vayamos, cántemos en vez de cantemos, o el armonioso muéramos en vez del siniestro muramos. Jubilemos la ortografía, terror del ser humano desde la cuna: enterremos las haches rupestres, firmemos un tratado de límites entre la ge y jota, y pongamos más uso de razón en los acentos escritos, que al fin y al cabo nadie ha de leer lagrima donde diga lágrima ni confundirá revólver con revolver. ¿Y qué de nuestra be de burro y nuestra ve de vaca, que los abuelos españoles nos trajeron como si fueran dos y siempre sobra una?

Son preguntas al azar, por supuesto, como botellas arrojadas a la mar con la esperanza de que le lleguen al dios de las palabras. A no ser que por estas osadías y desatinos, tanto él como todos nosotros terminemos por lamentar, con razón y derecho, que no me hubiera atropellado a tiempo aquella bicicleta providencial de mis 12 años.

Preguntas

1. ¿A qué se refiere el autor con el poder de la palabra?

2. ¿Qué significa la frase "el imperio de las palabras"?

3. ¿Qué quiere decir el autor con la frase “Son pruebas al canto de la inteligencia de una lengua que desde hace tiempo no cabe en su pellejo”?

4. ¿A qué se refiere el autor con la expresión “simplifiquemos la gramática”?

5. En el caso del español, ¿quién cree que sea el dios de las palabras? ¿Por qué?

El supercódigo

Abra el siguiente código y revise el artículo titulado “No importa q este scrito asi”, el cual hace un análisis a la escritura en las redes sociales; o bien, localice algún similar.

Luego de revisarlo, defina y argumente una postura personal sobre la ortografía en las redes sociales. Piense en si debemos seguir las mismas reglas al escribir o postear en las redes sociales o se deben aceptar nuevas formas de escribir.

Lo que sé (y lo que no)

Responda las siguientes preguntas y luego evalúe si sus respuestas son correctas.

Pregunta	Sí	No	¿Por qué?
1. ¿Si las palabras terminan en undo, siempre acabarán con *v*?			
2. ¿Todas las terminaciones "ión" se escriben con *c*?			
3. ¿El subjuntivo de los verbos que acaban en ger o gir, se escriben con *j*?			
4. ¿La letra hache tiene usos específicos e inamovibles?			
5. ¿La letra *y* sustituye a la *ll* en la mayoría de los casos?			
6. ¿Las reglas ortográficas siempre se cumplen sin ninguna excepción?			

Compare sus respuestas con las que aparecen a continuación:

Respuestas: 1. No 2. No 3. Sí 4. Sí 5. No 6. No

Y a la final

Para complementar y fortalecer su aprendizaje, le sugerimos ingresar a la sección: *Tips pa' salir de dudas*, de la revista *Algarabía*, siguiendo el link: http://algarabia.com/category/tips-pa-salir-de-dudas/.

Revise los carteles con los diferentes consejos sobre reglas ortográficas y elabore algunos propios eligiendo aquellas que considere más importantes.

Tome en cuenta la siguiente rúbrica:

Criterio	Sobresaliente 5	Satisfactorio 3	No satisfactorio 1	TOTAL
Calidad de la regla	La regla ortográfica se representa de manera excelente.	La regla ortográfica se representa de manera aceptable.	La regla ortográfica se representa de manera errónea.	
Imagen y presentación	La calidad de la imagen y su presentación es excelente.	La calidad de la imagen y su presentación es aceptable.	La calidad de la imagen y su presentación es mediocre.	
Creatividad	El póster representa una propuesta creativa en cuanto a los colores y estrategias.	El póster representa una propuesta creativa en cuanto a los colores y estrategias, sin embargo presenta algunos errores.	El póster NO representa una propuesta creativa en cuanto a los colores y estrategias.	
Originalidad	El póster y la manera de presentar la regla, es muy original.	El póster y la manera de presentar la regla, es original.	El póster y la manera de presentar la regla, es poco original.	

Para conocer más

Abra los códigos que aparecen a continuación, donde encontrará diferentes ejercicios que le permitirán poner en práctica el uso de la "G" y "J", de la "H" y de la "Y"; o bien, busque sitios web con contenido similar.

CAPÍTULO 15

La redacción

El arte de escribir es el arte de descubrir qué crees.
Gustave Flaubert

¿Qué significa redactar?

Redactar significa expresar por medio de la palabra escrita cosas sucedidas, acordadas o pensadas, así como deseos, vivencias, sentimientos y pensamientos.

Características de la redacción

La expresión escrita debe ser:

- *Sencilla*, es decir, espontánea, sin artificios.
- *Clara*, sin ambigüedades, sin oscurantismos que afecten la expresión.
- *Precisa*, sin palabras innecesarias o superfluas, el pensamiento debe ser conciso.
- *Original*, evitando ser copia de otro en el modo de decir las cosas y de expresar ideas.

Para el dominio de la redacción no sólo se deben tener conocimientos lingüísticos o gramaticales, también se tiene que leer correctamente y, sobre todo, escribir, pues la labor de redactar sólo se aprende redactando.

Ejemplos

1. Doxografías

Francisco de Aldana:

No olvide usted, señora, la noche en que nuestras almas lucharon cuerpo a cuerpo.

Homero Santos:

Los habitantes de Ficticia somos realistas. Aceptamos en principio que la liebre es un gato.

De escaquística:

La presión ejercida sobre una casilla se propaga en toda la superficie del tablero.

J. J. Arreola, *Palíndroma*, 3a. ed., México, Joaquín Mortiz, 1990, pp. 69 y 70.

2. En la época de la conquista, los mayas tenían un sistema llamado ahora por los modernos investigadores de "fechas de aniversario", en el que computaban con toda exactitud la verdadera duración del año, con precisión comparable a la actual, que no se establece en Europa hasta 1582; su cómputo de la duración de la luna era también más exacto que el cómputo europeo.

Gastón García Cantú, *México en la cultura universal*, Puebla, Gobierno del estado de Puebla, 1996, p. 18.

El resumen, la síntesis y la paráfrasis

Resumen es un texto que se construye a partir de otro, a través de las ideas principales, cuidando la fidelidad a las ideas del autor.

Características del resumen

- Es la reducción de un texto.
- Se conservan las ideas del autor.
- Se respeta el sentido.
- Es una estrategia de lectura.

Pasos para elaborar un resumen

1. Se realiza la selección de ideas principales. Se puede realizar utilizando la técnica del subrayado.
2. Se construye el resumen utilizando las ideas principales. Para ello, el alumno debe unir las ideas esenciales por medio de nexos, enlaces y signos de puntuación.
3. Se compara el resumen con el texto original para verificar que el contenido no perdió la fidelidad de las palabras del autor.

Ejemplos

1. Selección de ideas principales:

Marco histórico-cultural de los mexicas
(*fragmento*)

La legendaria Aztlán (lugar de garzas) parece haber sido el punto de partida de las tribus nahuas que, en busca de mejores climas y un lugar dónde asentarse definitivamente, recorrían la parte norte de lo que hoy es la República mexicana. Tras un periodo de nomadismo, se instalan en la zona de Chicomostoc (siete cuevas), hoy estado de Zacatecas, de donde saldrán nuevas migraciones que van llegando en oleadas sucesivas al altiplano de la Mesa Central.

Cuando los mexicas (singular: *mexícatl*), a quienes comúnmente llamamos aztecas, llegan al valle del Anáhuac, la zona se encuentra ocupada por los descendientes de las culturas teotihuacana y tolteca. Como necesitan un lugar para vivir, se instalan cerca de los manantiales de Chapultepec, pero los habitantes de la zona los confinan a Culhuacan, lugar infestado de serpientes, con el propósito de que éstas terminen con ellos. Los aztecas aprenden a comer serpientes.

De acuerdo con la profecía del sacerdote Tenoch, que los guiaba desde Aztlán, los mexicas detendrían su peregrinar cuando encontraran esta señal: un águila posada sobre un nopal y devorando a una serpiente. Unos cazadores, que buscaban alimento en las orillas del lago de Texcoco, descubren un día la señal sobre un islote de piedras rodeado por agua.

Las poblaciones ribereñas debieron extrañarse al ver a aquel grupo que pretendía vivir en medio de las aguas, pero el ingenio de los aztecas resolvió el problema con la construcción de chinampas (*chinamitl* = cerca de cañas, *pa* = sobre, en), estructuras de barro y cañas que flotaban en el lago y sobre las que construyeron sus viviendas y organizaron sus cultivos. Hacen así su propio suelo para vivir y trazan la primera urbe con calles (de agua) verticales y horizontales que parten de una plaza cívica central, la que se une a tierra firme por medio de tres largas calzadas, México-Tenochtitlan fundada en 1325.

Rosalía Fernández Contreras, *Literatura de México e Iberoamérica*, México, McGraw-Hill, 1992, pp. 15 y 16.

2. Construcción del resumen:

La legendaria Aztlán es el punto de partida de las tribus nahuas que buscaban mejores climas y un lugar dónde asentarse. Cuando los mexicas (aztecas), una de estas tribus, llegan al valle del Anáhuac, la zona se encuentra ocupada por los descendientes de las culturas teotihuacana y tolteca. De acuerdo con la profecía del sacerdote Tenoch, que los guiaba desde Aztlán, los mexicas detendrían su peregrinar cuando encontraran esta señal: un águila posada sobre un nopal y devorando una serpiente.

Descubren la señal sobre un islote de piedras rodeado por agua. Deciden vivir en medio de las aguas; construyen chinampas y trazan la primera urbe con calles de agua: México-Tenochtitlan.

3. Comparación del resumen con el texto original:
   El resumen se apega al texto original; sin embargo, "la expresión parece ser" se cambió por "es", ¿afecta esto a la idea del texto? Considere los conocimientos que posee sobre nuestra historia prehispánica.

El argumento

El argumento es un resumen de los principales hechos que se desarrollan en una obra. No explica causas ni detalles. Responde a la pregunta ¿qué ocurre en la obra?

El procedimiento para realizar el argumento o resumen de una obra narrativa es el siguiente:

1. Numerar los párrafos.
2. Subrayar:
   a) los nombres de los personajes que participan,
   b) las definiciones y los conceptos centrales,
   c) los nombres de los lugares en donde suceden los hechos,
   d) las fechas que sitúan los acontecimientos,
   e) las cantidades y cualquier otro dato objetivo.
3. Graduar con una, dos o tres cruces, la importancia de las ideas.
4. Redactar un párrafo con las ideas principales, utilizando elementos de enlace y puntuación adecuados. Cuando resulte conveniente, se pueden usar palabras que no estén en el texto original.

Síntesis

Síntesis es un extracto que rescata el contenido de un texto a partir de la localización de las ideas centrales, escribiendo éstas con nuestras palabras y agregando opiniones o comentarios personales al respecto.

Paráfrasis

Paráfrasis (o comentario) es una acción comunicativa que consiste en formular juicios, críticas, o exponer opiniones propias después de comprender eficientemente un texto. Ésta puede ser oral o escrita. Sus sinónimos son: *explicación*, *glosa*, *advertencia*, *razonamiento*, *aclaración*, *crítica*, *interpretación*, *exégesis*, *apostilla* y *escolio*.

Lectura

La Universidad Nacional y el Instituto Politécnico crecen arrolladoramente. La población escolar, en ambas instituciones, sobrepasa ya –en términos relativos– los límites alcanzados en cualquier otra parte del mundo. El rendimiento académico señala cifras desconsoladoras, y la calidad y productividad politécnicas y universitarias no pueden ser de más bajo nivel.

Claro que esta situación –que sigue siendo vigente y aún empeora– no puede ser la resultante de una sola y bien definida causa. Son muchas y complejas, y si se numeran algunas no se intentan jerarquizar ni limitar: prostitución como actividad pública y vía eficaz de control gubernamental, obrero y campesino: malos alumnos y peores maestros, falta de acción y ejemplaridad en la familia; carencia de una profunda vida intelectual; inexistencia de partidos políticos atractivos y promotores de actitudes cívicas independientes; desigualdades sociales con miseria y riqueza extremas e insultantes; inexorable dependencia colonial que penetra, envilece y distorsiona todos los aspectos de nuestro desarrollo; la imagen hiriente de un panorama internacional caótico, injusto y sangriento.

En resumen, un complejo ámbito en donde no hay claridad, en donde lo poco positivo es lento e insuficiente. La esperanza siempre superada por los estigmas de una realidad dolorosamente presente y desoladora. Esto ha sido y es el alimento de cada día para jóvenes y viejos. ¿Qué podemos esperar de nuestros jóvenes? ¿Qué nos atrevemos a exigirles? ¿Qué estamos dando y recibiendo los viejos?

Por supuesto que el Movimiento Estudiantil de 1968 en México estaba desorientado y su estallido nos pareció desproporcionado al incidente callejero que le dio origen. Pero ¿quién no estaba desorientado? ¿Cuál es la verdad que debe prevalecer? ¿Qué es lo que ofrecemos y qué es lo que pedimos? Si no podemos encontrar pronto un buen camino, hay por lo menos algo que debemos afirmar con total honestidad: tragedias como la del 2 de octubre en la Plaza de las Tres Culturas en Tlatelolco vienen a engrosar la venda en los ojos y a ensangrentar la falta de esperanza. **(Pedro Ramírez Arteaga, profesor de Filosofía de la Universidad de Hermosillo, Sonora).**

Elena Poniatowska, *La noche de Tlatelolco*,
México, Era, 1971, p. 24.

Ejercicios

Conteste o realice lo que se indica:

1. Elabore una síntesis con las ideas principales del resumen del fragmento.

2. Elabore una paráfrasis.

3. Resuma el texto anterior y, posteriormente, elabore una paráfrasis.

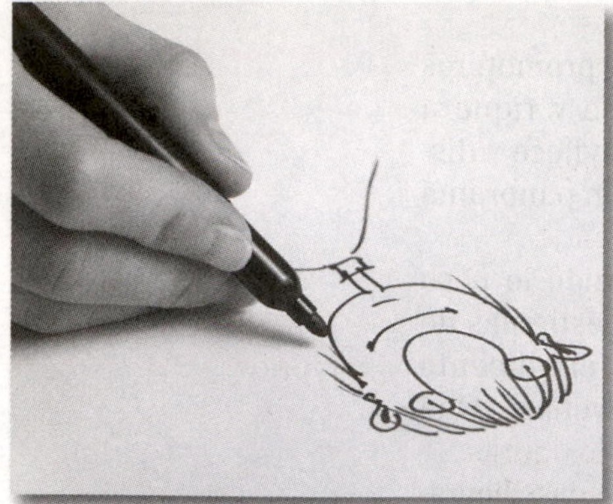

La descripción

Una descripción es una representación, por medio de palabras, especialmente ricas en imágenes sensoriales, que refiere o explica las distintas partes de las cualidades o circunstancias de un personaje, un acontecimiento, un objeto o el marco de una historia.

Características de la descripción

- Utiliza imágenes sensoriales.
- Representa personajes, objetos, acontecimientos o historias.
- Numera cualidades y defectos físicos y morales de los personajes.
- Numera acciones.

Tipos de descripción

1. *Topografía* (descripción de un lugar).
2. *Cronografía* (descripción del tiempo o época en que se realiza un hecho).
3. *Paralela* (descripción comparativa de dos individuos).
4. *Prosopografía* (descripción física de una persona).
5. *Etopeya* (descripción moral de una persona).
6. *Retrato* (descripción física y moral de una persona).
7. *Carácter* (descripción de un tipo social o de una colectividad).

Ejemplos

1. El güero es quien cobra las cuotas de los locatarios. Tiene dientes amarillos y ojos azules. Su cara es fea, arrugada. Posee mucha fuerza, aguanta hasta cien pollos en la espalda...

   Emiliano Pérez Cruz, *Todos tienen premio, todos*, en Gustavo Sáinz, *Antología del cuento*, Jaula de palabras, Grijalbo, México, 1980.

2. Era una fría madrugada de mediados de abril y la bahía de San Francisco estaba cubierta por una ligera bruma, pero no había ningún viento helado, como el que lo había golpeado la noche anterior: el viento que llegaba del mar. Cerró el balcón, sacó del clóset un suéter de angora, cogió la cajetilla de cigarros y el encendedor que estaban en la mesa, bajó las escaleras y salió a la calle. Descendió por Jones Street, los cientos de foquitos blancos que, como estrellas, poblaban los árboles que crecían frente a Nob Hill Tower estaban prendidos. Se detuvo en el primer cruce, Clay Street. A la derecha se veía el pico plateado, lleno de luz, de la Transamerican Pyramid, en la lejanía, y también iluminado, el puente de Oakland. No había un alma en las calles. Llegó a la esquina de Jones y Washington Street, desde...

   Fernando del Paso, *Linda 67. Historia de un crimen*, Plaza y Janés Editores, México, 1996.

¿Puede decir el lector a qué tipo de descripciones pertenecen los ejemplos anteriores? ¿Por qué?

____

____

____

Ejercicios

1. Descríbase como persona, por escrito, en su cuaderno y en diez líneas.
2. Anote en su cuaderno una situación que haya vivido.
3. Describa en su cuaderno un objeto.
4. Lea el texto *Espantos de agosto*. No haga ningún comentario ni pregunta.

Lectura

Espantos de agosto

Llegamos a Arezzo un poco antes del medio día, y perdimos más de dos horas buscando el castillo renacentista que el escritor venezolano Miguel Otero Silva había comprado en aquel recodo idílico de la campiña toscana. Era un domingo de principios de agosto, ardiente y bullicioso, y no era fácil encontrar a alguien que supiera algo en las calles abarrotadas de turistas. Al cabo de muchas tentativas inútiles, volvimos al automóvil, abandonamos la ciudad por un sendero de cipreses sin indicaciones viales, y una vieja pastora de gansos nos indicó con precisión dónde estaba el castillo. Antes de despedirse nos preguntó si pensábamos dormir allí, y le contestamos, como lo teníamos previsto, que sólo íbamos a almorzar.

—Menos mal —dijo ella— porque en esa casa espantan.

Mi esposa y yo, que no creemos en aparecidos del medio día, nos burlamos de su credulidad. Pero nuestros dos hijos, de nueve y siete años, se pusieron dichosos con la idea de conocer un fantasma de cuerpo presente.

Miguel Otero Silva, que además de buen escritor era un anfitrión espléndido y un comedor refinado, nos esperaba con un almuerzo de nunca olvidar. Como se nos había hecho tarde, no tuvimos tiempo de conocer el interior del castillo antes de sentarnos a la mesa, pero su aspecto desde fuera no tenía nada de pavoroso, y cualquier inquietud se disipaba con la visión completa de la ciudad desde la terraza florida donde apenas cabían noventa mil personas, hubieran nacido tantos hombres de genio perdurable. Sin embargo, Miguel Otero Silva nos dijo con su humor caribe que ninguno de tantos era el más insigne de Arezzo.

—El más grande —sentenció— fue Ludovico.

Así, sin apellidos: Ludovico, el gran señor de las artes y de la guerra, que había construido aquel castillo de su desgracia, y de quien Miguel nos habló durante todo el almuerzo. Nos habló de su poder inmenso, de su amor contrariado y de su muerte espantosa. Nos contó cómo fue que en un instante de locura del corazón había apuñalado a su dama en el lecho donde acababan de amarse, y luego azuzó contra sí mismo a sus feroces perros de guerra que lo despedazaron a dentelladas. Nos aseguró, muy en serio, que a partir de la media noche el espectro de Ludovico deambulaba por la casa en tinieblas tratando de conseguir el sosiego en su purgatorio de amor.

El castillo, en realidad, era inmenso y sombrío. Pero a pleno día, con el estómago lleno y el corazón contento, el relato de Miguel no podía parecer sino una broma, como tantas otras suyas, para entretener a sus invitados. Los ochenta y dos cuartos que recorrimos, sin asombro después de la siesta, habían padecido toda clase de mudanzas de sus dueños sucesivos. Miguel había restaurado por completo la planta baja y se había hecho construir un dormitorio moderno con suelos de mármol e instalaciones para sauna y cultura física, y la terraza de flores intensas donde habíamos almorzado. La segunda planta, que había sido la más usada en el curso de los siglos, era una sucesión de cuartos sin ningún carácter, con muebles de diferentes épocas abandonados a su suerte. Pero en la última se conservaba una habitación intacta, por donde el tiempo se había olvidado de pasar. Era el dormitorio de Ludovico.

Fue un instante mágico. Allí estaba la cama de cortinas bordadas con hilos de oro, y el sobrecama de prodigios de pasamanería todavía acartonado por la sangre seca de la amante sacrificada. Estaba la chimenea con las cenizas heladas y el último leño convertido en piedra, el armario con sus armas bien cebadas, y el retrato al óleo del caballero pensativo en un marco de oro, pintado por alguno de los maestros florentinos que no tuvieron la fortuna de sobrevivir a su tiempo. Sin embargo, lo que más me impresionó fue el olor de fresas recientes que permanecía estancado sin explicación posible en el ámbito del dormitorio.

Los días del verano son largos y parsimoniosos en la Toscana, y el horizonte se mantiene en su sitio hasta las nueve de la noche. Cuando terminamos de conocer el castillo eran más de las cinco, pero Miguel insistió en llevarnos a ver los frescos de Piero della Francesca en la Iglesia de San Francisco, luego nos tomamos un café bien conversado bajo las pérgolas de la plaza, y cuando regresamos para recoger las maletas encontramos la cena servida. De modo que nos quedamos a cenar.

Mientras lo hacíamos, bajo un cielo malva con una sola estrella, los niños prendieron unas antorchas en la cocina, y se fueron a explorar las tinieblas en los pisos altos. Desde la mesa oíamos sus galopes de los caballos cerreros por las escaleras, los lamentos de las puertas, los gritos felices llamando a Ludovico en los cuartos tenebrosos. Fue a ellos a quienes se les ocurrió la mala idea de quedarnos a dormir. Miguel Otero Silva los apoyó encantado, y nosotros no tuvimos el valor civil de decirles que no.

Al contrario de lo que yo temía, dormimos muy bien, mi esposa y yo en un dormitorio de la planta baja y mis hijos en el cuarto contiguo. Ambos habían sido modernizados y no tenían nada de tenebrosos. Mientras trataba de conseguir el sueño conté los doce toques insomnes del reloj de péndulo de la sala, y me acordé de la advertencia pavorosa de la pastora de gansos. Pero estábamos tan cansados que nos dormimos muy pronto, en un sueño denso y continuo, y desperté después de las siete con un sol espléndido entre las enredaderas de la ventana. A mi lado, mi esposa navegaba en el mar apacible de los inocentes. “Qué tontería –me dije–. Que alguien siga creyendo en fantasmas por estos tiempos”. Sólo entonces me estremeció el olor de fresas recién cortadas, y vi la chimenea con las cenizas frías y el último leño convertido en piedra, y el retrato del caballero triste que nos miraba desde tres siglos antes en el marco de oro. Pues no estábamos en la alcoba de la planta baja donde nos habíamos acostado la noche anterior, sino en el dormitorio de Ludovico, bajo la cornisa y las cortinas polvorientas y las sábanas empapadas de sangre todavía caliente de su cama maldita.

Gabriel García Márquez, *Doce cuentos peregrinos*, Colección Biblioteca de Premios Nobel, Altaya, Barcelona, 1995, pp. 135-142.

5. Conteste las siguientes preguntas:

a) ¿En dónde se desarrolla la acción?

____

____

b) Transcriba y clasifique las descripciones que hay en el cuento.

____

____

c) ¿Quién es el personaje principal del cuento?

d) ¿En dónde comienza el desarrollo del cuento?

e) ¿Qué es un fresco?

f) Describa el ambiente del cuento.

g) ¿Cuál es el final del cuento?

h) ¿Qué tipo de narrador se maneja?

i) ¿Por qué se queda a cenar la familia con Miguel?

j) Según el contexto de la obra, ¿qué significa galope de caballos cerreros?

6. Escriba con 20 palabras, como máximo, el significado de:

a) Fantasma

b) Sueño

c) Esposa

d) Cielo

e) Iglesia

____

____

f) Cornisa

____

____

g) Dormitorio

____

____

h) Almuerzo

____

____

i) Terraza

____

____

j) Campiña

____

____

7. La *numeración simple* es una revisión rápida de una serie de ideas u objetos que se refieren a un mismo punto. La *numeración compuesta* acompaña a cada idea u objeto de un juicio, una glosa o un comentario. ¿Hay numeraciones en el cuento *Espantos de agosto*? ¿Cuáles son? Clasifíquelas en su cuaderno.

8. Redacte, en su cuaderno, una historia donde incluya dos tipos de descripciones.

140 caracteres

En no más de 140 caracteres, defina los siguientes conceptos.

- #Redactar

- #Resumen

- #Síntesis

- #Paráfrasis

- #Argumento

- #Descripción

- #Características del resumen

- #Características de la descripción

- #Características de la redacción

____

____

____

- #Relación entre lectura y escritura

____

____

____

Leer es un placer

Lea el texto que aparece a continuación y responda las preguntas que aparecen al final.

La importancia de escribir bien

Ana Vásquez Colmenares (abril 29 de 2012)

http://www.m-x.com.mx/2012-04-29/la-importancia-de-escribir-bien/

Seguramente tus maestros te dijeron en primaria, secundaria y preparatoria lo importante que era cuidar la ortografía, pero ahora que eres grande ya no te fijas tanto en cómo escribes. Son demasiadas las personas que no se percatan de que un simple acento o una falta de puntuación puede perjudicar su carrera profesional. Y no me refiero nada más a los escritores. Incluso un correo electrónico, una propuesta a un cliente o un memorándum con errores de ortografía pueden dejar una mala impresión de ti.

¿Cómo puede afectarme escribir incorrectamente?

Reflexiona por un minuto: ¿Qué piensas cuando ves que un cliente, maestro, periodista o empleado tiene una falta ortográfica? Al menos te dan ganas de criticarlo por su falta de preparación o de atención a la hora de redactar.

La mala ortografía te hace ver como alguien que lee poco, que no se cultiva. Cierto, hay mucha gente con suficiente preparación profesional, pero aquí se trata de cómo te perciben los demás. Y no te conviene parecer ignorante. Por lo tanto, si tú sabes de muchas cosas pero siempre se te ha dificultado tener buena ortografía y una redacción fluida, toma un buen curso que te ayude a mejorar en esta área.

¿Cuándo debo cuidar mi escritura?

¡Siempre! Siempre tienes que cuidar tus textos, así sean simples mensajes de celular. En la actualidad, hasta todos aquellos que pertenecen al mundo de las redes sociales deben poner atención a cómo escriben, ya que la más mínima falta será criticada por contactos, fans, amigos o seguidores. No importa si eres una figura pública o un simple mortal, tu palabra escrita también hablará de ti y de quién eres.

Ya sea en una conferencia, en una presentación escolar o en una propuesta para un cliente, es básico que logres comunicarte efectivamente de forma escrita.

Y a quienes confían ciegamente en los correctores ortográficos automáticos, les tengo una noticia: ¡no son perfectos! De hecho no reconocen muchísimos vocablos locales y hasta cambian palabras bien escritas que no están en "su" diccionario. Así que ¡tengan cuidado!

¿Cuenta que escriba bien a la hora de buscar trabajo?
No sólo es importante cuidar la escritura al buscar trabajo ¡es vital! Para que una empresa te considere como una buena opción para algún puesto, debes ser convincente en tu currículum vitae (CV), pues es tu mejor herramienta para presentar tu trayectoria y habilidades.

¿Te has fijado si está escrito impecablemente?
Reclutadores de varias empresas me han comentado que en innumerables ocasiones les llegan CV con faltas de ortografía y errores de redacción graves. Esto hace que no se tomen la molestia de seguir leyéndolos, obviamente no consideran que valga la pena contratar a un aspirante con tales carencias. Por eso te recomiendo que revises tu CV con un experto o que tomes un curso de ortografía y redacción antes de redactarlo.

¿Cómo puedo pulir mi ortografía?
A pesar de que la publicidad y propaganda actual se han encargado de decirnos que leer es benéfico para cualquier ser humano, ésta continúa siendo de las actividades que menos se realizan en México.

Te invito a que te des la oportunidad de leer, eso despertará tu imaginación y tu creatividad. Leer es la mejor forma de aprender a escribir correctamente. Leer novelas te ayudará a expresarte con mayor precisión, leer poesía ampliará tu visión y enriquecerá tu vocabulario, leer artículos informativos aumentará tu capacidad de análisis y te ayudará a ser más crítico.

La ortografía y la redacción son aspectos que jamás debes descuidar, independientemente de que sean una debilidad o una fortaleza en tu persona. Si sabes que no son tu fuerte, ocúpate de mejorar. Saber expresarte de manera adecuada y sin faltas repercutirá positivamente en tu *branding* personal. Te aseguro que te llevará a donde quieras llegar para lograr tus metas.

Preguntas

1. Según la autora del texto ¿por qué una mala redacción puede perjudicar la carrera profesional de un individuo?

2. ¿Qué quiere decir la expresión "La mala ortografía te hace ver como alguien que lee poco, que no se cultiva"?

3. ¿A qué se refiere la autora con la siguiente frase: "tu palabra escrita también hablará de ti y de quién eres"?

4. “Los correctores ortográficos automáticos, no son perfectos”, ¿qué piensas respecto a esta afirmación? ¿Cuál ha sido tu experiencia con ellos?

5. ¿Qué puede suceder con un CV que contenga faltas de ortografía?

El supercódigo

Abra el siguiente código para acceder al artículo periodístico titulado: “El que escriba ‘habrir’ no debería graduarse”, en el cual la escritora reflexiona sobre la necesidad de generar egresados universitarios que sepan escribir correctamente; o bien busque uno similar.

Lea y el texto, y exprese su opinión sobre la ventaja para un país de tener profesionistas que sepan escribir correctamente en su lengua natal.

Lo que sé (y lo que no)

Responda las siguientes preguntas y luego evalúe si sus respuestas son correctas.

Pregunta	Sí	No	¿Por qué?
1. ¿La redacción es, necesariamente, una expresión escrita y no oral?			
2. ¿El resumen y la síntesis son sinónimos de un mismo proceso?			

3. ¿La paráfrasis es una acción comunicativa que consiste en formular juicios, críticas, o exponer opiniones propias?		
4. ¿Una de las características de una buena redacción es el uso de un vocabulario florido y abundante?		
5. ¿Las descripciones deben utilizar imágenes sensoriales?		
6. ¿Los diferentes tipos de descripción se enfocan siempre en el mismo objeto o fenómeno?		

Compare sus respuestas con las que aparecen a continuación:

Respuestas: 1. No 2. No 3. Sí 4. No 5. Sí 6. No

Y a la final

A continuación se presenta una investigación sobre la decodificación del cerebro hacia los emoticonos. Léala y realice en su cuaderno un resumen, una síntesis y una paráfrasis del texto.

Así reacciona el cerebro humano cada vez que ve un emoticono

Prado Campos (agosto 18 de 2014)

http://elpais.com/elpais/2014/08/18/icon/1408376860_317047.html

Hoy en día un ojo humano medio puede ver más emoticonos, por ejemplo un :-) o su equivalente dibujado, llamado emoji, que señales de tráfico o anuncios. Ese es el estado de la comunicación. Somos animales sociales y nos adaptamos pasmosamente a los cambios culturales que nos rodean. En este caso, la cultura es la de los emoticonos, esos símbolos que le aportan ese toque de sentimiento a la gélida comunicación escrita. Tal es su peso en un mundo que cada vez usa más el lenguaje digital, que nuestro cerebro ya está programado para integrarlos y codificarlos como parte del léxico diario. Pero su significado y la manera en la que los recibimos no es tan sencilla ni obvia. Tanto, que son la nueva niña de los ojos de la neurociencia.

Gracias al trabajo de expertos en ciencias del comportamiento sabemos que las mujeres utilizan más los emoticonos que los hombres; que sirven para empatizar de una forma mucho más efectiva con desconocidos; que abusar de ellos no resta popularidad (nosotros escribimos :) y lo que generamos es :(, dicho de otra forma) y que varían según las culturas. Si en Europa o Estados Unidos una sonrisa se expresa así :-) en Japón el emoticono correspondiente es este: ^__^ Pero más allá de ello, el cambio radica en cómo nuestro cerebro se ha adaptado a los emoticonos y ha generado una forma de procesarlos idéntica a la de una imagen real.

"Ningún bebé nace con una respuesta innata hacia a los emoticonos", afirma Owen Churches, neurocientífico de la Universidad de Flinders, en Australia. "Antes de 1982 [fecha en la que el informático Scott Fahlman propuso usar estos caracteres para identificar las bromas] no había motivos para que se activaran las áreas del cerebro sensibles a las caras, pero ahora sucede porque hemos aprendido a representar una cara. Se trata de una respuesta neuronal completamente creada por la cultura, y eso es bastante asombroso", matiza.

Para llegar a la conclusión de que el cerebro reacciona de igual modo ante un emoticono que ante un rostro real, Churches lideró una investigación tras ver cómo sus alumnos cerraban sus emails con :-). Colocó electrodos a 20 participantes que tenían que mirar fotografías de rostros reales, de emoticonos y de secuencias de signos de puntuación creadas al azar que representaban emoticonos escritos al revés. Lo que comprobó es que cuando los sujetos miraban un emoticono de sonrisa o tristeza se activaba la misma área del cerebro, el occipitotemporal, que cuando veían una cara física. Sin embargo, no había respuesta cuando se presentaban los emoticonos incorrectos (-: o)-:

Es decir, el cerebro parece haber aprendido que :-) es igual que una verdadera sonrisa y ha adaptado sus códigos de interpretación neuronal "traduciendo a nivel neurológico un nuevo fenómeno cultural y de lenguaje que ya es parte imprescindible de la comunicación", escribe Catalina Pons, profesora de Comunicación personal y liderazgo en ESADE, en SinapsisLab.

Esta evolución de la respuesta neuronal ante un emoticono es bastante reciente, más que la aparición de los emoticonos, y tiene toda la pinta de ir en aumento si los seguimos utilizando con la misma asiduidad. Mientras que ahora el cerebro reacciona de igual manera ante una sonrisa real que de emoticono, en 2006 un estudio realizado en la Universidad Tokio Denki, de Japón, demostró que los emoticonos japoneses asociados a la felicidad y la tristeza ^__^ y T__T generaban actividad en la zona de procesamiento emocional de cerebro pero era una respuesta muy baja en comparación con la que se obtenía al observar caras reales. La razón más sencilla que lo explica es que en los últimos años el aumento del uso de los emoticonos ha sido tan grande que los reconocemos como caras más fácilmente que hace unos años. "Hace treinta años, esta activación de las áreas de la cara selectiva en el cerebro no se habría visto cuando se presentaba esto :-) Sin embargo, nuestro mundo ha cambiado y nosotros también", remacha Churches.

Para conocer más

Busque en internet fotografías de escenarios naturales mexicanos. Seleccione dos imágenes y descríbalas de manera detallada.

Puede guiar este ejercicio de práctica pensando en cómo se lo describiría a alguien que no conoce nuestro país.

Los capítulos 16 a 22 se encuentran en formato PDF en el sitio web de este libro

Bibliografía

Allport, G. W., *La persona en psicología. Ensayos escogidos*, Trillas, México, 1988.

Ander-Egg y Aguilar, *Técnicas de comunicación oral*, Humanitas, Buenos Aires, 1985.

Ariés, Philipe y George Duby, *Historia de la vida privada de las sociedades. Del Imperio Romano al año mil*, Santillana, 1987. Reimpresión, marzo de 1993.

Berlo, David K., *El proceso de la comunicación. Introducción a la teoría y a la práctica*, El Ateneo, Buenos Aires, 1980.

Bettinghaus, Erwin P., *Persuasive communication*, 2a. ed., Holt, Rinehart and Winston, 1968.

Birdwhistell, Ray L., *Kinesics and Context, Essays on Body Motion Communication*, University of Pennsylvania Press, Filadelfia, 1970.

Blake, R. y E. Haroldsen, *Taxonomía de la comunicación*, Paidós Comunicación, 1983.

Brembeck, L. Winston y William Howell S., *Persuasion: A Means of Social Influence*, 2a. ed., Prentice-Hall, Englewood Cliffs, Nueva Jersey, 1976.

Carnegie, Dale, *Cómo hablar bien en público e influir en los hombres de negocios*, Hermes, México, 1986.

Chávez, Fidel, *Redacción avanzada*, Alhambra Universidad, México, 1993.

Crystal, David, *Enciclopedia del lenguaje de la Universidad de Cambridge*, Taurus, España, 1987.

Decker, Bert, *El arte de la comunicación: cómo lograr un impacto interpersonal en los negocios*, Grupo Editorial Iberoamérica, 1992.

Diccionario de las ciencias de la educación, Aula Santillana, Santillana, México, 1995.

Diccionario enciclopédico Océano Uno Color, Barcelona, 1996.

Dionne Duddy, George y Enrique Reig P., *Reto al cambio. Un modelo vivencial para facilitar los procesos de superación personal*, McGraw-Hill Interamericana de México, 1995.

Ehninger, Douglas, Alan Monroe, Bruce E. Gronbeck, *Principles and Types of Speech Communication*, Scott, Foresman and Company, 8a. ed., Estados Unidos, 1978.

Enciclopedia de la psicopedagogía. Pedagogía y psicología, Grupo Editorial Océano Centrum, Barcelona, 1998.

Enciclopedia del lenguaje, Editorial Crystal, 1994.

Fernández, Alberto V., *Arte de la persuasión oral. Teoría y práctica de la comunicación por la palabra*, Astrea, Buenos Aires, 1991.

Fernández Collado, Carlos y Gordon L. Dahnke, *La comunicación humana*, McGraw-Hill, México, 1986.

Fernández de la Torrente, G., *Comunicación oral*, Norma, Colombia, 1992.

Fernández Sotelo, *La comunicación en las relaciones humanas*, Trillas, México, 1990.

Ferrer, Eulalio, *El lenguaje de la publicidad*, Fondo de Cultura Económica, México, 1994.

Hall, E. T., *The Silent Language*, Doubleday, Nueva York, 1959.

Hanna, Michael S. y James W. Gibson, *Public Speaking for Personal Success*, W. C. Brown Publishers, Iowa, 1989.

Hartley, Eugene L. y Ruth E. Hartley, *The importance and Nature of Communication. Fundamentals of Social Pshychology*, Alfred A. Knopf, Nueva York, 1961.

Hesketh Pearson, *Dizzy. The Life and Personality of Benjamin Disraeli. Earl of Beaconsfield*, traducción al español de Julio Luelmo, Nueva York, 1953.

Hybels, Saundra y Richard L. Weaver, *La comunicación*, Logos Consorcio Editorial, México, 1976.

Instituciones oratorias, vol. IV, Madrid, 1997.

Knapp, M. L., *Nonverbal Communication in Human Interaction*, Holt, Rinehart and Winston, Nueva York, 1978.

Larroyo, Francisco, *Los principios de la ética social. Tratamiento analítico de la ética profesional*, 14a. ed., Porrúa, México, 1971.

Larson, Charles U., *Persuasion, Reception and Responsibility*, 4a. ed., Wadsworth Publishing Company, Belmont, California, 1983.

Lerbinger, Otto, *Diseños para una comunicación persuasiva*, El Manual Moderno, México, 1979.

López Nava, Santiago A., *El arte de hablar bien y convencer, Instituciones oratorias*, vol. IV, Madrid, 1997.

Loprete, Carlos, A., *Introducción a la oratoria moderna*, Compendios Nova de iniciación cultural, Época, 1985.

Lucas, Stephen E., *The Art of Public Speaking*, 3a. ed., Estados Unidos, 1983.

Majorana, Ángel, *El arte de hablar en público. Manual del perfecto orador*, traducción de Francisco Lombardia, Albatros, Buenos Aires, 1978.

McEntee, Eileen, *Comunicación oral*, Alhambra Universidad, México, 1991.

Miller, G. R., *Interpersonal Communication: A Conceptual Perspective*, Communication, 1975, vol. 2: 93-105.

Monroe, Alan H. y Douglas Ehninger, *La comunicación oral, técnica y arte del discurso y del informe*, Hispano Europea, Barcelona, 1973.

Morris, Charles, *Fundamentos de la teoría de los signos*, Paidós Comunicación, edición en castellano, 1985.

Nisbet, John y J. Schucksmith, *Estrategias de aprendizaje*, edición española, Santillana, 1987.

Nothstine, William, L., *Cómo influir en los demás. Estrategias exitosas para una comunicación persuasiva*, Grupo Editorial Iberoamérica, 1992.

Paoli, J. Antonio, *Comunicación e información. Perspectivas teóricas*, Trillas, México, 1985.

Pierro de De Luca, Marta, *Didáctica de la lengua oral. Metodología de enseñanza y evaluación*, Kapelusz, 1983.

Reardon, Kathleen K., *La persuasión en la comunicación, teoría y contexto*, Paidós Comunicación, México, 1991.

Roca Ponds, J., *El lenguaje*, Teide/Barcelona, España, 1973.

Rogers M. Everett y Floye Shoemaker, *La comunicación de innovaciones. Un enfoque transcultural*, Herrero Hermanos Sucesores, México, 1974.

Saad, Antonio Miguel, *La palabra y la magia personal*, Grupo Editorial Iberoamérica, México, 1991.

Schramm, Wilbur, *La ciencia de la comunicación humana*, Roble, México, 1972.

Sferra, Wright y Rice, *Personalidad y relaciones humanas*, 2a. ed., McGraw-Hill, México, 1981.

Vasile, Albert J. y Harold K. Mintz, *Speak with confidence. A Practical Guide*, 4a. ed., Little, Brow and Company, 1986.

Walton, Donald, *¿Sabe usted comunicarse?*, McGraw-Hill Latinoamericana, Bogotá, 1991.

Weaver M., Richard, *The Nature of Rhetoric Language is Sermonic.* Editado por Richard L. Johannesen Rennard Strickland Ralpht, Eubanks, Louisiana State University Press, Baton Rouge, 1970.

Wikstrom, Walter S., *Lesson in Listening. The Conference Board Record*, vol. 2, núm. 4, abril de 1965.

Zacharis y Coleman, Comunicación oral. Un enfoque racional, Limusa, México, 1978.

Referencias de las lecturas

Agencias (2015), *La RAE actualizará en su sitio web la definición de Síndrome de Down*, en El País (en línea), recuperado de http://politica.elpais.com/politica/2015/03/21/actualidad/1426947817_527947.html

Algarabía libros (2015), *Ese oscuro verboide del deseo: el gerundio*, en Algarabía (en línea), Recuperado de http://algarabia.com/algarabia-libros-3/ese-oscuro-verboide-del-deseo-el-gerundio/

El País (2015), *Leer para llegar al fondo*, en El País (en línea), recuperado de http://elpais.com/elpais/2015/01/06/opinion/1420574281_588008.html

Forbes Staff (2014), *Los 10 errores más comunes al hablar en público*, en México Forbes (en línea), recuperado de http://www.forbes.com.mx/los-10-errores-mas-comunes-al-hablar-en-publico/

García Márquez, Gabriel (s.f.), *Botella al mar para el Dios de las palabras*, en Centro Virtual Cervantes (en Línea), recuperado de http://cvc.cervantes.es/obref/congresos/zacatecas/inauguracion/garcia_marquez.htm

González Fairén, Alberto (2015), *Todo lo que todavía no sabemos*, en El País (en línea), recuperado de http://elpais.com/elpais/2015/09/19/ciencia/1442664205_786049.html

Grijelmo, Alex (2014), *"Yo", "yo", "yo", "yo" y "yo"*, en El País (en línea), recuperado de http://elpais.com/elpais/2014/01/03/opinion/1388778074_808887.html

______________ (2015), *La tilde sentimental*, El País (en línea), recuperado de http://elpais.com/elpais/2015/07/24/opinion/1437737781_691265.html

Guix, Xavier (2013), *Necesitamos conciencia moral*, en El País (en línea), recuperado de http://elpais.com/elpais/2013/05/30/eps/1369936183_707211.html

Hidalgo, Luis (2009), *Informar y comunicar son dos cosas distintas*, en El País (en línea), recuperado de http://cultura.elpais.com/cultura/2009/11/26/actualidad/1259190004_850215.html

Hustad, Megan (2012), *PowerPoint, evítalo y mira a tu público*, en CNN Expansión (en línea), recuperado de http://www.cnnexpansion.com/mi-carrera/2012/06/13/como-evitar-el-abuso-del-powerpoint

Lorenzo, Doreen (2011), *Convicción: secreto de los innovadores*, en CNN Expansión (en línea), recuperado de http://www.cnnexpansion.com/emprendedores/2011/10/18/conviccion-motor-de-la-innovacion

Mañana, Carmen (2014), *Siete cosas feas que Internet le ha hecho al castellano*, en El País (en línea), recuperado de http://elpais.com/elpais/2014/09/24/icon/1411572454_252899.html

Mediavilla, Daniel (2015), *¿Cuándo empezaron a hablar los humanos?*, en El País (en línea), recuperado de http://elpais.com/elpais/2015/08/07/ciencia/1438961176_330561.html

Miralles, Francesc (2015), *La magia de conversar*, en El País (en línea), recuperado de http://elpais.com/elpais/2015/08/06/eps/1438872885_619918.html

Montero, Rosa (1994), *El éxito no es un lugar*, en Ergozoom. El Blog de Pepe González (en línea), recuperado de http://ergozoom.blogspot.mx/2008/11/el-xito-no-es-un-lugar.html

Montes de Oca Sicilia, María del Pilar (2012), *Redefiniendo la comunicación*, en Algarabía (en línea), recuperado de http://algarabia.com/desde-la-redaccion/redefiniendo-la-comunicacion/

Navarro Roncero, Luis (2012), *Los verbos trans*, en Algarabía (en línea), recuperado de http://algarabia.com/lengua/los-verbos-trans/

Peña-Alfaro, Silvia (2014), *Policías lingüísticos*, en Algarabía (en línea), recuperado de http://algarabia.com/lengua/policias-linguisticos/

Serna, Enrique (s.f.), *La última visita*, en Ficticia, Ciudad de cuentos e historia, recuperado de http://www.ficticia.com/cuentos/laultimavisita.html

Vázquez Colmenares, Ana (2012), *La importancia de escribir bien*, en Revista Eme- equis (en línea), recuperado de http://www.m-x.com.mx/2012-04-29/la-importancia-de-escribir-bien/

Viejo, Manuel (2015), ¿Por qué hablo tan mal en público?, en El País (en línea), recuperado de http://economia.elpais.com/economia/2015/01/15/actualidad/1421334018_476553.html

Wright, Alex (2008), *La red que cayó en el olvido*, en El País (en línea), recuperado de http://tecnologia.elpais.com/tecnologia/2008/07/05/actualidad/1215248462_850215.html

Referencias de los códigos QR

10ejemplos.com (s.f.), *10 ejemplos de denotación y connotación*, recuperado de http://10ejemplos.com/10-ejemplos-de-denotacion-y-de-connotacion

Amaro, Jazmín (2015), *Husos horarios*, Algarabía, 117, Recuperado de http://algarabia.com/ciencia/que-onda-con-los-husos-horarios/

Biología Tv (2015), *Evolución 01 de 11. La Comunicación, Documental Completo Canal Historia* (video), recuperado de https://www.youtube.com/watch?v=cZFFxtmM-Jg

Bretcha, Albert (2013), *Los errores más frecuentes en las entrevistas de trabajo*. La nueva España (en línea) [fecha de consulta: 25 de agosto], recuperado de http://www.lne.es/sociedad-cultura/2013/10/18/errores-frecuentes-entrevistas-trabajo/1485904.htm

Bretón, María (octubre 2012), *Cómo hacer un doodle, un vídeo escrito o dibujado de manera sencilla* (video), recuperado de https://www.youtube.com/watch?v=9mNt_WgNElM

Cortázar (1962), *Instrucciones para darle cuerda a un reloj*, La insignia (en línea) [fecha de consulta: 5 de septiembre 2015], recuperado de http://www.lainsignia.org/2001/enero/cul_030.htm

Durán, María Luisa (2015), *Falsos adjetivos*, Algarabía (en línea), núm. 112 [fecha de consulta: 12 de septiembre 2015], recuperado de http://algarabia.com/lengua/no-soy-de-aqui-ni-soy-de-alla-los-falsos-adjetivos/

EFE (2013), *La RAE reconoce su 'derrota' contra los acentos de 'sólo' y el demostrativo 'éste'*, El mundo (en línea) [fecha de consulta: 5 de septiembre de 2015], recuperado de http://www.elmundo.es/elmundo/2013/01/09/cultura/1357735373.html

_________ (2015), *"Un vaso de agua" y otros 11 usos lingüísticos que creíamos erróneos*, CNN México (en línea) [fecha de consulta: 21 de septiembre], recuperado de http://mexico.cnn.com/entretenimiento/2015/03/30/un-vaso-de-agua-y-otros-11-usos-linguisticos-que-creiamos-erroneos

El Universal [fecha de consulta: 1 de septiembre de 2015], recuperado de http://www.eluniversal.com.mx/

Espinoza, Johana (2015), *Ejercicios vicios del lenguaje*, en Academia, recuperado de https://www.academia.edu/4850318/EJERCICIOS_VICIOS_DE_LENGUAJE

Esto es México (noviembre de 2011), *Esto es México - paisajes, cultura* (video), recuperado de https://www.youtube.com/watch?v=fa6-5Qo4TIU

Eumed.net (s.f.), *La investigación documental*, en Eumed.net Enciclopedia virtual, recuperado de http://www.eumed.net/libros-gratis/2009b/558/LA%20INVESTIGACION%20DOCUMENTAL.htm

Fadanelli, Guillermo (2008), *Muerto a causa del ruido*, Sobrenatural, recuperado de http://foros.sobrenatural.net/viewtopic.php?t=1146&start=90

Gabriella (2015), *Escribir es bueno para tu salud (y otros recortes literarios)*, en Gabriella Literaria, recuperado de http://www.gabriellaliteraria.com/escribir-es-bueno-para-tu-salud/

García de Blas, Elsa y Peces, Juan (2014), *No imprta q este scrito asi*, El País (en línea), recuperado de http://sociedad.elpais.com/sociedad/2014/03/19/actualidad/1395260730_025818.html

Gómez, Rosario (2012), *¿Periodismo o espectáculo?*, en El País (en línea), recuperado de http://sociedad.elpais.com/sociedad/2012/12/14/actualidad/1355518748_325679.html

Google (s.f.), *Paisajes naturales mexicanos*, recuperado de https://www.google.com.mx/search?hl=es&site=imghp&tbm=isch&source=hp&biw=1280&bih=623&q=paisajes+naturales+mexicanos&oq=Paisajes+naturales+me&gs_l=img.1.0.0l3j0i5i30l2j0i8i30l5.1414.6269.0.8420.21.12.0.9.9.0.138.1135.0j10.10.0....0...1ac.1.64.img..2.19.1167.DJP38rCVh6E

Gramáticas (s.f.), *Ejemplos de vicios del lenguaje*, recuperado de http://www.gramaticas.net/2013/05/ejemplos-de-vicios-del-lenguaje.html

Hernández Fierro, Víctor Manuel (2000), *Lenguaje: Creación y expresión del pensamiento*, Revista Razón y palabra (en línea), recuperado de http://www.razonypalabra.org.mx/anteriores/n19/19_vhernandez.html

Huayapa, Cecilia (2014), *Comprensión lectora ideas principales y secundarias*, en Slide Share, recuperado de http://es.slideshare.net/ceciliahuapaya1/comprensin-lectora-ideas-principales-y-secundarias

Jobs, Steve (julio 2011), *Discurso en Stanford* (video), recuperado de https://www.youtube.com/watch?v=HHkJEz_HdTg

Julio Cortázar (1962), *Instrucciones para llorar*; Ciudad Seva (en línea) [fecha de consulta: 5 de septiembre 2015], recuperado de http://www.ciudadseva.com/textos/cuentos/esp/cortazar/instrucciones_para_llorar.htm

_________ (1962), *Instrucciones para subir una escalera*, Ciudad Seva (en línea) [fecha de consulta: 5 de septiembre 2015], recuperado de http://www.ciudadseva.com/textos/cuentos/esp/cortazar/instrucciones_para_subir_una_escalera.htm

Klaric, Jürgen (2015), *Neuro Oratoria: 10 Técnicas Cientificas para Hablar en Público* (video), recuperado de https://www.youtube.com/watch?v=XKKIEIbzJ2s

La jornada [fecha de consulta 1 de septiembre de 2015], recuperado de www.jornada.unam.mx/

Loubet Orozco, Roxana (s.f.), *Recolección de datos: técnicas de investigación documental*, Fichas de referencia y de trabajo, en Explorando nuestro entorno, recuperado de http://www.geocities.ws/roxloubet/fichas-2.html

Llanos Pitarch, Rosa Inmaculada (mayo de 2014), *Sujeto y predicado*, Ejercicios y soluciones, a casa, recuperado de http://mestreacasa.gva.es/web/llanos_ros/1/blogs/sujeto_y_predicado__ejercicios_y_soluciones_

Llico, Isidro (2012), *Denotación y connotación: niveles de significación. Creación literaria y más. Apoyo para docentes*, recuperado de http://creacionliteraria.net/2012/04/denotacin-y-connotacinniveles-de-significacin/

Manrique Sabogal, Winston (2013), *Un Atlas sonoro del español en el VI Congreso de la Lengua, en Panamá*, El país, Cultura (en línea) [fecha de consulta: 7 de septiembre de 2015], recuperado de http://cultura.elpais.com/cultura/2013/10/19/actualidad/1382202663_616376.html

Marín Candón, Juan Antonio (s.f.), *Reglas de ortografía. Uso de g y j*, recuperado de http://www.reglasdeortografia.com/j300a.html

__________ (s.f.), *Reglas de ortografía. Uso de la H*, recuperado de http://www.reglasdeortografia.com/h60recuperacionsec.php

__________ (s.f.), *Reglas de ortografía. Uso de la Y*, recuperado de http://www.reglasdeortografia.com/y30evaluacionpri.php

Milenio (s.f.) [recuperado el 1 de septiembre de 2015], recuperado de http://www.milenio.com/

Muy interesante (s.f.), *Noticias*, recuperado de http://www.muyinteresante.es/revista muy/noticias-muy

Paidologopedia y audiología (2013), *Adquisición y desarrollo del lenguaje en la infancia* (video), recuperado de https://www.youtube.com/watch?v=AWsaKZS_ZKY

Prezi, [fecha de consulta el 29 de agosto de 2015], recuperado de https://prezi.com/

Raya López, Josefina (2011), *Cien años de alivio*, CNN Expansión (en línea) [fecha de consulta: 30 de agosto de 2015], recuperado de http://www.cnnexpansion.com/expansion/2011/09/14/cien-aos-de-alivio

Real Academia Española de la lengua (2015), *Diccionario panhispánico de dudas*, recuperado de http://www.rae.es/obras-academicas/diccionarios/diccionario-panhispanico-de-dudas

Redacción sin dolor. Departamento de puntuación (2012), Emeequis (en línea) [fecha de consulta: 13 de septiembre 2015], recuperado de http://www.m-x.com.mx/?s=puntuaci%C3%B3n

Revista Eme Equis (s.f.), recuperado de http://www.m-x.com.mx/

Revista Letras Libres (s.f.), recuperado de http://www.letraslibres.com/revista

Robinson, Ken (agosto de 2009), *Las escuelas matan la creatividad* (video), recuperado de https://www.youtube.com/watch?v=nPB-41q97zg

Roble (s.f.), *La oración gramatical*, Roble, recuperado de http://roble.pntic.mec.es/msanto1/lengua/1oracion.htm

Roselló Verdeguer, Jorge (2012), *101 ejercicios para aprender a puntuar*, Revista de estudios lingüísticos hispánicos (en línea), núm. 2 [fecha de consulta: 20 de septiembre], recuperado de https://www.uv.es/normas/2012/ANEJOS/Libro%20Rosello_2012.pdf

Silió, Elisa (2013), *El que escriba 'habrir' no debería graduarse*, El País (en línea), recuperado de http://sociedad.elpais.com/sociedad/2013/02/16/actualidad/1361037969_843190.html

Sintaxis: ejercicios, prácticas y exámenes [fecha de consulta: 22 de septiembre], recuperado de http://www.bidi.uam.mx/index.php?option=com_content&view=article&id=62:citar-recursos-electronicos-normas-apa&catid=38:como-citar-recursos&Itemid=65#12

Sokol, Daniel (2006), *Ponga a prueba su ética*, en BBC Mundo.com, recuperado de http://news.bbc.co.uk/hi/spanish/misc/newsid_4977000/4977490.stm

Su, Sergio (2012), *Community Manager: Reconfigurando la comunicación [Infografía]*, Apolorama (en línea) [fecha de consulta: 16 de agosto de 2015], recuperado de http://www.apolorama.com/2012/07/community-manager-reconfigurando-la-comunicacion-infografia/

TED (s.f) 2000 + *talks to stir your curiosity. Find just the right one* [fecha de consulta: 18 de agosto de 2015], recuperado de https://www.ted.com/talks?language=es&topics[]=business&sort=newest

Textos Científicos .com (2012), *Fabricación de jabones*, recuperado de http://www.textoscientificos.com/jabon/fabricacion

Velilla, Ricardo (2003), *Ocho problemas en la (in) comunicación humana*, revista de la agrupación de miembros (en línea), núm. 9 [fecha de consulta: 17 de agosto de 2015]. recuperado de http://www.santelmo.org/revista/n9/R_Velilla.pdf

Vujicic, Nick (febrero de 2012), *Sin límites* (video), recuperado de https://www.youtube.com/watch?v=eORMM96cYlQ

Youtube (agosto de 2015), *Discursos de Hitler subtitulados* (videos), recuperado de https://www.youtube.com/results?search_query=discursos+de+h%C4%B1tler+subtitulados

________ (agosto de 2015), *Entrevistas Jorge Ramos* (videos), recuperado de https://www.youtube.com/results?search_query=entrevistas+jorge+ramos

Índice